Geoffrey Blainey

UMA BREVE HISTÓRIA DO SÉCULO XX

2011, Editora Fundamento Educacional Ltda.
Reimpressão em 2025.

Editor e edição de texto: Editora Fundamento
Capa e editoração eletrônica: Onirius Comunicação Ltda./Duilio David Scrok
CTP e impressão: Hellograf
Tradução: Be Quiet Prestadora de Serviços Ltda. (Fabíola Werlang); Dubal e Westphalen Ltda. (Rodrigo Dubal)

Produzido originalmente por Penguin Group.
Copyright texto © Geoffrey Blainey, 2005.
Copyright mapas © Penguin Group (Australia), 2005.
Todos os direitos reservados.

Nenhuma parte deste livro pode ser arquivada, reproduzida ou transmitida de qualquer forma ou por qualquer meio, seja eletrônico ou mecânico, incluindo fotocópia e gravação de backup, sem permissão escrita do proprietário dos direitos.

Dados Internacionais de Catalogação na Publicação (CIP)
(Câmara Brasileira do Livro, SP, Brasil)

Blainey, Geoffrey
 Uma breve história do século XX / Geoffrey Blainey; [versão brasileira da editora] – 2. ed. – São Paulo, SP: Editora Fundamento Educacional Ltda., 2011.

Título original: A short history of the 20th century.

1. História moderna – Século 20 I. Título.

10-02296 CDD-909.82

Índice para catálogo sistemático:
1. Século 20: História 909.82

Fundação Biblioteca Nacional

Depósito legal na Biblioteca Nacional, conforme Decreto nº 1.825, de dezembro de 1907.
Todos os direitos reservados no Brasil por Editora Fundamento Educacional Ltda.

Impresso no Brasil

Telefone: (41) 3015 9700
E-mail: info@editorafundamento.com.br
Site: www.editorafundamento.com.br

Este livro foi impresso em papel offset 90 g/m² e a capa em papel-cartão 250 g/m².

SUMÁRIO

Prefácio — 5

Parte 1
   1. Uma aurora resplandecente — 10
   2. Perfume e cerveja de centeio — 25

Parte 2
   3. Uma tempestade de mudanças — 35
   4. A guerra das guerras — 50
   5. Revolta em Petrogrado, paz em Paris — 65
   6. Utopia e pesadelo — 78
   7. O velho sultão e o jovem turco — 91
   8. Cada vez mais depressa — 99
   9. Um percussionista italiano — 111
   10. Uma depressão mundial — 118
   11. A ascensão de Hitler — 125
   12. Uma segunda guerra mundial — 134
   13. De Pearl Harbor à queda de Berlim — 145
   14. Uma arma muito secreta — 159

Parte 3
   15. Cai o pano — 166
   16. A flecha flamejante e os ventos de mudança — 179
   17. Israel e Egito — 193
   18. As naves da vingança — 202
   19. A ilha explosiva e o navio fantasma — 212
   20. Escalando o Everest — 222
   21. O *chef* e o médico — 236
   22. O vaivém da gangorra — 243

23. Raios e trovões em Moscou e Varsóvia	258
24. A queda dos muros	267
25. Cidades, esportes e línguas	281
26. A lua do Islã brilha outra vez	293
27. Retrospecto	304

Lista de Mapas

1. O mundo em 1901	8
2. Alianças da Grande Guerra, junho de 1915	51
3. Gallipoli invadida, 1915	56
4. Rússia e Turquia, 1925	86
5. A Europa de Hitler em meados de 1942	139
6. O Império Japonês em 6 de maio de 1942	151
7. A cortina de ferro, 1948	171
8. A longa marcha da China, 1934-5	175
9. O analfabetismo em 1950	186
10. Israel, Egito e canal de Suez, 1960	199
11. A crise dos mísseis de 1962	215
12. O muro de Berlim	272
13. Países islâmicos, 1956	296
14. Planos de voo, 11 de setembro de 2001	301
15. As grandes cidades do mundo, 2001	308

PREFÁCIO

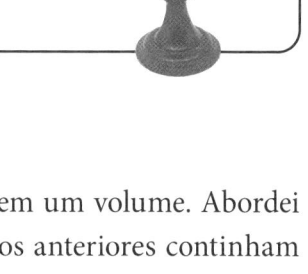

Em 2001, escrevi a história do mundo em um volume. Abordei brevemente o século 20, pois os séculos anteriores continham um número maior de eventos significativos para nosso atual modo de vida. Este livro tenta corrigir a omissão. Para isso, conta a história desse século tempestuoso há pouco encerrado.

Boa parte da história trata das duas guerras mundiais. Muitos dos eventos em tempos de paz durante a segunda metade do século – da corrida espacial ao surgimento dos computadores – foram influenciados por esses dois conflitos. Mas a guerra não é o único tema do livro. Ele também fala sobre a incrível série de descobertas na Medicina, sobre o impacto do automóvel, das comunicações sem fio e dos aviões, sobre o papel da mulher e do movimento ecológico, sobre a emancipação do Terceiro Mundo, sobre a mania por esportes, sobre as mudanças no cristianismo e no islamismo, bem como sobre alguns episódios pouco comentados, mas significativos, como o encolhimento das cozinhas nos lares.

A maioria das pessoas, sobretudo quem ainda não chegou aos 40 anos de idade, deveria tentar conhecer a história do mundo. Entretanto, poucos tentam e provavelmente poucos conseguem. Uma das razões para isso é o fato de os historiadores quase sempre mencionarem acontecimentos e estatísticas em demasia. Muitos leitores se sentem esmagados pela quantidade. Procurei, nem sempre com sucesso, diminuir esse fardo. Às vezes, dei preferência ao clima de determinado momento, e não aos eventos mais significativos – como, por exemplo, ao retratar detalhadamente aspectos do mundo em 1900. Busquei reter o espírito de cada época. Com isso, talvez se percam alguns detalhes.

Não me preocupei se o novo século teve início em 1900 ou em 1901; assim, o começo do livro reflete a desordem que caracteriza o curso da história. A narrativa acaba em 2001, com os dramáticos e simbólicos acontecimentos em Nova York e na Ásia Central. Minhas opiniões sobre as causas dos eventos e tendências mais importantes frequentemente ficam em segundo plano, mas quem tiver interesse em saber mais pode consultar meus livros anteriores, como *The Causes of War* ("As Causas da Guerra", em tradução literal) e *The Great Seesaw* ("A Grande Gangorra", em tradução literal).

Agradeço a todos que me auxiliaram, especialmente ao conselheiro real S.E.K. Hulme, a John Day e ao dr. Tom Hurley, todos de Melbourne, e ao professor Claudio Veliz, então docente da Boston University. Agradeço também a Richard Hagen, a minha esposa Ann, a minha filha Anna e a minha editora Miriam Cannell, com seus olhos alertas. Sou grato a Bob Session e a Clare Forster, da editora Penguin, por debaterem a forma e o enfoque deste livro. Quanto aos defeitos da obra, são todos de minha exclusiva responsabilidade.

Agradeço aos funcionários de bibliotecas e museus nos quais ocasionalmente recolhi informações, em especial à University of Melbourne, ao Deutsches Museum, em Munique, aos museus do Smithsonian Institute, em Washington, ao Science Museum e ao Museu Victoria & Albert, em Londres, ao Australian War Memorial, em Camberra, e à seção de jornais da State Library of Victoria, na Austrália.

Geoffrey Blainey
MELBOURNE

PARTE 1

1 O mundo em 1901

CAPÍTULO 1
UMA AURORA RESPLANDECENTE

O nascer do século 20 foi como uma aurora resplandecente. O nível de expectativa era inédito. Tanto havia sido conquistado no século anterior que parecia sensato acreditar que dali em diante os êxitos do mundo em muito superariam os desastres.

O século que nascia representava uma promessa especial para os povos europeus, quer habitassem o Velho Mundo ou as longínquas terras colonizadas. Seus filhos poderiam esperar uma educação melhor do que nunca, e o trabalho de crianças de 10 anos em tempo integral, em fazendas e oficinas, já não parecia normal. A vida melhorava, a fome diminuía, as pessoas viviam mais. Os conflitos entre as principais nações da Europa pareciam se extinguir, embora tropas numerosas ainda desfilassem em feriados nacionais. Democracia e liberdade se espalhavam. No entanto, a maior parte de tais benefícios atingia apenas um quarto da população mundial e não parecia provável que chegasse à África, à Ásia ou às remotas ilhas do Pacífico.

O século se iniciava de modo promissor e ao mesmo tempo perigoso. A aurora de 1901 se anunciava esplendorosa, mas nuvens negras, em lenta caminhada, pairavam acima da luz.

A EUROPA EM PLENO AUGE: OS VASTOS IMPÉRIOS

A Europa dominava uma grande porção do mundo. A maior parte da frota mundial de navios mercantes ou de guerra navegava sob bandeira britânica, alemã ou francesa. O continente concentrava algumas das maiores cidades do mundo, com seus palácios e museus, suas galerias de arte e universidades. As estradas de ferro e linhas telegráficas, em sua maioria, eram construídas ou financiadas por companhias europeias. Quase todas as grandes ilhas eram províncias ou colônias da Grã-Bretanha, da Holanda, da França, de Portugal, da Espanha ou da Alemanha. Faltava pouco para a África e as ilhas do Pacífico estarem todas sob domínio europeu. Na Ásia, os únicos grandes países não colonizados pela Europa eram a China e o Japão.

O Império Britânico, o maior conhecido pelo mundo até então, ainda não havia atingido seu auge, mas já era dono de uma parcela significativa de cada continente habitado e de uma série de ilhas em cada oceano. No ano de 1900, dominava os mares, com barcos carvoeiros no Mar do Norte, navios de passageiros rumo a portos distantes e embarcações sem rotas estabelecidas, com "suas chaminés cobertas de sal". O Império Britânico e a China tinham, cada um, aproximadamente 400 milhões de habitantes, abrigando, em conjunto, metade da população mundial.

> No início do século 20, a vida melhorava e as pessoas viviam mais.

Em evolução – portanto desordenado –, esse império contrastava com todos os anteriores. Em algumas colônias, os representantes britânicos eram extremamente poderosos, enquanto em outras não passavam de imponentes figuras decorativas. No Egito, os oficiais britânicos de maior patente tomavam as decisões, mas permitiam que altivos paxás continuassem a fumar suas cigarrilhas em suntuosos escritórios, em uma demonstração de prestígio. Por outro lado, Canadá, Austrália e Nova Zelândia dispunham de grande autonomia, e seus parlamentos representavam mais fielmente o povo do que o parlamento britânico. Em termos de política internacional, porém, não eram independentes. No entanto, a mãe dos parlamentos, às margens do Tâmisa, considerando os acontecimentos que levaram à independência das colônias americanas no século 18, de vez em quando se permitia ser desafiada ou ignorada por essas colônias, quando se tratava de questões de política externa de importância vital para elas, que cada vez mais financiavam os próprios exército e marinha, embora aceitassem a liderança britânica em caso de guerra. Em situação diametralmente oposta, estavam as colônias da África e da Ásia, que não possuíam parlamento, juízes locais ou oficiais de alta patente e dependiam em grande parte, em termos econômicos, da Grã-Bretanha.

O crescimento do Império Russo se deu de forma tão acelerada que ficou difícil diferenciar, nos mapas, a velha Rússia do novo império. O Império Russo se estendeu desde o Mar Báltico até o Oceano Pacífico. De tão vasto, em uma extremidade fazia fronteira com a Turquia e a Pérsia, enquanto na outra encontrava a divisa da Coreia. Em tamanho, somente o Império Britânico o excedia.

Um indício de quanto essa parte do Império Russo era recente: até 1860, a bandeira russa não tremulava em portos tão distantes como o de Vladivostok, no Oceano Pacífico, ou o de Batumi, no Mar Negro. Aos poucos, a ferrovia transiberiana se estendia para o leste, chegando ao Lago Baikal, na Sibéria, no início do século, e logo atingindo o Oceano Pacífico. Diante de tal abrangência, alguns observadores imaginaram que aquele seria o século russo.

A Alemanha era um império mais jovem. As terras que, em 1880, não passavam de alguns pontos no mapa transformaram-se em atraentes peças de um quebra-cabeça. Soldados, administradores, missionários e mercadores alemães haviam ocupado partes das costas oeste e leste da África, a Nova Guiné e uma série de ilhas nas cercanias. No outro lado do Oceano Pacífico, próximo à linha do Equador, estavam a Samoa alemã e a Nauru alemã, bem como outros postos avançados. Algumas colônias ficavam tão distantes que um inspetor de Berlim, ao fazer a visita anual aos escritórios de correios dos territórios alemães, usando somente os navios do serviço postal, poderia levar até oito meses para passar por todos eles. Uma vez que a Alemanha havia se tornado uma potência colonial, era necessário que formasse uma marinha de guerra – e essa poderosa força naval foi fator de instabilidade na Europa durante os primeiros anos do século.

A França era um império mais antigo, fruto de mais de trezentos anos de colonização. Depois da Grã-Bretanha, era o império mais disperso. Compreendendo a Indochina tropical e territórios remanescentes de colônias nas Américas do Norte e do Sul, o Império Francês detinha grande parte da África, incluindo uma série de províncias na costa sul do Mediterrâneo. Suas ilhas no Pacífico se estendiam desde a Nova Caledônia, uma das principais jazidas de níquel do mundo, até o exótico Taiti. Em termos de área, tinha somente a metade do tamanho do Império Russo, mas alcançava todos os grandes oceanos do mundo. Talvez não passasse de 20 o número de cidadãos franceses que já haviam visitado todas as colônias habitadas pertencentes a seu país. Tal declaração pode ser feita com boa dose de certeza, uma vez que a ilha dos baleeiros de Kerguelen jazia em total isolamento nos agitados mares do sul do Oceano Índico.

> EM 1900, OS IMPÉRIOS EUROPEUS ERAM PODEROSOS E CONTINUAVAM ÁVIDOS POR EXPANSÃO.

Um vasto império que muitos acreditavam estar à beira da ruína era o Otomano. Com governo sediado em Constantinopla, fazia fronteira com o Mediterrâneo, o Mar Negro, o Mar Vermelho e o Golfo Pérsico. Havia séculos que ameaçava cair, e seu enfraquecimento viria a determinar a eclosão da Primeira Guerra Mundial.

A China, pródiga em recursos, parecia adormecida, enquanto diplomatas e negociantes europeus a cobiçavam. A mais populosa nação do mundo corria o risco de ser alvo de negociação por parte de potências estrangeiras que pretendiam dividi-la. Derrotada pelo refeito Japão na guerra de 1894-95, permanecia intacta graças, em boa parte, a sua sorte. Em resumo, as ambiciosas nações europeias e os Estados Unidos não conseguiram chegar a um acordo sobre a anexação e o controle do território chinês. Portos chineses, como os de Xangai, Macau e Hong

Kong, já estavam sob o controle da Europa, e Taiwan havia sido recentemente anexado pelo Japão.

Tais impérios europeus pareciam poderosos em 1900 e continuavam ávidos por expansão. Tudo entraria em colapso ao longo do século.

A ASCENSÃO DA BANDEIRA ESTRELADA

Os europeus mais atentos – uma minoria – previram as consequências para a Europa do papel exercido pelos Estados Unidos, tanto política quanto militarmente. Por volta de 1900, o país chegava à marca de 80 milhões de habitantes, cerca de 20 milhões a mais do que a Alemanha. Na produção de aço – o barômetro econômico da época –, era o líder mundial. Em outros produtos, de tabaco a minerais, era o maior ou o segundo maior produtor. Às vésperas da Primeira Guerra Mundial, seus produtos manufaturados alcançavam a quantidade total produzida pela Grã-Bretanha, Alemanha e França juntas.

Os Estados Unidos eram o centro da criatividade, fosse em forma de religião, como a ciência cristã, fundada por Mary Baker Eddy, ou em forma de música, como o jazz, criado por afrodescendentes. Nova York era a capital mundial da novidade. *The House of Mirth,* romance de Edith Warthon publicado em 1905 (lançado mais tarde no Brasil com o título *A Casa da Alegria*), começa com a descrição de uma elegante mulher que deixa a agitação de fim de tarde na Grand Central Station – uma das visões mais fascinantes do mundo – e dirige-se a ruas onde se encontram belas casas de tijolos e pedras, decoradas com floreiras e toldos, tudo "fantasticamente variado, de acordo com a ânsia americana pela modernidade".

Lá também surgiam novas palavras e expressões. Lá se encontravam os mais altos edifícios comerciais do mundo, as mais extensas linhas ferroviárias e grandes minas de carvão que ameaçavam suplantar a Grã-Bretanha na extração do mineral. Os Estados Unidos eram os líderes em engenharia elétrica, fornecendo mão de obra e equipamentos para a construção das linhas do metrô de Londres no início do século. O índice de crianças europeias alfabetizadas era inferior ao de crianças norte-americanas, e um soberbo núcleo de universidades tomava forma na América. Apesar de não possuírem uma tradição histórica em artes visuais, os Estados Unidos a compravam com dólares. Pinturas famosas discretamente deixavam os castelos e palácios europeus para, depois de leiloadas em Londres, aparecerem em galerias particulares de magnatas do aço e das estradas de ferro, como os Carnegies e os Fricks.

Os Estados Unidos haviam se tornado um império, embora os cidadãos, em sua maioria, não se sentissem donos dele. O país possuía o Alasca, negociado com a Rússia no ano de 1867; possuía o Havaí; havia derrotado a Espanha numa rápida guerra, conquistando temporariamente Cuba e as Filipinas, e aumentava a marinha de guerra, a fim de acompanhar sua expansão territorial. Um dos emocionantes eventos de 1908 foi a viagem de uma grande esquadra desarmada para as distantes costas do Pacífico, onde seus marinheiros marcharam à vontade pelas ruas – diferentemente da formalidade europeia –, para deleite das multidões. Essa elegante esquadra, de proporções até então inéditas no Oceano Pacífico, foi uma espécie de aviso ao Japão, no entender de alguns observadores. Em 1914, a marinha de guerra norte-americana já era a terceira maior do mundo, contrastando com o diminuto exército.

Os Estados Unidos, que tinham até então preferido viver em isolamento – a ponto de seus esportes favoritos, como o beisebol e o futebol americano, terem sido inventados lá mesmo – começaram a olhar para fora. Iniciava-se o planejamento do Canal do Panamá, que colocaria a América do Norte no centro da rota de comércio global. Em 1900, o país enviou tropas para o norte da China, a fim de se juntarem a outros exércitos de diversas nações e assim restabelecer a ordem após a Rebelião dos Boxers, de cunho antiocidental e anticristão. Cinco anos mais tarde, em seu próprio território, a nação liderou as delicadas discussões que puseram termo à guerra entre Rússia e Japão.

MONARCAS E ANARQUISTAS

A monarquia, abandonada havia muito nos Estados Unidos, estava presente em aproximadamente todos os lugares, com exceção das Américas. O czar da Rússia detinha quase todo o poder, enquanto na Alemanha e no Império Austro-Húngaro os imperadores geralmente eram mais poderosos do que os parlamentos em questões de política externa. O rei da Itália respeitava o parlamento, mas acreditava dispor do direito de passar por cima dele algumas vezes. A rainha da Inglaterra, que governava mais de um quarto dos povos do mundo, era praticamente a monarca menos poderosa da Europa. Ela aconselhava, mas raramente decidia.

Um sinal marcante do prestígio da monarquia foi o funeral dessa rainha. Ela morreu na Ilha de Wight, em um de seus palácios, à tarde, na terça-feira de 22 de janeiro de 1901. Seu desejo era ter um funeral militar, uma vez que era a chefe das forças armadas e da marinha do Império Britânico. Seu caixão, coberto com cetim branco, foi transportado no iate real até a base naval de Portsmouth, atravessando todo o trecho de quase 15 quilômetros em um corredor formado por embarcações – os couraçados e cruzadores britânicos ancorados de um lado; as canhoneiras, os transatlânticos e os navios de nações estrangeiras amigas de outro. Oito destróieres, pintados de preto para a ocasião, acompanharam o iate real, e as pessoas a bordo ouviram, ressoando sobre o mar, a *Marcha Fúnebre* de Chopin, tocada por bandas nas embarcações.

No dia seguinte, o caixão real, transportado até Londres pelo trem funerário, passou por estações apinhadas de pessoas em luto, enquanto nos campos os trabalhadores rurais podiam ser vistos sob a chuva forte, sem chapéu, em sinal de respeito. Praticamente todos os que assistiam ao cortejo haviam passado a vida inteira sob o reinado daquela monarca. Na cidade de Londres, a procissão fúnebre avançou lentamente em direção à estação de Paddington, observada em silêncio por uma imensa multidão. Destacavam-se no cortejo fúnebre, todos montados em cavalos, o rei de Portugal, que logo seria destronado, o arquiduque Franz Ferdinand, que seria assassinado às vésperas da Primeira Guerra Mundial, e o imperador alemão, que perderia o trono ao fim dessa guerra.

Na Europa, as monarquias viviam o apogeu, mas na África eram cada vez mais escassas. A família real de Madagáscar havia sido enviada ao exílio pelos franceses em 1897, e o sultão de Zanzibar submetera-se à autoridade real britânica. As poucas regiões independentes que restavam na Ásia tinham seus monarcas. China, Japão, Coreia e Tailândia eram monarquias e até a Índia possuía um monarca, embora ausente, uma vez que a rainha da Inglaterra carregava o título de imperatriz da Índia; príncipes, *nizans*, rajás e outros potentados reais permaneciam com as asas cortadas. Nas ilhas do Pacífico, também havia monarquias, mas Tonga é a única que mantém até hoje esse sistema de governo.

> O FIM DO SÉCULO 19 FOI O APOGEU DAS MONARQUIAS NA EUROPA, MAS NA ÁFRICA O NÚMERO DE REIS DIMINUÍA.

Na Europa, os monarcas tinham um terrível inimigo: os anarquistas. Presentes na Itália, na França e na Espanha e outrora aliados dos socialistas, consideravam os soberanos poderosos um problema, não uma solução. A maioria dos anarquistas não acreditava em parlamentos, desprezava a propriedade privada e guardava rancor dos líderes nacionais. De acordo com seu ponto de vista, todos tinham o direito de compartilhar o poder e a riqueza. Sua primeira arma era, literalmente, a anarquia.

Greves gerais, extremamente perturbadoras, eram uma das armas dos anarquistas; o assassinato de líderes nacionais era outra. Seus membros mais radicais – então já chamados de terroristas – se dispunham a morrer pela causa, da mesma maneira que os terroristas islâmicos fariam um século mais tarde. Em 1894, o presidente francês Carnot viajava de carruagem em Lyon quando um conhecido anarquista italiano lançou-se sobre ele e o apunhalou. Em 1897, o premier espanhol Canovas del Castillo passava um feriado no balneário de Santa Aguada quando foi morto a tiros por um anarquista italiano, em pleno dia. Em 1898, a imperatriz da Áustria passeava incógnita pelas ruas de Genebra – um ato inacreditável para a monarca de uma das cinco grandes potências do mundo – quando foi morta a punhaladas por um anarquista também italiano.

O popular rei Humberto, da Itália, quase foi assassinado em Roma, no ano de 1897. Três anos mais tarde, em Monza, perto de Milão, os anarquistas o mataram. Também em 1900, em Paris, o xá da Pérsia foi atacado durante uma visita à cidade, enquanto na Bélgica o herdeiro do trono britânico foi atacado por um jovem anarquista – por pouco não existiria um Edward VII, título assumido após a morte da rainha Vitória, um ano mais tarde. Em 1901, o presidente dos Estados Unidos, William McKinley, foi morto por um anarquista. Como os assassinos tinham de agir muito perto das vítimas, praticamente não havia como fugir em seguida: a morte era a punição deles. Eram os equivalentes aos atuais homens-bomba.

O terrorismo é uma velha atividade que aparece, desaparece e reaparece. Quando uma nova onda de terrorismo atingiu a Europa e o Oriente Médio durante a segunda metade do século 20, os anarquistas, com suas pistolas e facas, já haviam desaparecido da memória das pessoas.

OS SINOS DAS IGREJAS SERÃO SILENCIADOS?

Igrejas, mesquitas, templos, pagodes e sinagogas tinham importância vital para a vida cotidiana, ainda que ocasionalmente estivessem sob ataque. Praticamente a cada segundo, em algum lugar, queimavam-se incensos, acendiam-se velas ou tocavam-se sinos. Ao meio-dia ou antes do culto divino, o toque dos sinos era uma das melodias mais difundidas pela Europa – mais do que é hoje. Os ocidentais que chegavam ao Oriente achavam que os sinos dos templos, com seu toque lento e suave, criavam uma atmosfera diferente daquela que existia em suas terras. Um dos mais conhecidos poemas da época, *Mandalay,* em que Rudyard Kipling fala da cidade de mesmo nome, descreve o som do velho pagode birmanês: "Pois o vento sopra nas palmeiras, e os sinos do templo anunciam." Mesmo os mais austeros protestantes, que evitavam decididamente os sinos e as velas, seguiam rituais, inclusive o de agradecer a Deus antes de cada refeição.

Em praticamente todos os países ocidentais, os adultos se casavam e as crianças eram batizadas – recebendo quase sempre um nome cristão – em igrejas. Na época não se imaginava que as novelas viriam a competir com a Bíblia como fonte de inspiração para a escolha dos nomes de bebês. Os enterros – a cremação era rara na Europa – quase sempre eram acompanhados pela leitura da Bíblia ou de um livro de orações. Os cemitérios possuíam áreas separadas para que as pessoas fossem enterradas conforme a religião. Na morte, os que comungavam da mesma crença ficavam lado a lado.

O budismo e o cristianismo, religiões mundiais com maior número de adeptos, continuavam a pregar que a vida na Terra era imperfeita. A maior parte das pessoas acreditava, profunda ou superficialmente, que a morte não era o fim da vida e que a vida após a morte poderia ser, para muitos, infinitamente mais gratificante. "A crença em alguma forma de imortalidade humana é quase universal", escreveu Alfred Garvie, estudioso britânico de religiões, encarregado de escrever o verbete *imortalidade* para uma importante enciclopédia. Naquela época, a crença no inferno e no paraíso – embora a primeira estivesse em declínio – era vista como um dos pilares da civilização ocidental.

No início do século, o cristianismo parecia mais ávido do que o Islã por espalhar a sua mensagem – este se encontrava politicamente enfraquecido e os cristãos ocupavam a maioria das regiões islâmicas. Os Países Baixos controlavam Java e Sumatra; a Grã-Bretanha dominava as áreas muçulmanas da Índia e os estados malaios; e os cristãos russos detinham o poder nas regiões islâmicas das planícies e montanhas da Ásia Central, com exceção do Afeganistão. No norte da África, as regiões islâmicas eram, em sua maioria, colônias da França, da Grã-Bretanha ou da Espanha. Os muçulmanos mais ardorosos sentiam-se um tanto humilhados por verem sua pátria dominada pelos cristãos, o domingo ser estabelecido como dia oficial de veneração e bebidas alcoólicas serem vendidas livremente. O Império Otomano, com base em Constantinopla, permanecia como o único defensor poderoso do Islã, dominando boa parte da Ásia Menor, a Península Arábica, um pedaço modesto do norte da África e os Bálcãs. A Primeira Guerra Mundial despedaçaria esse império.

Milhares de congregações cristãs da América do Norte, da Europa, da Nova Zelândia e de outros lugares financiavam pelotões de missionários – mulheres e homens – que partiam para outras terras com o objetivo de instalar, sob um governo colonial, igrejas e, talvez, um hospital e uma escola. A conversão podia atingir uma ilha inteira ou toda uma região, mas nas populosas China e Índia os convertidos, ainda que numerosos, não passavam de uma pequena parcela. Os missionários se sacrificavam. Albert Schweitzer, uma autoridade mundial nas composições para órgão de autoria de J. S. Bach, deixou muita coisa para trás e viajou da Alsácia até o Gabão, em 1913, para viver como médico missionário em meio aos africanos ocidentais.

As religiões mais importantes tiveram de enfrentar inimigos poderosos. Um deles foi a ciência, quase uma religião rival, capaz de empreender os próprios milagres. Alguns teólogos, usando as então mais recentes habilidades linguísticas, arqueológicas e científicas, questionavam a correção literal da Bíblia, inclusive a criação do mundo no prazo de uma semana. Muitos cristãos mais instruídos sentiram a fé vacilar. Queriam continuar crendo, mas seu intelecto dizia não. William Ewart Gladstone, estudioso da Bíblia e durante muito tempo primeiro-ministro britânico, declarou que essa perda da fé religiosa era "a mais indizível calamidade que poderia abater-se sobre um homem ou sobre uma nação". A tal calamidade, chamada por alguns de "a morte de Deus", tornava-se frequente nos círculos de mais alto nível de instrução.

Os papas deram pouca atenção às novas bandeiras que proclamavam as virtudes da ciência, do socialismo e do livre debate teológico, e a opinião desses líderes religiosos continuou a ter bastante peso em questões internacionais. Em tempos de paz, o papa Leão XIII era provavelmente a pessoa mais influente do mundo. Quando, porém, uma guerra envolvia grandes potências, qualquer peça poderosa de artilharia influía mais do que ele, pois os países católicos tinham deixado de ser dominantes. Três grandes potências econômicas – os Estados Unidos, a Grã-Bretanha e a Alemanha – abrigavam um número maior de protestantes do que de católicos.

AO BALANÇAR DO BERÇO

Muitas das importantes figuras que moldariam a primeira metade do século 20 eram, em 1900, bebês enrolados em mantas ou crianças com menos de 10 anos de idade. Adolf Hitler, um pouco mais velho, tinha 11 anos e era um menino calmo. Na França, Charles de Gaulle celebrava seu décimo aniversário, provavelmente com soldados de brinquedo, tal como um garoto do Kansas, Dwight Einsenhower, o futuro general que durante a guerra faria muito para libertar a França. O líder russo Nikita Krushchev, que ficaria no poder durante um perigoso período da Guerra Fria, era um pequeno camponês de 6 anos de idade.

Quase da mesma idade era "Bertie", criança obrigada a usar talas nas pernas para endireitar os joelhos virados para dentro e a quem haviam ensinado que não era certo escrever com a mão esquerda. Mais tarde, ele se tornaria George VI, o líder de uma das poucas monarquias a sobreviver na tempestuosa Europa. Havia ainda o pequeno iraniano Ruhollah Khomeini, que oitenta anos mais tarde se tornaria o temido aiatolá – título islâmico praticamente desconhecido no Ocidente em 1900, ano de seu nascimento. Algumas crianças viviam longe dos lugares onde se tornariam conhecidas: Golda Meir, uma menininha da Ucrânia, viria a ser primeira-ministra de Israel, nação que nem existia na época de seu nascimento.

Nos braços dos pais ou brincando nas ruas, estavam os futuros líderes de outras nações ainda não criadas: Tito, da Iugoslávia, e Kenyatta, do Quênia. Três compositores – Oscar Hammerstein II, em Nova York, Paul Hindemith, na Alemanha, e Kirsten Flagstad, na Noruega – logo começariam a frequentar a escola, enquanto a canadense Mary Pickford, que se tornaria uma das primeiras estrelas de cinema, já era uma criança prodígio, na opinião apaixonada de seus pais. Na China, Mao Tse-Tung, filho de fazendeiro, então com 7 anos de idade, se tornaria um poderosíssimo líder comunista e acabaria com o conceito de fazendas particulares. Outros que seriam proeminentes líderes asiáticos – o imperador Hirohito, do Japão, e o presidente Sukarno, da Indonésia – nasceram em 1901, ano que, em uma atmosfera intelectual talvez mais capaz de lidar com números do que a nossa, foi considerado o primeiro do novo século.

Nenhuma dessas crianças era capaz de perceber aonde a combinação dos eventos mundiais ou os riscos da guerra e da paz poderiam levá-las. As estatísticas mostravam que a maioria delas não viajaria muito no decorrer da vida. Era comum que a maior parte das pessoas morresse na pequena região, no povoado ou até mesmo na casa em que havia nascido.

No ano de 1900, a maioria das crianças em idade escolar não frequentou a escola nem mesmo por uma semana. Sua colaboração era necessária nos campos, nas matas, nas casas ou mesmo em minas subterrâneas. Sem essa força de trabalho, os padrões de vida na África e na Ásia seriam ainda mais baixos. O Japão talvez fosse o único país asiático onde o trabalho infantil não era comum, mas na Índia e na China a maior parte dos meninos e das meninas trabalhava durante o dia – de fato, o censo hindu de 1911 apontou que somente 1% das mulheres do país sabia ler e escrever. De maneira geral, os países com um padrão de vida mais alto foram os primeiros a instituir a frequência escolar obrigatória. A educação compulsória acabou por abolir o trabalho infantil que durava o dia inteiro, todos os dias.

Um bom presságio era a atitude que surgia, em relação às crianças, em determinados círculos nas ilhas britânicas, na Escandinávia, na Alemanha e na Nova Inglaterra. Nesses círculos, era comum considerá--las não como adultos em miniatura, mas como pessoas com direitos próprios, mais imaginativas e vivazes. Tradicionalmente, na Europa e na Ásia, crianças deviam apenas ser vistas, e não ouvidas. Com a nova postura, elas se tornaram os heróis de um tipo diferente de literatura. O conto de Pinóquio, o boneco de madeira travesso, apareceu pela primeira vez em 1880, na revista infantil italiana *Giornale dei Bambini*. Alguns dos melhores autores britânicos jovens – inclusive Robert Louis Stevenson e Rudyard Kipling – passaram a escrever também para crianças e, nas livrarias, as suas obras competiam com os novos favoritos, como *O Mágico de Oz* e *As Aventuras de Pedro, o Coelho*. Enquanto isso, na Alemanha, um autor mais velho, Karl May, preso várias vezes por fraude e pequenos furtos, arrebatou um grande número de adolescentes com suas obras de fantasiosos enredos de ação, ambientadas no deserto da Arábia e no Velho Oeste norte-americano. As vendas de seus aproximadamente 60 títulos excederam a marca de 7 milhões de cópias. Livros capazes de chamar a atenção dos jovens foram um grande sucesso em vários países, de 1880 a 1910.

> A EDUCAÇÃO COMPULSÓRIA ACABOU COM O TRABALHO INFANTIL QUE DURAVA O DIA INTEIRO, TODOS OS DIAS.

Muitos leitores permaneciam sob o encanto dos livros infantis bem depois de passada a infância. Quando Adolf Hitler se tornou o chanceler da Alemanha, as estantes de seu retiro nas montanhas, perto de Salzburgo, chamaram a atenção de um visitante de 12 anos de idade: "Eu queria saber o que o Führer gostava ler para relaxar." Ele descobriu um número considerável de livros escritos por Karl May. Quase uma década depois, em Chicago, durante a guerra, quando físicos se preparavam para testar secretamente, pela primeira vez, a fissão nuclear, avançando no desenvolvimento da bomba atômica, cada fase do processo foi batizada com um nome tirado do popular livro infantil de A. A. Milne, *Winnie the Pooh (As Aventuras do Ursinho Puff)*. E quando Aung San Suu Kyi, depois de se tornar a heroica líder da Birmânia (hoje Mianmá), procurava um nome para o filho recém-nascido escolheu Kim, em parte por causa das lembranças afetuosas que tinha de um dos personagens de Kipling.

CAPÍTULO 2
PERFUME E CERVEJA DE CENTEIO

As grandes cidades eram o símbolo da nova época. Na Europa, havia meia dúzia com mais de 1 milhão de habitantes cada uma, enquanto um século antes somente Londres havia atingido tal marca. Esta continuava a ser a maior cidade que o mundo conhecia, abrigando então 6 milhões de pessoas. A segunda maior, em 1900, era Paris, que se aproximava dos 3 milhões. Berlim vinha em terceiro lugar, com o crescimento mais rápido entre as três e aproximadamente 2 milhões de habitantes. Eram seguidas por Viena (Áustria) e por duas cidades russas: São Petersburgo e Moscou.

MAGIA E MISÉRIA NA CIDADE GRANDE

As cidades cresciam rapidamente, pois absorviam a população excedente das povoações menores e das áreas rurais que ficavam perto delas. Em 1900, apenas metade dos habitantes de Viena era natural dali. Embora fosse a cidade com o custo de vida mais elevado de toda a Europa, estava cheia de habitações, todas extremamente pequenas; assim, a maior parte dos moradores usava as cafeterias da vizinhança para compensar a falta de espaço em casa. Viena era o lar do creme chantili, das tortas geladas e do café – o chá era mais apreciado na Grã-Bretanha e na Rússia. Era também o lar da música clássica – Mahler atuava como regente de uma das orquestras – e ali surgiu uma nova psicologia, formulada por

Sigmund Freud. Também foi ali que nasceu o nazismo, uma vez que, em 1907, o jovem Adolf Hitler, vindo do interior, começou a aderir ao antissemitismo, tendência política cuja importância aumentava naquela cidade, onde os judeus formavam um décimo da população.

A boa música e o teatro se concentravam nas metrópoles. A música ao vivo era praticamente a única que se podia ouvir, visto que havia gramofones somente em algumas poucas casas e os aparelhos de rádio ainda não existiam. Um dos prazeres dos amantes da música que se mudavam de pequenas localidades para Leipzig ou Praga consistia em ouvir pela primeira vez na vida uma orquestra sinfônica ou uma banda de metais. Interessantíssimas também eram as estações de trem – como a St. Lazare, em Paris, a mais movimentada do mundo – e as ruas apinhadas de veículos de tração animal e bondes, com seus sinos barulhentos. A tudo isso se somavam os músicos a tocar nas calçadas em troca de moedas de bronze e prata recebidas dos passantes.

Os rostos que enchiam as ruas das grandes cidades eram um reflexo do trabalho diário. A maior parte dos habitantes voltava para casa com sinais da labuta espalhados pelas roupas e mãos – tinta de impressão, farinha do moinho, o mau cheiro do esterco dos estábulos, o odor de couro das fábricas de botas e a fuligem do carvão das fábricas e ferrovias. Nem sempre havia água para beber e para limpeza. Em 1897, um viajante do trem noturno que ia de Roma para a França reparou em uma italiana com idade entre 50 e 60 anos que usava um véu de renda e lambia repetidamente a ponta de um lenço para limpar o rosto com ele: "Era exatamente como a higiene de um gato." Os perfumes quase sempre compensavam a escassez da água, e o corredor desse tipo de trem dispunha de uma máquina que, por uma moeda, liberava um pouco de água-de-colônia.

O número de escriturários e funcionários administrativos aumentava – um indício da época em que trabalhar com roupas limpas seria a regra. Grandes escritórios dependiam de invenções que aceleravam o fluxo das informações: o selo de preço irrisório; as coletas postais, que aconteciam três vezes ao dia nas grandes cidades; e as canetas de ponta de aço, que substituíram as penas de ganso. Em 1852, a Inglaterra havia importado um total de 10,286 milhões de penas de ganso e 61 mil penas de cisne, a maioria vinda de portos do Báltico, onde bandos de aves se multiplicavam. Meio século mais tarde, a caneta de ponta de ferro predominaria.

Os escritórios das cidades passaram a usar a máquina de escrever Remington, o telefone e a calculadora. Os escriturários mais experientes poupavam tempo com a nova caneta-tinteiro, que, ao contrário da caneta de ponta de aço, não precisava ser imersa em um pote de tinta a cada meio minuto. As máquinas de escrever tinham a vantagem de, com a ajuda de uma folha de papel-carbono colocada atrás do papel branco, produzir uma cópia nítida do que havia sido datilografado. Por volta de 1910, alguns trens expressos ofereciam uma sala com máquinas de escrever na qual estenógrafos podiam receber mensagens de homens de negócios e datilografá-las enquanto o trem avançava velozmente – o expresso de Wolverhampton para Londres possuía uma sala desse tipo. A datilografia era cada vez mais uma profissão para jovens mulheres, que tornaram os escritórios não apenas um local de trabalho, mas também de namoro.

Completando essas inovações, estava o barateamento do papel. Até então, fabricava-se papel usando farrapos, tecidos velhos de linho e roupas de segunda mão, mas por volta de 1870 um papel mais barato passou a ser fabricado com polpa de madeira. Assim, o uso do produto aumentou.

TERRAS DE ARROZ, TRIGO E TRABALHO DURO

A necessidade de cultivar alimentos e cuidar dos animais de criação ocupava todo o tempo de nove entre dez pessoas em todo o mundo. O dia a dia era dominado por plantações de coco e banana, campos de arroz e trigo, rebanhos de ovelhas e gado bovino, extração de borracha, pomares, vinhedos e bosques de oliveiras. Na Europa, o cotidiano ainda era muito parecido com o da África. A cada manhã, da Noruega a Moçambique, os primeiros a se levantar observavam o céu à procura de sinais de chuva, de ventos indicativos de tempo seco ou de quaisquer outros elementos climáticos que pudessem auxiliar ou prejudicar as plantações.

A colheita era o evento mais importante. Se fosse um fracasso, dezenas de milhões de pessoas estariam expostas à fome, à subnutrição ou a doenças graves. A maior parte dessa atividade era feita manualmente, por um pequeno exército de mulheres e homens que trabalhavam do nascer ao pôr do sol. Na Europa Ocidental, cada vez mais os cavalos eram usados para puxar máquinas que cortavam os talos de trigo, arroz e aveia, enquanto longe dali, mais a leste, homens e mulheres faziam o mesmo serviço utilizando foices afiadas.

A colheita dos grãos era um trabalho em equipe. A necessidade de completar a tarefa enquanto o tempo estivesse bom é descrita em uma passagem característica, embora um tanto exagerada, do romance de Tolstoi, *Anna Karenina*: "... todos, do mais velho ao mais jovem, deveriam naquelas três ou quatro semanas trabalhar árdua e incessantemente, com o triplo do empenho a que estavam acostumados, alimentando-se de cerveja de centeio, cebolas e pão preto, debulhando e transportando com dificuldade os feixes durante a noite, não dormindo mais do que duas ou três horas." Tolstoi acrescenta: "Isso acontece na Rússia todos os anos."

> No início do século, a colheita ainda era o evento crucial.

Em quase todas as partes do mundo, pesados carregamentos eram transportados pela força bruta. Carregadores, curvados sob o peso que levavam, cruzavam montanhas íngremes, por onde não passavam estradas nem ferrovias. Quase todo o sal que chegava ao interior da parte sul da China era transportado em grandes blocos acomodados em uma armação de madeira colocada sobre os ombros dos carregadores. No inverno, a neve deixava o caminho tão escorregadio que os homens caíam e, por causa do peso excessivo, não conseguiam se levantar. Em portos movimentados, que se estendiam desde o Mar Vermelho até o Mar Amarelo, formava-se uma fileira de trabalhadores para carregar o carvão em sacos e cestas até os navios a vapor, uma vez que esteiras transportadoras eram raras. O carvão que abastecia os navios representava um risco para os passageiros bem vestidos, e as mulheres que usavam chapéus de tons claros e luvas brancas aborreciam-se quando percebiam a rapidez com que suas roupas ficavam salpicadas de pó de carvão.

Em países mais prósperos, muitas tarefas ficavam a cargo de cavalos, e não de suados homens e mulheres. As ferraduras desses grandes animais usados para lavrar e colher precisavam ser trocadas mais ou menos a cada três meses – mas as dos cavalos urbanos, que marchavam penosamente sobre os irregulares paralelepípedos e outras superfícies duras, resistiam poucas semanas. Os ferreiros tinham de ser fortes, já que precisavam levantar a pata do cavalo e martelar a ferradura – às vezes o animal, cujo peso podia chegar a uma tonelada, recostava-se sobre o homem enquanto este trabalhava. Um célebre poema muito conhecido nos países de língua inglesa presta homenagem a esses trabalhadores: *The Village Blacksmith* (*O Ferreiro da Aldeia*, em tradução literal) – homem poderoso de braços musculosos e "mãos grandes e vigorosas".

As pessoas, em sua maioria, possuíam animais, grandes ou pequenos, mais por sua utilidade do que para servir de companhia. Gatos eram caçadores de ratos em armazéns e cozinhas. Cães ajudavam na caça e no pastoreio de ovelhas, e as raças de grande porte podiam ser aproveitadas para puxar pequenas carretas. Os huskies e os pôneis da Manchúria viriam a ser empregados no emocionante período de exploração da Antártica, então prestes a começar. O falcão se mostrava um excelente caçador alado e, por isso, era mantido em terras árabes, enquanto os pombos eram valorizados porque podiam ser servidos ensopados, ou no caso dos pombos-correio, transportar mensagens. Os pássaros canoros, talvez os mais afortunados, ficavam em gaiolas, graças ao seu canto e à sua plumagem brilhante. Como costumavam emitir sons sempre que um estranho se aproximava, serviam também como vigias. Os canários tinham outra utilidade: eram enviados às minas de carvão para indicar se havia gases perigosos no ar.

Uma típica família rural europeia que se mudava para a cidade precisava menos de animais e dispunha de pouco espaço para eles. No entanto, à medida que as cidades cresciam e as pessoas, além de se tornarem mais prósperas, vivam mais, os animais de estimação se tornavam desejáveis. As cidades inglesas provavelmente foram as primeiras a abrigar animais de estimação em grande número – a Inglaterra organizou a primeira feira de cães, em Newcastle, em 1859 – e então o costume se espalhou pela Europa continental, onde os cãezinhos com frequência recebiam nomes ingleses, como Blacky (Pretinho) ou Red (Ruivo) – ainda que Blacky não fosse preto nem Red fosse ruivo. Nos Estados Unidos, a popularidade dos animais de estimação ficou visível na primeira era dos desenhos animados. O Gato Félix apareceu em 1917, e o Mickey Mouse, um pouco mais tarde. Em 1900, os bretões controlavam seu grande império, mas os animais sutilmente demonstravam seu status a cada noite, quando os "donos da casa" chegavam e encontravam o gato acomodado na poltrona mais confortável da sala e o cachorro aninhado em frente ao fogo.

Nas propriedades rurais de boa parte do mundo, as tarefas cotidianas se pareciam. Com um balde, buscava-se água no poço ou córrego; a madeira vinha de longe até o fogão a lenha, onde se preparavam todas as refeições; as velas eram acesas no cômodo principal da casa ao anoitecer. A típica família italiana não gozava da idílica vida rural que hoje imaginam os que passam férias em alguma casa de campo antiga e reformada da Toscana ou da Úmbria. A realidade era que pais e filhos (estes últimos sempre em grande número) se apertavam no andar superior da casa, os animais ficavam no térreo, e pilhas de esterco e palha – fertilizantes para a próxima safra – eram guardadas não muito longe. Crianças descalças, que não frequentavam a escola, seguiam o vagaroso carro de bois até as matas vizinhas, para enchê-lo de lenha e feixes de gravetos.

Certas regiões rurais da África e da Ásia desfrutavam de um padrão de vida talvez mais alto do que o de várias zonas rurais da Europa. Nos vales do Tibete, em 1904, o conforto de que dispunha o camponês médio surpreendeu um dos membros de uma expedição inglesa que visitava a região. Ele notou que um dos maiores prazeres dos tibetanos era saborear o tradicional "chá amanteigado", feito com folhas de má qualidade. Observou também que o típico tibetano era "incrivelmente parecido com o irlandês", pois gostava muito de cantar e contar histórias. Em contraste com esses lugares alegres, em algumas partes do mundo ainda havia escravidão.

O escravo vivia em situação pior do que os indivíduos pertencentes a qualquer minoria étnica da Europa. Embora, por volta de 1880, o regime tivesse sido abolido no Brasil e em Cuba, uma ilha produtora de açúcar, ele persistia na África e na Península Arábica. Nos portos do norte africano, os navios que transportavam esses trabalhadores eram vistos movendo-se furtivamente à noite. Os turcos empregavam escravos domésticos em grande número e continuaram a mantê-los, embora em quantidades mais modestas, mesmo após o Império Otomano ter abolido tal prática, em 1889.

> POR VOLTA DE 1904, ALGUMAS REGIÕES DA ÁFRICA E DA ÁSIA TINHAM UM PADRÃO DE VIDA TALVEZ MAIS ALTO QUE O DE VÁRIAS ZONAS RURAIS DA EUROPA.

No ano seguinte, a Grã-Bretanha transferiu para a Alemanha a estratégica ilhota de Helgoland, uma formação rochosa no Mar do Norte, em troca de Zanzibar e das ilhas africanas próximas. Mesmo tendo tomado a iniciativa de abolir a escravidão em suas próprias terras e colônias, a Grã-Bretanha adquiria territórios onde tal prática persistia. Os escravos eram encarregados de subir nas árvores, colher os botões de flor dos cravos-da-índia, acomodá-los em cestas feitas à mão e depois colocá-los para secar ao sol; em seguida, os botões eram transportados por outros escravos até comerciantes indianos no porto mais próximo.

Em 1895, nas ilhas de Pemba e Zanzibar, havia aproximadamente 209 mil habitantes, dos quais dois em cada três eram cativos. Dois anos mais tarde, o sultão aboliu formalmente a escravidão, mas os africanos continuaram a ser capturados e enviados em pequenos barcos de pesca para as ilhas. Na década de 1920, a escravidão continuava nas montanhas da Etiópia e, mesmo na década de 1950, aproximadamente meio milhão de escravos trabalhavam na Arábia Saudita, a maioria em tarefas domésticas.

Poucos eventos contribuíram tanto para o fortalecimento do otimismo em 1900 quanto o fato de diversos males do passado estarem, aos poucos, sendo erradicados. A escravidão era a principal delas.

NASCIMENTO E MORTE

A Europa abrigava quase um quarto dos habitantes do mundo – uma fatia muito maior do que a de hoje. Nos últimos duzentos e cinquenta anos, sua população cresceu mais rapidamente do que a da Ásia e ainda mais rapidamente do que a da África. O lugar da Europa no ranking populacional seria mais alto, não fossem as grandes ondas migratórias, especialmente as dos últimos cinquenta anos. De fato, as viagens através dos mares rumo a Boston e Nova York ajudaram a fazer dos Estados Unidos uma potência mundial, e fluxos semelhantes construíram muito da América Latina, do Canadá, da Austrália, da Nova Zelândia, da África do Sul, de algumas regiões do norte da África e de muitas cidades na vastidão da Sibéria. Apesar dessas ondas migratórias, a Europa apresentava uma aglomeração de pessoas raramente encontrada na Ásia. Mesmo a Suíça, com sua combinação de montanhas desertas e vales bastante povoados, apresentava uma densidade populacional maior do que a da China.

A França era um mistério, pois sua população crescia lentamente para os padrões da época. Por algum tempo, o absinto, bebida alcoólica de cor esverdeada, levou a culpa pelo índice de natalidade decrescente do país. O problema, entretanto, estava nos leitos, não nos bares. Na segunda metade do século 19, a maioria dos casais franceses relutava em ter uma família numerosa. Hoje em dia, quase todas as nações europeias registram taxas de aumento populacional ainda mais baixas do que a da França na época do debate sobre o absinto.

Fora das terras dominadas pelos povos europeus, as condições de vida eram precárias. A taxa de mortalidade de crianças e de pessoas de meia-idade era alta. As calamidades naturais eram frequentes. Na África e na Ásia, a fome severa continuava. Pragas batiam às portas das cidades asiáticas. A malária atacou maciçamente nos trópicos e até mesmo o sul da Itália estava infestado de mosquitos transmissores da doença – a palavra *malaria* entrou na língua inglesa pela Itália, onde mais de 12 mil pessoas morreram anualmente da doença no início do século.

Em 1900, talvez metade dos habitantes do mundo jamais tenha conversado com um médico nem entrado em um hospital. Caso se sentissem muito doentes, procuravam a cura no folclore ou em antigos tratamentos à base de ervas. Na África, adivinhos, astrólogos ou necromantes muitas vezes eram chamados como última esperança. Em muitos países, as primeiras escolas de Medicina foram fundadas somente no século 20.

PARTE 2

CAPÍTULO 3
UMA TEMPESTADE DE MUDANÇAS

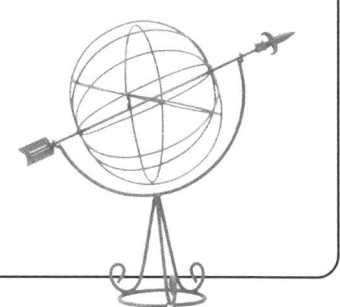

O futuro estava sendo moldado por inventores experientes. No início da Revolução Industrial, durante o período do vapor, os inventores célebres normalmente eram escoceses ou ingleses. Na segunda era inventiva, entre 1850 e a Primeira Guerra Mundial, predominaram os norte-americanos. Surgiram nos Estados Unidos, após 1850, a central de energia elétrica, as redes de transmissão de eletricidade, o gramofone, o telefone, o filme de celuloide e a câmera de baixo custo, o arranha-céu com estrutura de aço, o elevador, as técnicas de extração e refino de petróleo, o avião e o incrível metal leve chamado alumínio. Da Europa continental vieram, no mesmo período, a transmissão por ondas de rádio, o raio X, explosivos capazes de destruir rochas, o motor de combustão interna, vários tipos de rifles e metralhadoras, além de uma série de melhorias em máquinas, dispositivos e fórmulas que já existiam.

Muitos desses avanços costumam ser atribuídos à figura de um grande e único inventor, uma pessoa obsessiva que trabalhava sozinha. Na verdade, a maioria das invenções depende de diversos criadores e teóricos. O "grande inventor" costuma aproveitar as descobertas daqueles que os antecederam. No entanto, é comum os historiadores esquecerem tais contribuições.

Milhares de atividades foram influenciadas pelos novos métodos e pelas novas máquinas. A contagem e a localização de estrelas sofreram uma revolução devido às chapas fotográficas sensíveis das modernas câmeras e ao aperfeiçoamento de espectógrafos e telescópios. Um catálogo francês de 1801 listava a posição aproximada de 47.390 estrelas, mas após o grande congresso fotográfico de Paris, em 1887, observatórios localizados tanto ao norte quanto ao sul do Equador dividiram entre si o céu para melhor estudá-lo e definiram a posição exata de mais de 2 milhões de estrelas. As câmeras mais recentes de então também faziam parte do equipamento dos astrônomos e quando William Shackleton observou o eclipse do Sol nas regiões geladas ao sul de Nova Zembla, em 9 de agosto de 1896, sua fotografia conseguiu captar a qualidade fugaz do fenômeno. A semelhança entre o Sol e as estrelas foi uma das descobertas fascinantes que obtiveram confirmação graças aos novos instrumentos.

> AS MUDANÇAS OCORRIDAS NO INÍCIO DO SÉCULO SE DAVAM MAIS RAPIDAMENTE QUANDO ENVOLVIAM QUESTÕES MATERIAIS, COMO ARMAS E REMÉDIOS.

Observadores atentos de todo o mundo maravilhavam-se com essa tempestade de mudanças, uma rajada após a outra. A tempestade era, na verdade, o próprio século 20. As mudanças tendiam a acontecer mais rapidamente em questões materiais – armas que aniquilavam a vida e remédios que a prolongavam, transporte, energia e modos de poupar o esforço humano. Quando se tratava da difusão de novas ideologias, entretanto, as transformações não eram tão facilmente previsíveis. O romancista Victor Hugo, escrevendo em francês – a língua que já havia expressado tantas novas ideias –, proclamava a força inexorável da mentalidade dinâmica cuja época havia chegado: "É possível resistir à invasão de qualquer exército, mas não é possível resistir à invasão das ideias." De fato, alguns dos novos pensamentos nos campos da religião, da economia, da política e da filosofia avançavam e recuavam de modo desordenado.

Ondas inovadoras se chocavam contra conceitos preexistentes. Cada vez mais, europeus ouviam as palavras de ordem dos socialistas e anarquistas, os clamores das mulheres por direitos iguais e as queixas das minorias étnicas, enquanto ideias ocidentais abalavam a subjugada Ásia. Os ateus proclamavam que Deus estava morto, ou que Sua morte não demoraria a ocorrer, ou mesmo que Ele jamais estivera vivo. Tais medos e esperanças seriam profundamente afetados pela Primeira Guerra Mundial. De fato, alguns desses elementos formaram o pano de fundo do conflito.

UMA ÉPOCA DE APERTOS DE MÃO

Os primeiros anos do século 20 marcaram uma época notável de apertos de mão internacionais. O mundo parecia menor. O telégrafo, por terra ou submarino, aproximou as principais cidades de praticamente todas as partes do mundo. Partindo de Londres ou Liverpool, era possível embarcar a cada quinzena ou a cada mês em navios com destino à maioria dos grandes portos. Linhas férreas de longa distância uniam as longínquas regiões da Europa, embora deixassem Atenas de fora. Ferrovias cruzavam a América do Norte de costa a costa. A Transiberiana unia Moscou à Sibéria e chegava perto das praias do Lago Baikal, que, de início, podia ser atravessado por locomotivas e vagões de passageiros com o auxílio de balsas. Por volta de 1900, até mesmo a África e a América do Sul possuíam longas ferrovias que chegavam a formar linhas transcontinentais.

Resumos das notícias diárias cruzavam o mundo – era essencial resumi-las por causa do alto custo do telégrafo. As prensas a vapor e o jornal a preço baixo permitiam que os recém-alfabetizados soubessem rapidamente o que se passava no mundo – algo praticamente impensável na época de seus avós. Tratava-se, de fato, de uma revolução da informação, embora essa expressão ainda não houvesse sido cunhada.

Em todos os continentes habitáveis, surgiam novas cidades longe do mar. A maior parte delas refletia a expansão do comércio europeu e dos modernos meios de transporte. No alto do Rio Amazonas, cerca de 1,6 mil quilômetros percorridos em navio a vapor separavam o Oceano

Atlântico da pequena cidade de Manaus, situada em uma colina. Lá se encontrava o bispo da Amazônia, sacerdote de uma congregação católica dispersa por uma grande área de florestas e terras desmatadas. Canoas nativas frequentemente chegavam à cidade e o desembarque de navios oriundos do oceano distante não era mais incomum. Em 1902, o porto da selva estava em transformação. Alguns bondes elétricos passaram a percorrer as ruas da cidade, cujo número de habitantes se aproximava de 40 mil. Em noites quentes, quando as janelas do magnífico Teatro Amazonas ficavam abertas para o ar entrar, quem passava ali por perto ouvia vozes cuja suavidade e doçura rivalizavam com as vozes ouvidas em cidades da Europa. Em Manaus, ficava um dos mais movimentados portos de borracha, numa época em que muitas rodas eram necessárias, tanto para as numerosas bicicletas quanto para os primeiros automóveis.

Outras cidades longínquas surgiam como resposta aos sinais da economia globalizada. Situada em um planalto da África do Sul, Johannesburgo, a maior cidade mineradora conhecida até então, começava a lucrar com a demanda por ouro – mais forte naquela época do que atualmente – por parte dos grandes bancos e tesouros públicos do mundo. No árido oeste australiano, surgiu o garimpo de ouro de Kalgoorlie, para onde a água potável era enviada de uma distância de 500 quilômetros através da tubulação de estações de bombeamento a vapor. Em nenhum outro lugar, dir-se-ia mais tarde, havia "tanta água chegando tão longe". Na Manchúria, a cidade de Harbin, com suas peculiares igrejas de cúpulas em forma de cebola, começava a despontar. Com mais de 3 milhões de habitantes hoje em dia, foi fundada em função da então nova ferrovia que percorria todo o território russo.

A viagem para outros países, a negócios ou a passeio, virou uma indústria. Quando criminosos também começaram a cruzar fronteiras ou desembarcar em portos estrangeiros, passou a haver motivo para fiscalizar passaportes e outros papéis de viagem, mas naquela época de boa vontade global o passaporte costumava ser considerado supérfluo. Tantos países haviam abolido o documento que às vésperas da Primeira Guerra Mundial era uma raridade encontrá-lo – algo que mudaria com o conflito. Surgiram os *traveler's checks* – emitidos pela primeira vez pela American Express, em 1891 – e os turistas achavam milagroso que um pedaço de papel com alguns enfeites, uma vez assinado, fosse capaz de pagar a conta do hotel. Os primeiros cartões de crédito apareceram somente em 1950.

Havia uma série de conferências internacionais para todos os tipos de profissões e atividades: funcionários dos correios, ativistas pela paz, estatísticos, cientistas, meteorologistas, militares, socialistas, linguistas e missionários. Pactos internacionais, mesmo os que tratavam de armamentos, foram firmados. Em 1899, em Haia, o czar da Rússia convocou uma conferência para tratar de guerra e paz, e um de seus êxitos foi proibir o uso de armas em balões aéreos. Outros sinais incomuns de harmonia entre nações e doutrinas se faziam notar. Em 1910, o recém-empossado prefeito de Roma era Ernesto Nathan, nascido na Inglaterra, um maçom seguramente não católico.

> O FATO DE O MUNDO ESTAR SE TORNANDO MENOR NÃO SIGNIFICAVA QUE NECESSARIAMENTE FICAVA MAIS AMIGÁVEL.

As então mais recentes tecnologias de comunicação costumavam ser aclamadas como as figuras principais dos tempos de paz; mas o telégrafo elétrico, inicialmente saudado como mensageiro do amor fraternal, podia da mesma maneira transmitir declarações de guerra. As ferrovias que transportavam turistas pacíficos também podiam carregar regimentos armados. O fato de o mundo estar se tornando menor não significava que necessariamente estava se tornando mais amigável. Mais nações começavam a estabelecer tarifas sobre mercadorias importadas e a ideologia do livre-comércio desaparecia gradualmente. Partes maiores dos orçamentos nacionais eram destinadas ao exército e à marinha. Entretanto, as forças que buscavam a paz entre as nações pareciam tão vigorosas aos olhos de alguns observadores que um otimista verbete *paz* foi publicado na edição de 1911 da *Encyclopaedia Brittanica*. A definição previa que "o primado da razão" substituiria totalmente o pensamento militarista. Tal verbete não seria encontrado na edição posterior da enciclopédia.

Havia também a crença, difundida durante os primeiros anos do século, de que a rede mundial de comércio e de ideias estava prolongando o período de paz entre as grandes potências. Muitos europeus, ao avaliarem as condições do mundo em 1900, consideravam-se afortunados. Tinham vivido – mesmo os que estavam por volta dos 80 anos de idade – em um período de relativa paz entre as nações. Muitos pensavam que essa tranquilidade continuaria. Tais esperanças, entretanto, diminuíam à medida que aumentavam os gastos com navios de guerra e com o exército.

Quase sempre havia uma guerra sendo travada em algum lugar do mundo, mas grande parte das batalhas acontecia em pequena escala e as baixas costumavam ser poucas, restringindo-se apenas aos combatentes. A Europa já tinha esgotado sua cota de conflitos internacionais nos noventa anos que se seguiram às guerras napoleônicas. Rússia e Turquia se enfrentavam uma vez a cada geração, como se fosse um torneio esportivo. Alemanha, França e Império Austro-Húngaro, por sua vez, participaram de uma série de guerras breves entre os anos de 1859 e 1871 – a Cruz Vermelha surgiu como efeito indireto de um desses embates. Os Bálcãs também passaram por conflitos curtos, com uma torrente de lutas logo antes da Primeira Guerra Mundial.

Em meio a tantos combates e afirmações de patriotismo, os europeus conquistaram o direito de se orgulhar: entre 1815 e 1914, não enfrentaram nenhuma guerra generalizada – o tipo que costumava ser o mais devastador. Somente uma vez, na Guerra da Crimeia, durante a década de 1850, houve mais de três grandes nações envolvidas. França e Grã-Bretanha tomaram partido da Turquia, enquanto a Rússia permaneceu sozinha durante os confrontos. Embora não tenha sido uma grande guerra, durou três anos. Outro motivo de esperança nos anos 1900 era o fato de os conflitos internacionais da Europa estarem se tornando mais breves do que os ocorridos um século antes. Esperava-se que as batalhas entre as grandes nações europeias não durassem muito. Previa-se que a Alemanha, como em 1870, se especializaria em guerras curtas, usando suas ferrovias, seus telégrafos e os mais modernos canhões e metralhadoras de modo que, ao empregar toda sua força de ataque, o inimigo nem sequer tivesse tempo de vestir o uniforme. A tecnologia moderna, assim parecia, tornaria os embates mais curtos, especialmente aqueles travados entre nações industrializadas.

A guerra mais importante acontecida entre 1900 e 1914 foi a que envolveu Rússia e Japão, ambos determinados a expandir seus domínios às frias regiões do nordeste da Ásia. Esse breve conflito estourou na Manchúria em 8 de fevereiro de 1904 e foi o início de profundas mudanças políticas. Praticamente acelerando a revolução popular de esquerda na Rússia, também mostrou que a época da Ásia Oriental, esquecida havia muito tempo, poderia voltar. Além disso, a luta levantou outra questão significativa: se uma guerra breve, travada longe da Europa, tinha o poder de mudar tanta coisa, o que uma grande guerra no coração da Europa poderia causar?

A ASCENSÃO DO SOCIALISMO

O socialismo parecia um grande rio no qual inúmeras correntes desaguavam. O próprio cristianismo tinha uma vertente socialista, uma vez que Cristo havia dito que era "mais fácil um camelo passar pelo buraco de uma agulha do que um rico entrar no reino dos céus". Um século antes, os poetas românticos da Alemanha e da Inglaterra igualaram camponeses, agricultores e ordenhadores a duques e duquesas, e seus versos influenciaram milhões de leitores. As ideias radicais se difundiam através do êxodo contínuo das cidades menores para as maiores – o socialismo, em suas várias versões, assemelhava-se muito a uma cruzada urbana. O próprio capitalismo, com sua capacidade de produzir um aumento de bens, década após década, involuntariamente lançou a questão: por que mais pessoas não podem se beneficiar da multiplicação da riqueza?

O socialismo se aproveitou de uma crescente percepção das injustiças, bem como da inveja. George Bernard Shaw, o espirituoso dramaturgo irlandês, observou que uma dama nova-iorquina podia encomendar um luxuoso caixão forrado de cetim rosa para seu cãozinho falecido, enquanto "uma criança perambulava, descalça e faminta, por uma sarjeta congelante da rua". Ele dizia que isso era a "grotesca e terrível marcha da civilização, do mal em direção ao pior". Não se podia afirmar com certeza se as diferenças entre os extremamente ricos e os extremamente pobres estavam de fato aumentando, mas, cada vez mais, críticos apontavam isso. Em países como a Rússia, a Índia e a China, o contraste entre os grandes palácios e as minúsculas e geladas choupanas da zona rural era incrível.

> KARL MARX CONSIDERAVA A RELIGIÃO "DAS OPIUM DES VOLKES" – O ÓPIO DO POVO.

Karl Marx, o profeta e estudioso da Economia, chamou a religião de "*das Opium des Volkes*" – o ópio do povo. Mas o próprio socialismo parecia, para muitos, uma religião poderosa e bastante persuasiva, com tecnologia própria e textos sagrados, além de um conceito particular de mal e pecado – chamado de capitalismo –, bem como a crença no destino triunfal da humanidade. Muitos líderes do movimento trabalhista fundiram sua versão de socialismo com o cristianismo. Os metodistas se destacaram na fundação do Partido Trabalhista britânico.

Embora os intelectuais dos Estados Unidos não tivessem o mesmo ardor dos europeus pela mentalidade coletivista, começaram a atacar os capitalistas mais poderosos. Jornalistas conhecidos como *muck-rakers* (sensacionalistas) investiram contra grandes empresas e conseguiram atingi-las. Washington aprovou leis antitruste na tentativa de controlar os monopólios privados, especialmente visíveis nos negócios de petróleo, aço e estradas de ferro. Um partido trabalhista jamais se tornaria grande nos Estados Unidos, mas quem poderia prever isso em

1900? Os norte-americanos estavam bastante adiantados no que dizia respeito à importância conferida à igualdade. Sua busca por oportunidades econômicas e sua opção pelo individualismo, além do fato de terem abolido a figura de reis e baronetes na revolução da década de 1770, tinha funcionado como um caminho próprio rumo à igualdade, muito tempo antes que se ouvisse a marcha dos socialistas europeus.

Nessa época, o socialismo, ou o meio-socialismo, não contava com uma maioria de partidários em nenhum país. Era forte o bastante para que, na França de 1899, um de seus partidários, Alexandre Millerand, fosse convidado a fazer parte do gabinete francês e, na Austrália, para que um partido trabalhista do tipo "radical moderado" se mantivesse no poder por pouco tempo em 1904 e voltasse a ele com frequência após 1908. Nas eleições alemãs de 1912, um em cada três eleitores optou por votar em um partido socialista. O clamor pelas reformas sociais se comparava a um exército com muitos regimentos – alguns marchavam para a extrema esquerda, outros se moviam para a direita, a fim de defender a existência de propriedades privadas, desde que fossem pequenas.

Acreditava-se que o socialismo poderia chegar ao poder apenas por via pacífica, e não pela revolução armada. Mesmo em 1848, o ano das revoluções, os agitadores e manifestantes que ocuparam brevemente as ruas de cidades em regiões tão distantes umas das outras quanto a Sicília e o norte da Alemanha falharam quase em sua totalidade. Houve uma sangrenta – e malfadada – revolução em Paris no ano de 1871. O mesmo aconteceu com uma tentativa de revolução na Rússia em 1905.

Se perguntassem a observadores políticos em que nação do mundo haveria o primeiro esboço de regime socialista, uma resposta comum em 1910 seria: na Nova Zelândia. Lá, o governo administrava muitas indústrias e quase todas as estradas de ferro, além de pagar pensões para os idosos e proporcionar educação gratuita. Em alguns setores, o governo havia estipulado um salário mínimo, reduzido o número de horas de trabalho e determinado a decisão compulsória de questões trabalhistas. Era proibida a existência de grandes propriedades rurais, e o comércio de álcool era rigorosamente regulamentado. Esse tipo de lei animava os socialistas que visitavam o país. "A Nova Zelândia é provavelmente um lugar mais apropriado para a tentativa de um regime socialista do que qualquer outro país no mundo", escreveu um especialista canadense em socialismo. Ele achava a Rússia menos preparada para tal experimento. Lá, "na ausência de um governo democrático, as perspectivas do socialismo são duvidosas", afirmou.

QUEM MERECE VOTAR?

A democracia, ainda que vigorosa, era uma criança e a maioria das pessoas não tinha direito a voto. Nove entre dez adultos jamais haviam votado em uma eleição. Embora o regime democrata estivesse progredindo – crescia lentamente em lugares como a França, a Grã-Bretanha, a Escandinávia e a Suíça –, não podia ser considerado completo pelos padrões atuais. Na Europa, que parecia ser a provável rival da América do Norte como lar da democracia, a maior parte dos homens com mais de 21 anos, bem como a totalidade das mulheres, não tinha direito ao sufrágio.

A Rússia, o mais populoso país da Europa, não possuía parlamento até a criação da Duma, a Assembleia Nacional, após a frustrada revolução de 1905, embora esta fosse um local em que mais se discursava do que se governava. Na Alemanha, a segunda nação mais populosa, algumas decisões importantes não eram da competência do parlamento eleito, o Reichstag. O Império Otomano tentava, sem muito empenho, uma forma bastante tímida de democracia. Na maior parte das nações com regimes democráticos, os miseráveis não tinham direito ao voto. No Brasil, que havia se tornado uma das poucas democracias genuínas da América do Sul, os indigentes, os membros de ordens monásticas e os soldados rasos e grumetes não podiam votar. Por muito tempo, os Estados Unidos foram a mais pura democracia possível em um mundo imperfeito – mas sua falha consistia em dissuadir ou impedir uma minoria substancial de pobres e de afrodescendentes de votar.

Os sinais de que a democracia iria se expandir eram singularmente favoráveis, mesmo na China. Quando, em 1908, a imperatriz, figura de comando do país e viúva do imperador, morreu, o príncipe que a sucedeu, então um menino, não conseguiu preservar a decadente dinastia Manchu, abdicando após um período de quatro anos. Apresentava-se, assim, uma oportunidade para os jovens nacionalistas chineses que, educados em sua maioria no Ocidente ou no Japão, admiravam os Estados Unidos e suas instituições democráticas. Seu líder era o dr. Sun Yatsen, um cantonês cristão educado no Havaí, pertencente aos Estados Unidos, e em Hong Kong, dominada pelos britânicos. O jovem médico e seus colegas, depois de ajudarem a derrubar os Manchus, tentaram instalar uma democracia. No entanto, uma democracia, para ser verdadeira, precisa de uma tradição de debates, da introdução das liberdades civis e de algum senso de deveres cívicos. A primeira eleição nacional da China, acontecida em 1913, foi vencida pelos jovens reformadores, mas também veio a ser a última. Yuan Shih-Kai, um general ambicioso, logo dissolveu o parlamento. Após abandonar os velhos imperadores divinos, a China acabou submetendo-se a uma sucessão de comandantes militares.

Não era apenas na China que o direito de livre expressão, essencial em uma democracia, era considerado perigoso. Para três em cada quatro povos do mundo, as liberdades civis eram frágeis ou precárias durante os primeiros anos do século 20. Mesmo na Europa, muitos dos grandes impérios mostravam forte relutância em garantir liberdades pessoais. Os camponeses russos necessitavam de um passaporte para poder viajar dentro do próprio país. Os milhões de judeus russos – quase uma nação dentro de outra – somente podiam realizar seus cultos nas zonas restritas que lhes cabiam. A alternativa de emigrar para os Estados Unidos era cada vez mais escolhida. Vista de fora, a Rússia parecia altamente civilizada, sendo uma referência em literatura, música, balé e outras artes, mas apenas alguns tinham o direito a essa civilização.

A ALA FEMININA

Entre os povos europeus, a cruzada pela igualdade tinha a ala das mulheres. Suas líderes queriam o direito ao divórcio, à propriedade nos mesmos termos dos homens, a votar, a entrar na universidade e, mais especificamente, a estudar em escolas de Medicina, cujas salas de dissecação, com toda aquela carne à mostra, era considerada inapropriada para as jovens. Por volta de 1900, a maioria desses direitos estava sendo alcançada, em especial nos países protestantes. Em nenhum lugar da Europa, entretanto, havia uma mulher que fosse juíza, política, general ou chefe de uma grande empresa. Curiosamente, uma das instituições mais antigas, a monarquia, permitia de tempos em tempos que uma mulher estivesse acima de todos os homens. A mais famosa do mundo em 1900 era a rainha Vitória, que celebrava seu 63º ano no trono britânico.

Poucas mulheres no mundo já haviam votado em uma eleição. A Nova Zelândia, em 1893, tinha sido o primeiro país a permitir que elas votassem em uma eleição nacional; em três pequenos estados norte-americanos, as mulheres tinham o direito de votar quando se tratava de assuntos estaduais, porém não nacionais. A urna eleitoral continuava fora do alcance das europeias. Grupos de mulheres, assim como de homens, tentavam diligentemente aprovar leis que permitissem o sufrágio feminino, em parte por acreditarem que elas ajudariam a purificar a vida nacional ao combater a prostituição, o hábito de beber em excesso e outros males sociais.

A primeira eleição nacional na qual as mulheres puderam votar e também concorrer para o parlamento aconteceu na Austrália, em 1903. Das poucas que concorreram, Vida Goldstein era a única que tinha chances de ser eleita. Com 34 anos de idade, solteira, determinada e capaz de responder francamente quando interrompiam seus discursos em locais públicos, almejava ser a primeira mulher do mundo a entrar para um parlamento. Não venceu, mas o grande número de votos que recebeu foi considerado um triunfo. Parecia provável que mais cedo ou mais tarde ela conseguisse uma vaga, mas se passaram quarenta anos até que a primeira mulher fosse eleita para o parlamento nacional da Austrália.

Na China e na Índia, os direitos das mulheres, com poucas exceções, eram quase invisíveis. O costume era que os pais ou, às vezes, outros parentes escolhessem o noivo ou a noiva para os jovens. Uma viúva não voltava a casar-se – a pressão social a forçava a permanecer fiel ao marido morto. Somente em 1950 tais práticas, já em declínio na China, foram abolidas pelo novo governo comunista. Embora tais costumes hoje pareçam antediluvianos, aqueles que os respeitavam provavelmente desprezariam algumas das mais recentes atitudes ocidentais em relação ao casamento, ao divórcio e à educação de crianças.

No leste da Ásia, em 1900, era comum que três gerações vivessem na mesma casa. Na Coreia, pelo menos nove entre dez mulheres se casavam com um homem escolhido pelos pais. Até 1960, as leis da Coreia do Sul estipulavam que moças com menos de 23 e rapazes com menos de 27 anos de idade deviam pedir a permissão dos pais para casar-se. Considerando o mundo como um todo, pode-se dizer que as novas atitudes europeias em relação ao patrimônio das mulheres, ao casamento e às crianças é que eram exceções em 1900.

> NA CHINA E NA ÍNDIA, POR VOLTA DE 1900, OS DIREITOS DAS MULHERES ERAM QUASE INVISÍVEIS.

CONFLITOS ÉTNICOS

Tensões e conflitos ocorriam com frequência em lugares onde as potências europeias tradicionais enfrentavam minorias étnicas, fosse dentro do próprio país ou do outro lado da fronteira. Se a minoria étnica seguisse uma religião diferente, era provável que as tensões aumentassem ainda mais. Entre essas áreas de conflito estavam a Irlanda britânica; os Bálcãs e o Mar Negro, de onde os turcos se retiravam lentamente; a Europa Central, em que os eslavos enfrentavam os alemães; e os Alpes, onde os italianos enfrentavam os austríacos. Ambas as guerras mundiais teriam início em regiões nas quais grandes potências europeias defendiam sua soberania e seu prestígio, enfrentando grupos étnicos mais fracos.

O território austro-húngaro era o mais densamente povoado dos grandes impérios e o mais diverso deles, com 11 etnias principais. Fazia fronteira com quatro estados poderosos, em três dos quais viviam grupos que também habitavam seu território. A situação nem sempre era harmônica.

Nos Bálcãs, três povos e suas respectivas religiões competiam. Embora os turcos não detivessem mais o controle da região, grandes populações de muçulmanos haviam permanecido nela. Assim, na pequena cidade de Sarajevo, a metade das pessoas era muçulmana e frequentava cultos em cerca de cem mesquitas. Como Sarajevo fazia parte do grande Império Austro-Húngaro, os muçulmanos que ali habitavam eram governados por austríacos católicos sediados em Viena. Na mesma cidade e província, vivia uma grande população sérvia, de religião ortodoxa, leal ao novo reinado da Sérvia no outro lado da fronteira.

Muitos jovens sérvios acreditavam pertencer a uma irmandade eslava especial, devendo, portanto, recuperar o local usurpado pelos austro-húngaros. Gavrilo Princip, um desses patriotas, era membro de uma sociedade secreta eslava chamada Mão Negra. Uma facção do exército sérvio deu a ele e a seus camaradas as seis bombas e os quatro revólveres Browning de que precisavam para levar a cabo seu ousado plano.

Em 28 de junho de 1914, uma inspeção militar oficial de Sarajevo seria conduzida pelo arquiduque Franz Ferdinand, herdeiro do trono austro-húngaro. Acompanhado da mulher Sofia, foi um alvo fácil, pois seu cronograma havia sido anunciado publicamente. Além disso, a capota móvel da limusine real estava baixada naquele dia de verão, expondo o casal ainda mais ao ataque. Assim, Princip e seus camaradas ficaram à espreita, ao longo da estrada. Ele disparou várias vezes, matando Franz Ferdinand e Sofia.

Ao saber da morte do herdeiro, a maior parte dos austríacos ficou revoltada. O imperador Wilhelm, da Alemanha, reagiu com igual indignação. O governo sérvio não tinha iniciado nem sancionado o plano, mas ficou vulnerável, pois sua falta de rigor havia permitido que os conspiradores conseguissem explosivos e revólveres. Os sérvios, quando finalmente receberam um ultimato, pediram desculpas, porém não rápido o suficiente. Apenas um rio separava Belgrado, a capital do país sem acesso ao mar, da Áustria. Em 29 de julho de 1914, um mês depois do assassinato, a primeira bala austríaca foi disparada contra a capital sérvia. A grande guerra estava a ponto de começar.

CAPÍTULO 4
A GUERRA DAS GUERRAS

A Primeira Guerra Mundial, o evento mais significativo do século, não foi apenas traumática enquanto durou, mas também teve efeitos profundos: ajudou a impulsionar a Revolução Russa; configurou-se como uma das causas da depressão financeira dos anos 1930, o maior baque econômico na história até então; estimulou, direta e indiretamente, a ascensão de Hitler e da Alemanha nazista, ajudando a provocar a Segunda Grande Guerra; acabou com o apogeu da Europa Ocidental e seu domínio mundial; e também acelerou a ascensão dos Estados Unidos e da União Soviética. Durante esse período, um estadista britânico elaborou um plano para a Palestina que ainda hoje provoca tensões no Oriente Médio.

Boa parte da inventividade do século, incluindo as aeronaves que percorriam longas distâncias, a energia atômica, a exploração do espaço sideral, as grandes inovações na Medicina e mesmo o primeiro computador, foi estimulada por necessidades geradas pelas duas grandes guerras. O século teria sido significativo mesmo sem o conflito de 1914-18, e algumas das invenções e oscilações políticas teriam acontecido de todo modo, mas é inegável que ele moldou uma infinidade de fatos.

> BOA PARTE DA INVENTIVIDADE DO SÉCULO FOI ESTIMULADA PELAS NECESSIDADES GERADAS PELAS DUAS GRANDES GUERRAS.

Ainda que a guerra de 1914 houvesse sido evitada, teriam acontecido conflitos posteriores, talvez com vencedores diferentes, alterando o mapa político do mundo atual. Mas o curso que a Primeira Guerra Mundial tomou teve efeitos marcantes. A maneira como se prolongou e espalhou, contrariando as expectativas, bem como o ódio e a raiva que provocou e os vencedores específicos que teve – tudo isso deixou cicatrizes profundas naquela geração e na seguinte.

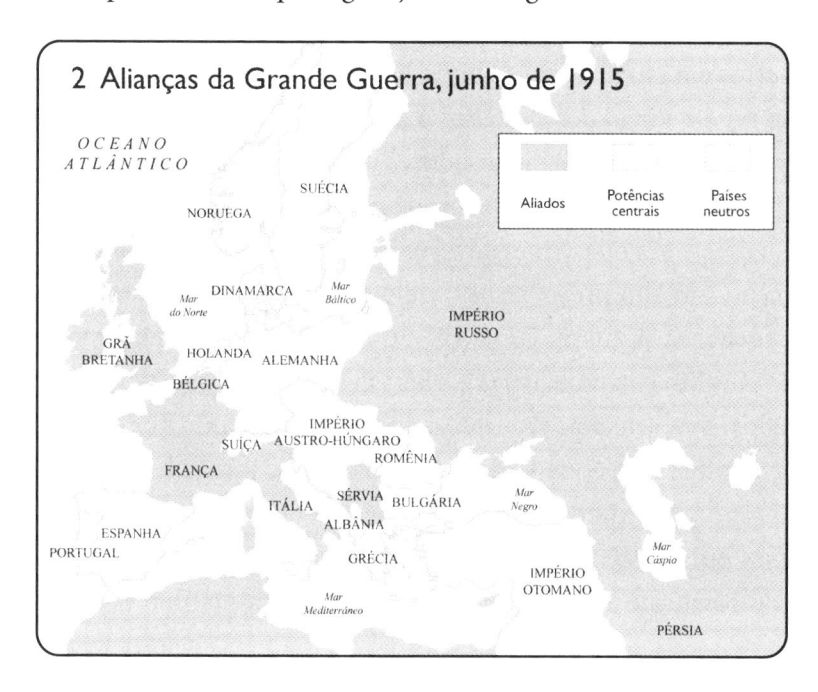

2 Alianças da Grande Guerra, junho de 1915

OCEANO ATLÂNTICO

Aliados | Potências centrais | Países neutros

SUÉCIA
NORUEGA
DINAMARCA
Mar do Norte
Mar Báltico
IMPÉRIO RUSSO
GRÃ BRETANHA
HOLANDA
ALEMANHA
BÉLGICA
IMPÉRIO AUSTRO-HÚNGARO
SUÍÇA
ROMÉNIA
FRANÇA
ITÁLIA
SÉRVIA
BULGÁRIA
Mar Negro
ALBÂNIA
ESPANHA
PORTUGAL
GRÉCIA
Mar Cáspio
Mar Mediterrâneo
IMPÉRIO OTOMANO
PÉRSIA

O CRONOGRAMA DA GUERRA

Os combates começaram em 1914, com uma mistura estranha de otimismo e pessimismo. Antevia-se que a perda de vidas poderia ser grande, mas em compensação o conflito seria breve. Tal previsão, amplamente disseminada, surgiu em parte pelo fato de todas as últimas guerras ocorridas na Europa terem sido rápidas. O último conflito europeu envolvendo duas potências – França e Prússia, iniciado em 1870 – fora praticamente vencido dentro de poucos meses com a ajuda de ferrovias, do telégrafo e de armas modernas. A crença de que a nova contenda terminaria antes do Natal, ou ao menos logo depois, foi acentuada pela sensação de que nem as pessoas nem os sofisticados sistemas bancário e financeiro aguentariam sustentar uma guerra longa. Previa-se que a crescente escassez de comida e material bélico estimularia os líderes nacionais a buscar a paz.

Como se esperava que o resultado fosse determinado pelas primeiras batalhas, os diversos aliados precisavam estar prontos para auxiliar uns aos outros em curto prazo. O breve espaço de tempo entre a declaração de guerra e o envio dos exércitos à fronteira e das esquadras ao mar é considerado por alguns historiadores como mais uma causa do conflito. Entretanto, na verdade, tal cronograma foi resultado da crença de que o embate era quase inevitável e de que seria curto: os retardatários pagariam um alto preço, sendo subjugados antes que tivessem tempo de se preparar. A guerra começou em 28 de julho de 1914 com um pequeno conflito entre a Áustria e a Sérvia – sendo os sérvios os supostos culpados. Nos sete dias seguintes, aliados se juntaram aos dois países. A Alemanha lutou ao lado da Áustria; França, Rússia e Grã-Bretanha formaram outra aliança. Em uma semana, cinco grandes potências e diversas outras menores estavam lutando ou prestes a lutar, desde o Mar do Norte até as planícies da Polônia e as montanhas da Hungria, enquanto as batalhas navais aconteciam em lugares longínquos, como o Mar da China, a extremidade fria da América do Sul e os portos das ilhas tropicais do Pacífico.

Países que eram meros espectadores escolhiam cuidadosamente o momento apropriado para consolidar sua posição. Deveriam entrar naquela que já era chamada de Grande Guerra ou manter-se neutros? No primeiro mês depois da eclosão do conflito, o Japão se posicionou contra a Alemanha, empregando o melhor de sua marinha, mas recusando o envio de um exército para a Europa. Em novembro de 1914, os turcos se juntaram ao lado alemão e, no mês de maio seguinte, a Itália – para surpresa de muitos – aliou-se ao outro lado. Outras nações foram aos poucos aderindo à guerra, algumas tendo adiado a decisão até 1918. Quanto mais numerosos os países que se juntavam à luta, mais difícil se tornava a tarefa de reunir todos eles em uma negociação de paz.

Na primeira semana, arroubos de nacionalismo estavam em efervescência, excedendo as expectativas. Em centenas de vilarejos, ocorreram encontros para incitação ao nacionalismo. No primeiro domingo, os sinos das igrejas badalaram incontáveis vezes e sacerdotes pregaram sermões patrióticos. A eclosão da guerra foi louvada por um historiador alemão como um momento "da mais profunda alegria", enquanto o jovem poeta inglês Rupert Brooke escreveu:

Agora, demos graças a Deus
Que nos acertou com Sua hora.

Brooke, um oficial da marinha, seria enterrado em uma ilha mediterrânea no primeiro ano da guerra.

Esperava-se que sindicatos e partidos trabalhistas em alguns dos países em combate se manifestassem contra a guerra. Em vez disso, a maior parte de seus membros mais jovens se alistou ou aceitou tranquilamente a convocação. O patriotismo se tornou agressivo. Turistas de Birmingham, abandonados na Alemanha depois que o confronto começou, e mercadores de Viena, isolados em portos britânicos, viram-se perdidos. Famílias reais entraram em uma disputa patriótica. A família real russa, que tinha fortes conexões com a Alemanha, demonstrou vigorosamente seu nacionalismo ao alterar o nome de sonoridade germânica de sua capital, São Petersburgo, para o mais eslavo Petrogrado.

Minorias étnicas que esperavam ficar neutras acabaram imersas em uma onda pública de patriotismo. A Irlanda, no limite de uma guerra civil e dividida em relação à Grã-Bretanha, reafirmou lealdade temporariamente e enviou regimentos de recrutas para o exército britânico. Na Rússia, líderes das minorias oprimidas juraram fidelidade à pátria. Poloneses e estonianos, letões e lituanos prometeram lutar lado a lado com a Rússia. Um porta-voz judeu expressou objetivamente o que os outros diziam em linguagem grandiloquente: "Estamos acostumados a viver – e vivemos – em condições particularmente opressivas. No entanto, sempre nos sentimos cidadãos da Rússia e filhos fiéis da terra pátria."

A unidade nacional desabrochou na França dividida. A imprensa francesa, tal como a da maior parte dos países livres, aceitou a censura da verdade pelo bem da unidade nacional e da necessidade de repelir as investidas dos alemães. Na França, a realidade não era nada agradável. O exército tinha pouca munição para suas grandes armas de fogo. O atendimento médico aos feridos era lento. Soldados franceses, sangrando ou envoltos em ataduras, eram levados em macas para vagões de trem utilizados anteriormente no transporte de gado bovino e cavalos. Os alemães avançaram tão velozmente pela Bélgica e pelo norte da França que a tomada de Paris parecia bastante provável. Entretanto, no campo de batalha do norte da França, os soldados franceses, auxiliados por tropas britânicas, resistiram firmemente. Paris estava a salvo.

Os exércitos rivais então se atacavam no front ocidental (francês) sem que nenhuma das partes obtivesse uma vitória decisiva. O avanço rápido da Alemanha nas primeiras semanas de luta foi ficando cada vez mais lento até parar. As hostes oponentes cavavam trincheiras e faziam delas seus escudos. Terreno – algumas centenas de metros ou até menos – era adquirido a um custo enorme de mortos e feridos, pois o exército contrário era capaz de descarregar maciçamente seu poder de fogo sobre as tropas que avançavam. Os feridos eram logo substituídos e parecia que os exércitos conseguiriam manter suas trincheiras quase indefinidamente. Essa foi uma das razões para o prolongamento da guerra muito além do esperado.

As tropas, já numerosas quando o conflito começou, tornaram-se ainda maiores. Em 1914, a maior parte das nações europeias obrigava quase todos os seus homens jovens e de meia-idade a passar por um treinamento militar. Em guerras anteriores, havia sido impossível enviar exércitos muito grandes para o campo de batalha, pois a tarefa de cultivar e comprar a comida e depois transportá-la para os acampamentos estava além da capacidade da maior parte das nações. Em 1914, no entanto, economias mais produtivas possibilitavam que grande quantidade de homens fosse destinada ao exército e que boa parte das mulheres fosse transferida de outros tipos de trabalho para as fábricas de munições. Enquanto nas guerras napoleônicas um país podia dispor de no máximo 12% de seu "produto nacional", naquele momento as principais nações podiam chegar a gastar quase 50% dele na guerra. As modificações dos cem anos anteriores, que melhoraram o aproveitamento de energia e mão de obra, permitiram que, nos meses iniciais do conflito, enormes quantidades de pessoas desempenhassem as tarefas de produzir e manejar armas.

O número de mortos e feridos nos primeiros quatro meses de guerra foi muito mais alto do que o esperado. Dia após dia, milhares de parentes de soldados consternavam-se ao receber as notificações de morte, levadas por um mensageiro dos telégrafos, um carteiro, um pastor ou um padre. As famílias cujos filhos ainda lutavam no front sentiam-se ameaçadas. Soldados cujas vidas haviam sido poupadas em 1914 corriam ainda mais riscos em 1915, pois o fogo das artilharias e o matraquear das metralhadoras haviam se tornado ainda mais mortais.

GALLIPOLI – UM PRÊMIO DESAPARECIDO

A guerra foi marcada por momentos decisivos e oportunidades perdidas ou aproveitadas. Gallipoli foi um desses momentos. A península turca comandava a entrada para a curta e estreita rota marítima do Estreito de Dardanelos, que unia o Mar Mediterrâneo ao Mar Negro. Com menos de 44 quilômetros de comprimento, esse estreito era quase como o gargalo de uma garrafa e, em um ponto próximo de Chanak, mal chegava a 1,5 quilômetro de largura.

Os alemães, percebendo a importância dessa rota marítima, tentaram controlá-la, buscando aliar-se à Turquia. Menos de uma semana antes da guerra, os dois países assinaram secretamente uma aliança militar. Uma vez que o Império Turco ficava bem ao sul e quase alcançava a margem norte do Canal de Suez, essa era outra rota marítima crucial que os alemães poderiam tomar.

O Estreito de Dardanelos também era vital para a Rússia, que não podia usar o Mar Báltico, cuja saída era controlada por navios e submarinos alemães. O Mar Negro era, portanto, essencial para a marinha e os navios cargueiros russos, os quais levavam os grãos que

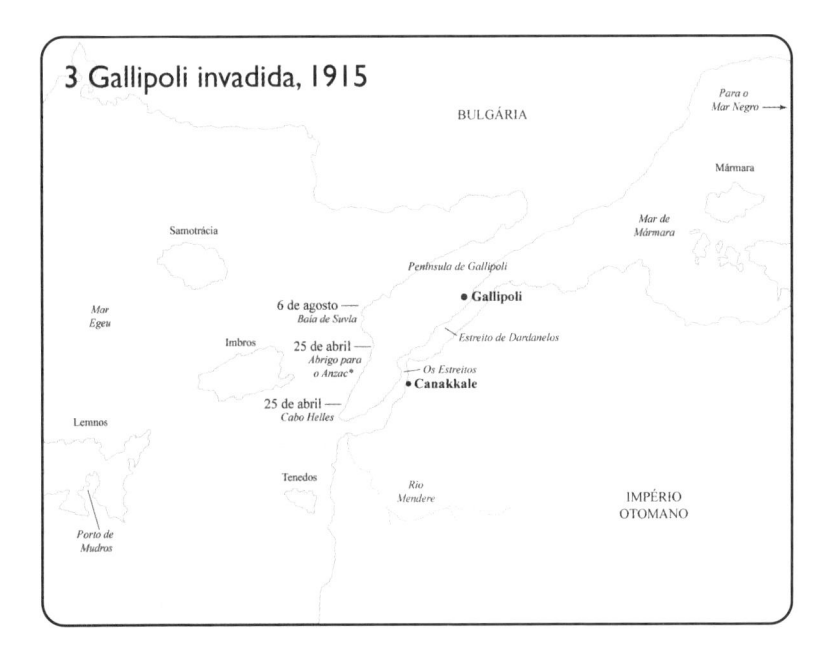

3 Gallipoli invadida, 1915

BULGÁRIA
Para o Mar Negro
Mármara
Mar de Mármara
Samotrácia
Península de Gallipoli
• Gallipoli
Mar Egeu
6 de agosto — Baía de Suvla
Imbros
Estreito de Dardanelos
25 de abril — Abrigo para o Anzac*
Os Estreitos
• Canakkale
25 de abril — Cabo Helles
Lemnos
Tenedos
Rio Mendere
IMPÉRIO OTOMANO
Porto de Mudros

alimentariam alguns de seus aliados ocidentais. Cada vez mais, conforme a guerra avançava, a Rússia precisava de armas e munições de seus aliados ocidentais, mas como poderia transportá-los? Certamente era possível ir da longínqua costa do Pacífico ao centro da Rússia, mas a ligação era feita pela ferrovia mais longa do mundo, com um trilho único na maior parte do caminho. O porto de Vladivostok, no Oceano Pacífico, ponto final da ferrovia, começou a receber cargas importadas de arame farpado, munição e outros materiais essenciais, que esperavam locomotivas para serem transportados até a distante linha do front russo, onde a munição já escasseava.

A Rússia estava semiestrangulada por sua geografia peculiar, bem como pelo fato de a marinha alemã controlar a foz do Báltico e, com a ajuda da Turquia, o Mar Negro. Mesmo São Petersburgo, com suas inúmeras chaminés altas, sofreu com o bloqueio marítimo e a escassez de carvão. Os líderes da Revolução Russa, três anos mais tarde, seriam ajudados pela desarticulação econômica gerada pelo longo bloqueio de guerra.

No início de 1915, o Estreito de Dardanelos se tornou crucial. A Grã-Bretanha e a França necessitavam urgentemente de um modo de enviar armas e munições para a Rússia, onde não faltavam soldados, mas havia uma escassez terrível de armamento pesado, metralhadoras leves, rifles, munição e mesmo uniformes de inverno. O enorme exército russo era comparado a um rolo compressor gigante, difícil de movimentar, mas decisivo quando finalmente se movia. No primeiro ano da guerra, o rolo compressor começou a avançar, mas depois foi parando.

Não fazia sentido convocar mais russos, a menos que se pudesse dar a cada um deles um rifle ou, ainda melhor, uma metralhadora. Se mais armas e munições fossem conseguidas, os russos poderiam enviar a campo um significativo e eficiente exército e assim forçar os alemães a deslocar centenas de trens carregados de tropas, do front ocidental para o oriental. E então o resultado da guerra poderia ser modificado em ambas as linhas de frente.

A Grã-Bretanha, com toda sua força naval, começou a considerar a ideia de ocupar o Estreito de Dardanelos. Poderia então conquistar Constantinopla, capital da Turquia e centro da indústria de armamentos, reabrindo assim a rota marítima para a Rússia. A marinha britânica, excessivamente confiante, fez planos ambiciosos, bombardeando inicialmente os fortes turcos próximos à entrada do estreito. O ataque foi um fracasso que custou caro.

Os turcos se assustaram. Parecia muito provável que o avanço naval fosse seguido de uma invasão por terra e por isso decidiram inicialmente transferir a capital de Constantinopla para o terminal ferroviário de Ankara, no interior do país. Em janeiro de 1915, apenas duas divisões turcas guardavam o Estreito de Dardanelos, mas em abril já havia seis divisões de prontidão, e os fortes haviam sido reforçados.

Finalmente, em 25 de abril de 1915, um domingo, as forças britânicas, francesas, australianas e neozelandesas chegaram às praias da Península de Gallipoli e montaram uma perigosa base de operações perto do Estreito de Dardanelos. O número de mortos e feridos foi grande. A luta logo chegou a um impasse. Britânicos e franceses enviaram reforços que, se tivessem chegado antes, poderiam ter ajudado a conquistar o terreno. Enquanto isso, o exército russo havia se reunido no porto de Odessa, no Mar Negro, em prontidão para um ataque independente a Constantinopla. Esse exército acabou sendo deslocado dali.

Os turcos estavam sob grande pressão. Atacados pelas forças anglo--francesas perto do estreito, também enfrentavam a ameaça de um pesado regimento russo próximo às montanhas do Cáucaso. Em 27 de maio de 1915, apenas um mês após a invasão de Gallipoli, o governo turco concluiu que seu país também abrigava um inimigo interno perigoso. Decidiu deportar os armênios cristãos, exceto os que viviam nas cidades portuárias de Constantinopla e Izmir, onde a sobrevivência era mais fácil. Os deportados, lentamente e carregando os poucos pertences que podiam, foram enviados da Anatólia para o deserto sírio. No caminho, homens, mulheres e crianças foram assassinados por soldados e civis turcos, e muitos outros morreram de doenças e fome. O número de armênios turcos mortos é geralmente estimado em 600 mil, mas alguns historiadores, aumentando o número para 1 milhão, chegam a falar em genocídio.

Depois de lutar contra os turcos em uma faixa de praias e colinas próximas ao mar, os britânicos e franceses concluíram que a vitória no Estreito de Dardanelos era impossível. Perto do fim do ano, noite após noite, seus soldados foram silenciosamente retirados dali e enviados para outros lugares. Gallipoli finalmente foi abandonada, lá permanecendo apenas as fortificações turcas e os túmulos.

Se os aliados tivessem tido sucesso em tomar o estreito e Constantinopla, poderiam ter mandado comboios semanais de suprimentos para os mal-armados russos. O resultado da guerra para a Rússia poderia ter sido diferente. Mas essa reviravolta em potencial não se realizou.

UM RIO TINGIDO DE SANGUE

Perto da fronteira entre a França e a Bélgica, corria o Rio Somme, um córrego calmo, mal notado pelos ciclistas que por ali passavam às vésperas da guerra. Perto do Somme, dois anos mais tarde, um numeroso exército de britânicos e franceses foi se reunindo silenciosamente em trincheiras e abrigos, em acampamentos e vilarejos parcialmente destruídos por bombardeios, de prontidão para uma das mais duras batalhas da história mundial. Lá, os soldados aliados, muitos dos quais tinham vindo da abandonada Gallipoli, esperavam abrir caminho através das trincheiras e dos postos de artilharia alemães, para dar continuidade a uma guerra que havia se tornado estática, sem solução. Muitos armamentos pesados, como morteiros, metralhadoras e rifles, já estavam preparados. Uma semana antes da batalha planejada, as fileiras alemãs foram incessantemente bombardeadas.

Logo depois do nascer do sol do dia 1º de julho de 1916, o ataque britânico teve início. Dezenas de milhares de soldados começaram a deixar as trincheiras onde se escondiam e a avançar contra as linhas alemãs. Logo atrás, estavam grupos de soldados treinados, que avançavam no momento certo. No entanto, sobrecarregados, levando em mochilas a própria comida, água e munição, caminhavam, corriam e tropeçavam em uma terra pontilhada de crateras e bloqueada com arame farpado. Em alguns locais, soldados alemães eram rendidos ou mortos, permitindo que toda uma linha de trincheiras fosse capturada; mais adiante, entretanto, os britânicos encontravam os alemães e suas barricadas, seus postos fortificados e seu pesado armamento, que lançava as balas contra os inimigos.

A Batalha do Somme durou mais de quatro meses. Ondas de soldados emergiam das trincheiras, e os ataques se repetiam. As armas ribombavam, e o número de mortos e feridos aumentava. A batalha terminou formalmente em 18 de novembro de 1916. O número de baixas por parte dos ingleses foi contabilizado em 419.654, mas somando franceses e alemães, mortos e feridos chegava quase a 1 milhão. E o total poderia ter sido mais alto, não fosse o fato de a munição ter praticamente acabado em certos dias.

O resultado da guerra dependia parcialmente do que as fábricas de munição podiam oferecer. A Alemanha, no momento em que o conflito eclodiu, era a maior produtora europeia de produtos químicos, máquinas operatrizes e uma série de itens, de rolamentos a velas de ignição e munições ópticas. A Grã-Bretanha e a França, incapazes de igualar-se ao poderio industrial de sua rival, precisavam importar muitos produtos dos Estados Unidos. Sem os suprimentos norte-americanos, a Grã-Bretanha e a França teriam perdido a guerra no primeiro ano. Mais do que qualquer conflito anterior, a Primeira Guerra Mundial seria vencida em indústrias, usinas siderúrgicas, minas de carvão, fábricas de material bélico e estaleiros.

> SEM OS SUPRIMENTOS NORTE-AMERICANOS, GRÃ-BRETANHA E FRANÇA TERIAM PERDIDO A PRIMEIRA GUERRA LOGO NO PRIMEIRO ANO.

A Alemanha passou a interceptar navios cargueiros que transportavam material bélico norte-americano para a Europa. Construiu um número cada vez maior de submarinos grandes, em formato de charuto, equipados com motores a diesel e capazes de viajar incógnitos, surpreendendo o inimigo: podiam lançar torpedos mortais sobre navios próximos, que não tinham tempo de alterar a rota. Em setembro de 1914, no mar entre a Inglaterra e a Holanda, três cruzadores britânicos que navegavam enfileirados, com apenas 3 milhas de distância entre si, foram surpreendidos pelo submarino alemão U9. Os três cruzadores foram afundados por torpedos, e o número de mortos foi quase igual ao do acidente com o gigantesco transatlântico Titanic, que, dois anos antes, havia colidido com um iceberg.

Com a intensificação do ritmo de produção dos estaleiros alemães, submarinos novos apareciam no leste do Oceano Atlântico, no Mar do Norte e mesmo no Mediterrâneo. Embarcações para transporte de passageiros ou de carga, mais do que os navios de guerra britânicos, eram seu principal alvo. Dois torpedos foram lançados contra o transatlântico Lusitania quando este se aproximava da costa sul da Irlanda – já no fim da viagem –, procedente dos Estados Unidos. Naquela tarde de 7 de maio de 1915, os tombadilhos estavam lotados. O comandante alemão assistiu, de seu submarino, ao grande transatlântico desaparecer lentamente. Naquela noite, morreram 1.198 pessoas, entre mulheres, homens e crianças.

Houve intensos protestos em todo o mundo. A partir de então, os alemães decidiram poupar as embarcações de passageiros e as neutras – que, no entanto, eram ocasionalmente afundadas. Nada motivou mais os Estados Unidos a deixarem de ser uma nação neutra e entrarem na guerra do que os submarinos alemães e seus ataques intermitentes aos navios norte-americanos, em especial nos primeiros meses de 1917.

Em terra, doenças aumentavam as baixas. Epidemias de tifo chegaram ao Leste Europeu. Talvez pela primeira vez em uma guerra, enfermidades nervosas de difícil tratamento – popularmente conhecidas como traumas de guerra – se disseminaram. Cinquenta anos mais tarde, em asilos e hospitais de cidades como Auckland, Salzburgo e São Francisco, ainda viviam homens cujas memórias haviam sido apagadas por traumas de guerra. Depois que o gás começou a ser usado como arma, lançado dentro de tubos, centenas de milhares de pessoas foram afetadas por outras doenças.

A disenteria amebiana, embora comum no norte da África, não tinha assolado a Europa até o verão de 1915, quando se espalhou pelas trincheiras de Gallipoli. A maior parte dos soldados britânicos que lá se encontravam foi infectada, pois a doença se espalhava através das moscas. Realmente, "a disenteria foi um dos fatores decisivos no fracasso da campanha de Gallipoli", escreveu o tenente-coronel Arthur F. Hurst, especialista em Medicina. A disenteria bacilar – transportada das latrinas para as pessoas também através de moscas – era comum no verão no leste da Prússia, na ampla linha de frente oriental e também nas batalhas travadas mais tarde no calor de Salônica, Mesopotâmia e Palestina. Na Macedônia, no verão de 1916, quase todos os soldados sofreram com as nuvens de mosquitos da malária. Nos quatro anos da Primeira Guerra Mundial, para cada quatro soldados mortos por balas, estilhaços ou explosivos de alta potência, um soldado morria por doença.

O DILEMA DAS NAÇÕES NEUTRAS

O título de guerra mundial dá a impressão de que todas as grandes nações tomaram parte no conflito, mas no Natal de 1914 – cerca de cinco meses após o começo dos combates – os habitantes de ao menos dez nações europeias podiam agradecer por não participarem dos embates. Os três países escandinavos não estavam lutando. A Holanda permanecia neutra, enquanto a Bélgica, sua vizinha, encontrava-se subjugada. É fácil esquecer que uma nação apenas pode ser neutra se seus vizinhos assim o consentirem – a Bélgica desejava ser imparcial em 1914, mas os alemães tinham outros planos e rapidamente a absorveram, usando-a como sua principal passagem militar para a França.

A Espanha permaneceu neutra, enquanto Portugal fez de tudo para manter-se metade isento e metade aliado da Grã-Bretanha até 1916, quando finalmente recebeu uma declaração de guerra da Alemanha. A Itália manteve a neutralidade por algum tempo e, no mármore branco dos memoriais de guerra de milhares de praças em vilarejos do país, está inscrita uma cronologia que parece estranha à primeira vista:

lamenta-se a morte de soldados italianos na Grande Guerra de 1915-18. A Bulgária, a Romênia e a Grécia se juntaram ao conflito ainda mais tarde. Das poucas grandes nações fora da Europa, duas das maiores – os Estados Unidos e a China – só se juntariam à contenda em 1917, e a participação da China foi pequena. A América Latina também tinha muitos países neutros até quase o fim do conflito. Mas as colônias, os domínios e os *commonwealths* britânicos espalhados pelo mundo aderiram às lutas desde o início, tendo alguns deles sofrido baixas altamente significativas, considerando-se suas pequenas populações.

Numa guerra em que bloqueios eram tão poderosos quanto armas, mesmo as nações neutras acabaram sentindo algum efeito. O turismo, mais importante para os suíços do que para qualquer outro povo europeu, foi afetado. O vilarejo de Zermatt, aninhado ao pé do Matterhorn, empregou 170 guias para atender aos turistas durante o último verão antes da guerra, mas à época do conflito não foi necessário nenhum guia. Em tempos de paz, a Suíça importava parte de seus grãos; em tempos de guerra, tentou reduzir o consumo de grãos e farinha, decretando que as lojas podiam vender apenas pão amanhecido. Como o país não tinha minas de carvão, viagens de trem tiveram de ser restringidas. Os navios a vapor, com sua trilha de fumaça negra, desapareceram de alguns lagos, e o carteiro passou a ser visto com menos frequência.

> Como a Primeira Guerra foi travada também com bloqueios, e não só com armas, mesmo as nações neutras acabaram sentindo algum efeito.

A guerra ofereceu a chance que os reformistas sociais esperavam. O movimento pela temperança, forte entre as mulheres, conquistou milhões de aliados e persuadiu os Estados Unidos e a Austrália a limitar a venda de bebidas alcoólicas. Muitas das famílias reais passaram a fazer seus brindes patrióticos com limonada. A Rússia proibiu a venda de vodca.

No mundo ocidental, a campanha em prol do voto feminino ganhou força com a guerra. As mulheres argumentavam que trabalhavam nas fábricas de munições e de produtos químicos, que seus filhos, irmãos e namorados ou maridos estavam morrendo no front e ainda assim elas não tinham o direito de votar e decidir pela guerra ou pela paz. A melodia hoje famosa de Parry, *Jerusalem*, foi cantada pela primeira vez no Albert Hall, em Londres em 1916, durante um enorme encontro em favor do voto feminino. Em 1919, o direito tão reclamado foi concedido às alemãs, suecas e polonesas e no ano seguinte as norte-americanas receberam permissão para votar em eleições presidenciais. A grande maioria das mulheres da Grã-Bretanha, da França e de diversas outras democracias consolidadas ainda não tinha obtido o direito ao voto, mas a guerra fortaleceu a campanha.

Enquanto isso, a luta continuava. Quando acabaria? Os rumores de descontentamento sugeriam que os conflitos chegariam ao fim nos lares, mas não no campo de batalha.

CAPÍTULO 5
REVOLTA EM PETROGRADO, PAZ EM PARIS

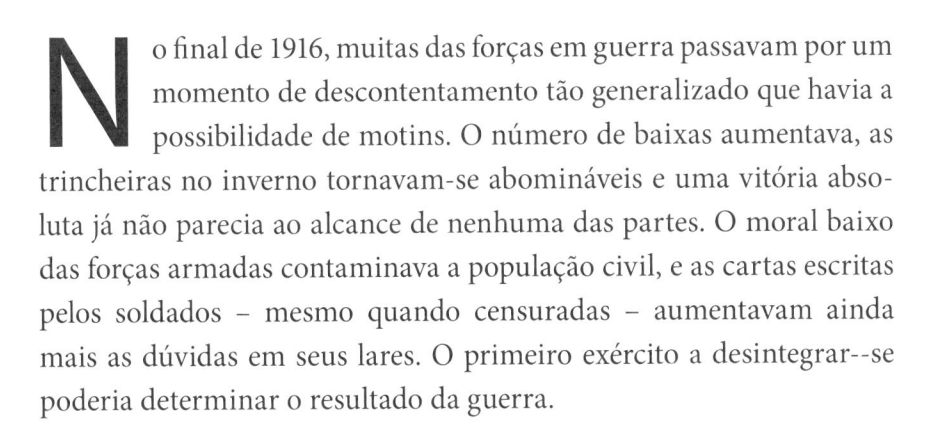

No final de 1916, muitas das forças em guerra passavam por um momento de descontentamento tão generalizado que havia a possibilidade de motins. O número de baixas aumentava, as trincheiras no inverno tornavam-se abomináveis e uma vitória absoluta já não parecia ao alcance de nenhuma das partes. O moral baixo das forças armadas contaminava a população civil, e as cartas escritas pelos soldados – mesmo quando censuradas – aumentavam ainda mais as dúvidas em seus lares. O primeiro exército a desintegrar-se poderia determinar o resultado da guerra.

AS REVOLUÇÕES

As forças russas foram as primeiras a se enfraquecer. A perda de oficiais no primeiro mês de guerra havia sido alta. Devido ao bloqueio nos Bálcãs e no Estreito de Dardanelos, não chegavam a elas os suprimentos necessários, enviados por seus aliados do além-mar. Muitos soldados russos não possuíam rifles nem calçados e, em diversos pontos da extensa fronteira que ia dos Bálcãs ao Mar Negro, estes vinham sendo obrigados pelos alemães e pelos austro-húngaros a recuar lentamente. A imprensa em Paris e Londres raramente relatava notícias perturbadoras, como o fato de soldados russos, aliados seus, ficarem contentes por tornarem-se prisioneiros de guerra e de quase 1 milhão ter desertado.

O enfraquecimento do exército agravava a terrível atmosfera de medo e descontentamento na Rússia. O povo, como um todo, era muito patriótico, mas via a nação diante da perspectiva de ser derrotada no terceiro conflito seguido. Após perder a Guerra da Crimeia, na década de 1850, e a guerra contra o Japão, em 1905, a Rússia enfrentava uma situação ainda mais triste. Nenhuma grande nação, no último século, havia sofrido uma derrota tripla.

A família real, foco tradicional da lealdade, desapontou os legalistas. O czar Nicolau II, comandante-chefe das forças armadas, perdia a popularidade a passos largos. Sua mulher, Alexandra, a czarina, também cada vez menos popular, era cativa voluntária do carismático monge Rasputin, cujos poderes curativos pareciam surtir efeito sobre o filho dela. Nas cidades, os suprimentos de comida e combustível eram irregulares. No final de 1916, levantes ocorridos nas indústrias eram frequentes.

Com tantos homens no front, a quebra na rotina das atividades econômicas diárias tornou-se aguda. A inflação crescia muito mais do que os salários. Entre 1913 e 1917, o preço da farinha triplicou, o do sal quintuplicou e o da manteiga aumentou mais de oito vezes. Muitas famílias passavam ainda mais fome do que nos períodos de paz, em parte porque as estradas de ferro não davam conta de carregar, ao mesmo tempo, comida e suprimentos de guerra.

Era comum ver longas filas de donas de casa, empregadas e crianças esperando sob neve e granizo no lado de fora das padarias, na esperança de comprar pão. A comida era também escassa na Alemanha e na Grã-Bretanha, mas esses países haviam sabiamente delineado sistemas de racionamento que incluíam todos os cidadãos. A Rússia era diferente. Habilidosa no racionamento da liberdade, a nação foi incapaz de lidar com a tarefa mais simples de racionar farinha e açúcar de modo que todos pudessem ter sua parte. A inaptidão administrativa em muitas esferas da vida nacional causava descontentamento.

O czar tentou suprimir os sinais da revolução retirando oficiais e soldados leais da linha de frente do combate. Os ferroviários se negaram a transportá-los. Em março de 1917, Nicolau II foi obrigado a abdicar. Uma coalizão de cidadãos, incluindo um dos homens mais ricos da Rússia, formou um novo ministério na esperança de vencer a guerra e revitalizar a nação. Reformistas – e não revolucionários – ofereceram esperança. No entanto, seus principais oponentes, membros do extremamente organizado partido bolchevique, haviam decidido que seriam os únicos a dar esperança ao povo.

O líder dos bolcheviques, o intelectual conhecido como Lenin – pseudônimo adotado em 1901 – estava exilado, tendo vivido por períodos variados na Inglaterra, na França, na Áustria e na Suíça. Forte e elegante, era um homem de altura pouco abaixo da média, com testa larga, queixo firme e talento para discursos vigorosos. Lenin traçou estratégias astutas para seu partido e tirou vantagem das poucas oportunidades que se lhe apresentaram. Porém ainda não ousava retornar à Rússia em carne e osso.

Por fim, em abril de 1917, com o dinheiro e a bênção oficial da Alemanha, Lenin e alguns companheiros viajaram em um vagão ferroviário protegido, deixando o exílio na Suíça, passando pela guerra na Alemanha, atravessando os Bálcãs em uma balsa até a Finlândia russa e chegando de trem a São Petersburgo, onde foram recepcionados alegremente pelos bolcheviques. Liderando as manobras políticas, Lenin trabalhou diligentemente para fundar o que chamava de "uma ditadura revolucionário-democrática do proletariado e da classe camponesa". Seu desejo era realizar uma revolução em seu país natal, para depois estendê-la a outros países. Prosseguir com a guerra não era de seu interesse: na verdade, ele a via como uma distração perigosa. Por isso, o governo alemão secretamente lhe dera dinheiro e o mandara para casa: o sucesso de Lenin serviria a seus propósitos.

Kerensky, o ministro da Guerra do novo governo, esperava que um último apelo ao patriotismo russo resultasse em vitórias no front oriental. Até mesmo viajou de automóvel com o general Brusiloff pelas linhas de combate, na esperança de incentivar os soldados russos a repelir o inimigo em uma última ofensiva triunfante. O contra-ataque russo falhou. Os alemães avançaram, encontrando cada vez menos resistência. Muitos soldados russos simplesmente se desfizeram de seus rifles. Muitos nem sequer possuíam um rifle.

Na França e na Grã-Bretanha, havia a preocupação de que os bolcheviques pudessem tomar o controle e retirar as forças russas da guerra. Mas talvez a balança pudesse ser desequilibrada se os judeus russos, em grande número e alguns dos quais poderosos dentro dos novos movimentos políticos, fossem convencidos a continuar lutando contra a Alemanha. Uma oferta tentadora foi feita. Em 2 de novembro de 1917, pouco antes de os bolcheviques tomarem o poder, o secretário do Exterior britânico Arthur Balfour declarou que, depois que a guerra terminasse, seu país apoiaria a criação de uma nova pátria judaica na Palestina. Delegados judeus foram enviados a São Petersburgo para anunciar o que mais tarde viria a ser conhecido como Declaração Balfour. O Oriente Médio jamais seria o mesmo, pois Balfour cumpriu a promessa.

O comandante das forças russas não conseguiu controlar os bolcheviques e outros agitadores, que, em seus dias de maior eficácia, praticamente tomaram as ruas da capital. Lenin, que durante o tumulto retirara-se para um esconderijo na Finlândia, preparou-se para aproveitar o caos que havia ajudado a criar. Retornou a São Petersburgo disfarçado, com a barba cortada e uma peruca cobrindo a calvície. Na noite de 6 de novembro, escreveu uma mensagem urgente aos camaradas mais experientes: "Precisamos a todo custo, na noite de hoje, tomar o governo."

Ao longo da noite, seus homens – preparados pelo hábil Leon Trotsky – tomaram estações de trem, correios, a companhia telefônica, bancos, centrais elétricas, pontes importantes sobre canais e rios e todos os centros nervosos da capital. Em Moscou, o Kremlin foi dominado. No controle de muitas cidades, Lenin se tornou oficialmente o líder do primeiro Conselho de Comissários do Povo.

Embora ele tivesse vencido, o perigo de um contra-ataque por parte de seus inimigos era grande. Os camponeses – os quais formavam a maior parte da população russa – provavelmente se oporiam a um governo comunista. Mas o líder estava um passo à frente. Havia prometido a eles terras gratuitas, embora não acreditasse na propriedade privada. Ao oferecer terras e ao mesmo tempo deixar de pagar aos grandes latifundiários pelas propriedades confiscadas, agradava aos camponeses e aos radicais da cidade. Assim, os comunistas, como passaram a se denominar, tornaram-se promotores do capitalismo rural.

Lenin estava determinado a tirar a Rússia da guerra. Queria paz, para poder construir uma sociedade revolucionária que inspirasse os socialistas de toda a Europa. Ainda assim, a assinatura de um tratado de paz com a Alemanha e a Turquia, em março de 1918, na cidade de Brest-Litovsk, no oeste da Rússia, representou um golpe humilhante para os patriotas russos. Partes do território do país passaram às mãos da Alemanha, da Romênia e da Turquia. Por algum tempo, até mesmo a Ucrânia e a Geórgia foram perdidas, embora tenham sido mais tarde retomadas. Logo a Polônia, a Finlândia e as três províncias bálticas de Letônia, Estônia e Lituânia se tornaram nações independentes. O fato de uma vasta extensão de áreas produtoras de grãos ter saído do domínio de Lenin agravou a escassez de comida na nova terra dos experimentos.

> APÓS 1917, OS COMUNISTAS TORNARAM-SE OS PROMOTORES DO CAPITALISMO RURAL.

OS NORTE-AMERICANOS DESEQUILIBRAM A BALANÇA

A revolução na Rússia agradou à Alemanha. A notícia de que um de seus três principais oponentes havia deposto armas era a mais animadora que se ouvia em Berlim, desde 1914. A paz no leste permitiria que um enorme número de soldados alemães se deslocasse para o front ocidental. Lá, finalmente poderiam vencer a França, onde o entusiasmo inicial pela guerra vinha se esgotando.

Naqueles meses de tumulto na Rússia, outra incerteza dizia respeito à neutralidade dos Estados Unidos. Seu presidente, Woodrow Wilson, era imprevisível. Muito talentoso, Wilson era filho de um clérigo presbiteriano e de uma mãe devotada que, assim como suas duas filhas mais velhas, dedicava cuidados um tanto exagerados ao garoto. Cresceu nos estados do sul durante e após a Guerra Civil norte-americana, mas seu talento não foi detectado prontamente, devido a doenças que tivera durante a infância. Na Princeton University, deu sinais de originalidade (característica que os examinadores nem sempre reconhecem), mas nenhuma amostra de brilhantismo. Quase foi advogado em Atlanta, na Geórgia, retornando porém como professor a sua antiga universidade, onde assumiu em 1902 o cargo de reitor. Pregador leigo, quase seguindo os passos do pai, Wilson demonstrava fluência, sinceridade, empatia e um leve nervosismo que, disfarçando a confiança suprema em suas opiniões, atraía os ouvintes. Como democrata, tornou-se governador de New Jersey em 1910. Menos de dois anos mais tarde, venceu a corrida presidencial dos Estados Unidos. Na política, havia subido como um foguete – foguete, como ele às vezes mencionava, guiado por Deus.

Em 1916, Wilson novamente disputou e venceu as eleições presidenciais. Tentou manter seu país neutro na guerra, mas não resistiu às frequentes provocações da Alemanha. Em abril de 1917, o Congresso concordou em declarar guerra contra os alemães. O exército norte-americano era pequeno e foi necessário treinar muitos recrutas. No começo de 1918, que acabaria sendo o último ano da guerra, apenas 175 mil soldados haviam chegado à França.

A Alemanha ainda podia vencer o conflito. Após os russos terem apelado por paz, o país transferiu soldados do front leste para o oeste, onde lançou uma ofensiva feroz que chegou a 70 quilômetros de Paris e então parou. Depois disso, suas chances de vitória foram se extinguindo lentamente. Talvez nenhum fator isolado tenha colaborado tanto para convencer os alemães de que a guerra estava perdida quanto um exército norte-americano que então totalizava 1,5 milhão de soldados.

Tal tropa foi um fator decisivo para a derrota da Alemanha – não por aquilo que fez, mas por aquilo que poderia fazer.

Em setembro de 1918, os aliados da Alemanha decidiram que estavam fartos. A Bulgária assinou um armistício separado. A monarquia austro-húngara estava em pedaços, e os iugoslavos, tchecos e húngaros formavam as próprias nações. No fim de outubro, os turcos firmaram uma trégua. Alguns dias mais tarde, o pedido de rendição do Império Austro-Húngaro foi aceito.

A Alemanha estava sozinha. Seus soldados ainda lutavam bravamente no front ocidental, mas nos primeiros dez dias de novembro de 1918 a vida civil na Alemanha se despedaçava diante de tensões, privações e desesperança. No porto de Kiel, marinheiros alemães se amotinavam; na Baviera, ocorreu uma revolução socialista bem-sucedida; em Berlim, o imperador Wilhelm II abdicou. Em 11 de novembro – um dia de ignomínia para a Alemanha, porém desejado havia muito por outros países – um armistício foi assinado.

A BATALHA NAS NEGOCIAÇÕES DE PAZ

A paz havia chegado, mas o que isso significava? Todas as nações a desejavam, cada uma em seus termos. Mais de um ano antes do fim da guerra, os planos de paz começaram a surgir. Em agosto de 1917, o papa Bento XV esperava que as fronteiras voltassem a ser as mesmas que existiam antes dos conflitos. Em janeiro de 1918, o presidente Wilson apresentou em Washington seus Catorze Pontos (e uma piadinha da época dizia que só um professor exigiria tantos pontos assim). Wilson queria um parlamento mundial permanente e uma Liga das Nações que pacificasse e sanasse problemas. A ideia não era originalmente sua, mas ele lhe deu força. Queria uma paz branda, e não cruel, para o perdedor.

Oito meses mais tarde, na casa de ópera de Nova York, com milhares de rostos ansiosos diante de si e o fim da guerra quase à vista,

Wilson apresentou uma opinião que certamente não impressionou os franceses. Deixando implícito que a França, em especial, deveria perdoar e esquecer, defendeu um tratado de paz em que houvesse clemência. Conclamou as grandes nações vitoriosas a, uma vez terminada a guerra, oferecer "justiça imparcial" e rejeitar o egoísmo econômico. Por alguns meses, aos olhos de centenas de milhões de pessoas, ele pareceu falar em nome de quase todos os povos do mundo e até mesmo dos muitos soldados que jaziam silenciosos em seus túmulos.

Um mês após o fim da guerra, o presidente partiu para a Europa. Louvado como o estadista que distribuía remédio para um mundo doente, foi bem recebido na França e depois na Inglaterra, mesmo por aqueles que não entendiam perfeitamente o conflito entre aquela mensagem e suas próprias atitudes. Ao chegar a Roma e Milão, Wilson viu cartazes que diziam "Boas-vindas ao deus da paz". Quando, por fim, o poderoso líder chegou à conferência de Paris, era como se um halo brilhasse em torno de sua cabeça. Esse halo, no entanto, não era visível para outros grandes estadistas. Clemenceau, a voz da França, então com 77 anos de idade, apesar de tratar o visitante de maneira cortês e mesmo afetuosa, achava que a mensagem de Wilson nada tinha a dizer ao povo sofrido da França.

Líderes das nações vencedoras, reunidos em Paris para longas discussões, estavam menos interessados do que Wilson em sua ideia de uma paz justa e boa. Tendo carregado o fardo e sofrido as dores de uma guerra longa, queriam uma compensação consistente da Alemanha e da Áustria. Em Paris, os vencedores queriam dividir a área central da Alemanha, o que acabaram fazendo. E desejavam tomar todas as suas colônias, o que também fizeram. Tendo confiscado sua marinha e dispersado seu exército, impuseram uma imensa multa à Alemanha, chamada de reparação, como reembolso de parte dos custos da guerra. Como, em 1871, a Alemanha tinha imposto uma paz cruel à derrotada França, esse novo tratado de paz assinado em Versalhes em 1919 repetia o mesmo espírito punitivo. A pena de 1919, no entanto, foi ainda mais severa.

O tratado de paz insistia – de maneira não muito lógica nem justa – em que a Alemanha e o imperador Wilhelm II eram os únicos culpados pela guerra. Muitos alemães sentiram-se traídos, e com razão. Lembravam-se vivamente de que, antes da assinatura do armistício, o próprio Wilson lhes havia prometido uma paz justa. Essencialmente, em sua fala expressiva, o presidente havia feito uma série de promessas sinceras, mas irresponsáveis, as quais suas mãos atadas não poderiam cumprir.

A Europa se alegrava com a paz, mas esta era diferente da que havia antes de 1914. A guerra tinha desfeito as ligações de comércio, destruído milhares de vilarejos rurais, devastado extensas áreas de pasto e plantações, matado milhões de cabeças de gado, avariado centenas de ferrovias e pontes e afundado mais navios cargueiros do que existiam no mundo em 1900. Os problemas se manifestavam em todas as facetas do dia a dia, especialmente no Leste Europeu. Em 1919, o leite era tão escasso nas cidades que crianças pequenas morriam e a alimentação da maior parte das pessoas não continha gordura. Em muitos distritos, não se semeava. No primeiro inverno pós-guerra, muitas pessoas não possuíam botas nem sapatos e não conseguiam comprar carvão para seus fogões, uma vez que pouco transporte era feito nas ferrovias danificadas. Essas foram observações extensivamente registradas pelo diretor britânico de auxílio humanitário, sir William Goode, que trabalhou no Leste Europeu em 1919. Ele percebeu o contraste entre "os ricos nervosos e os pobres esfomeados", especialmente em Viena.

Ao mesmo tempo, outro mal ainda mais devastador ocorria. Um novo surto de gripe, iniciado nos campos de batalha da França em 1918,

> PARA CHEGAR AO TRATADO DE PAZ DE 1919, O PRESIDENTE NORTE-AMERICANO WOODROW WILSON FEZ UMA SÉRIE DE PROMESSAS QUE SUAS MÃOS ATADAS NÃO CONSEGUIRAM CUMPRIR.

espalhou-se pelo mundo. Atingiu até mesmo grupos de aborígines, em lugares remotos da Austrália, e assentamentos nas selvas africanas e sul-americanas. Matou milhões de pessoas na Índia. Apareceu em navios em alto-mar. Chamada de gripe espanhola, fez mais vítimas do que a Primeira Guerra Mundial.

Um tratado de paz desenhado a muitas mãos – e punhos também – é inevitavelmente um labirinto de meios-termos e um conflito de princípios. Uma vez assinado o tratado em Versalhes, Wilson teve de convencer os próprios compatriotas a acatá-lo. Teve de persuadir a população de que a Liga das Nações, prestes a ser constituída, seria benéfica para os Estados Unidos tanto quanto para a Europa e o resto do mundo. Aos olhos de uma nação com forte tradição de isolacionismo, orgulhosa de haver crescido graças principalmente aos próprios esforços e desejosa de permanecer dona de seu nariz, a liga parecia um tanto ameaçadora.

Wilson voltou para casa confiante de que seu país seria o mais influente na Liga das Nações. A opinião pública em geral estava com ele, e 33 governadores o apoiavam, mas os céticos se multiplicavam. Ele não era mais o rei em sua terra, tendo perdido o controle do senado e do congresso. Viajando de trem pelo país, apertando mãos estendidas desde as cidades atlânticas até o porto de San Diego, no Pacífico, dirigindo-se inflamadamente às milhares de pessoas que se reuniam em seus discursos ao ar livre, Wilson se esgotou. Os músculos de seu rosto começaram a se contrair em espasmos. Em 2 de outubro de 1919, de volta a Washington, sofreu um derrame que lhe deixou o lado esquerdo do corpo paralisado. Sua segunda mulher, Edith, assumiu muitas das responsabilidades cívicas do marido, até que, cerca de um ano mais tarde, o mandato chegou ao fim. O legado de Wilson foi uma Liga das Nações da qual seu país se recusou a participar.

A liga, cujo primeiro encontro se deu em 1920, parecia ser o farol do mundo. Seu objetivo era prevenir guerras e impor a justiça social. Pretendia proteger os povos que viviam sob o domínio europeu, acabar com os resquícios da escravidão e suavizar o fardo dos que trabalhavam duro todos os dias. Era como um parlamento com duas câmaras: uma pequena e poderosa, que se reunia com mais frequência, e uma assembleia geral de todas as nações participantes, que se encontrava anualmente.

O conselho inaugural era composto de quatro membros regulares – Grã-Bretanha, França, Itália e Japão –, complementado pelos representantes eleitos dentre os componentes da assembleia. A ausência de Estados Unidos, China, União Soviética e Alemanha foi um rude golpe no prestígio e na influência do conselho. Dois desses quatro países estavam ausentes simplesmente porque os derrotados na guerra não tinham o direito de participar da nova liga. Além disso, os participantes da assembleia não representavam o mundo todo, sendo esta composta predominantemente por países europeus e suas antigas colônias de além-mar. O Império Britânico se destacava particularmente, pois os 29 membros iniciais da liga incluíam Grã-Bretanha, Canadá, Austrália, Nova Zelândia, África do Sul e a Índia britânica.

A liga tinha como objetivo solucionar desavenças que, do contrário, poderiam resultar em guerra. Inicialmente, essa meta parecia atingível. Os finlandeses e os suecos, que disputavam algumas ilhas bálticas, concordaram que a liga deveria resolver o problema e, consequentemente, aceitaram que tais ilhas fossem anexadas à Finlândia. A questão mais preocupante era se as grandes potências aceitariam tais decisões. A Itália de Mussolini deu a resposta esclarecedora: em uma disputa pela ilha grega de Corfu, em 1923, o país inicialmente desconsiderou a sentença da liga.

UM BALANÇO DA GRANDE GUERRA

As listas de vítimas eram quase infinitas. Os sérvios foram os que mais sofreram. Um em cada quatro homens sérvios entre 15 e 49 anos de idade morreu. Nos anos que se seguiram, a falta de noivos foi terrível para as mulheres. Turquia, França, Romênia e Alemanha foram os próximos a sofrer gravemente, perdendo de 13% a 15% de seus homens pertencentes à mesma faixa etária vulnerável. Das outras nações que participaram da guerra, o Império Austro-Húngaro perdeu 9% de seus homens, a Itália perdeu 7% e a Grã-Bretanha perdeu quase 6%. O índice de mortes na Rússia foi de 5%, próximo ao da Nova Zelândia e ao da Austrália. O Canadá, onde a maior parte dos franco-canadenses se recusou a alistar-se, e os Estados Unidos, que entraram na guerra tardiamente, ficaram ainda mais abaixo nessa lista. Ninguém jamais conseguiu estimar a quantidade de talentos perdidos – poetas, engenheiros, padres, líderes sindicais, professores, pintores, arquitetos, pilotos, cirurgiões e estadistas da geração futura.

A guerra enfraqueceu a Europa. O gigante econômico e político do mundo teve diversas de suas artérias cortadas. Mesmo os vencedores perderam financeiramente. A Grã-Bretanha, que concedera a maior parte dos empréstimos em 1914, entregou boa parte de sua supremacia financeira aos Estados Unidos, até então em débito com países europeus. A Europa se mutilou empunhando o machado.

> A Primeira Guerra enfraqueceu a Europa, cortando várias artérias do gigante econômico e político do mundo.

Os Estados Unidos foram o grande beneficiário financeiro: suas indústrias cresceram enquanto os competidores europeus estavam absorvidos pelas batalhas. O Japão também se beneficiou: pela primeira vez em muitos séculos, um país do Leste Asiático foi saudado como líder mundial. Na conferência de paz de Paris, o Japão tomou assento entre os cinco grandes. Seus ganhos territoriais foram pequenos. O país também lutou para inserir uma cláusula na Convenção da Liga das Nações que prometesse tratamento justo a todos os cidadãos estrangeiros que vivessem em qualquer das nações participantes.

Aceito no grupo dos países mais poderosos, o Japão se mostrou curioso a respeito deles, permitindo então pela primeira vez que um herdeiro do trono viajasse para o estrangeiro. Em março de 1921, com alguma agitação, o povo japonês se despediu do príncipe Hirohito, que embarcou em um navio rumo à Europa.

Compensadora para o Japão, a guerra foi um rude golpe na longa era de otimismo material e espiritual do Ocidente, bem como em sua crença no progresso humano, defendida tão apaixonadamente em muitos círculos no século 19. Mas, de alguma forma, o conflito aumentou a fé no progresso, pois a jovem Rússia socialista se tornou uma fonte de esperança para centenas de milhões de pessoas em diversos países. Ali estava um dos experimentos mais inusitados da história da humanidade.

Na África, na América do Sul e na Ásia, muitos jovens radicais se maravilhavam com a Rússia do pós-guerra. Nehru, um jovem indiano que mais tarde se tornou primeiro-ministro, sentiu-se inspirado pela nova União Soviética: "Não tive dúvidas de que a revolução soviética havia feito a sociedade humana dar um grande salto e acendido uma intensa chama que não se enfraqueceria."

CAPÍTULO 6
UTOPIA E PESADELO

Por todo o mundo alfabetizado, as pessoas abriam os jornais e procuravam, ávida ou apreensivamente, saber o que estava acontecendo na Rússia. O comunismo, uma das criações mais extraordinárias da história humana, era visto por milhões como uma prévia do futuro. Ainda que continuasse um experimento isolado, a Rússia provavelmente influenciaria o resto do globo. Não se tratava apenas do maior país em área, mas também do terceiro mais populoso, abrigando ainda mais pessoas do que a adormecida África.

Os novos líderes bolcheviques, controlando uma nação dividida, logo tiveram de enfrentar desafios. Uma guerra civil iniciou-se, trazendo combates entre os exércitos dos russos brancos e dos russos vermelhos. Em agosto de 1918, tropas britânicas e japonesas partiram do leste em direção à Sibéria. No frio norte da Rússia, os portos de Murmansk e Archangel foram atacados pelos britânicos. No ano-novo, os franceses enviaram uma expedição militar para o porto de Odessa, a fim de ajudar os russos brancos. Por algum tempo, pareceu possível que as investidas de soldados aliados, embora em número reduzido, desequilibrassem a balança contra Lenin e seus comunistas. Mas os aliados não atacaram a Rússia comunista: a maior parte de seus soldados e marinheiros estava cansada de lutar. A tentativa de recuperação da Rússia não foi adiante.

ESPANTALHOS E COMISSÁRIOS

Durante os combates da guerra civil, cidadãos russos fugiram das vulneráveis cidades. Havia comida e segurança para eles no campo. Entre 1918 e 1920, a população de São Petersburgo – renomeada Petrogrado e mais tarde chamada Leningrado – caiu quase pela metade, enquanto na nova capital, Moscou, muitas ruas ficaram estranhamente silenciosas, e as casas, vazias. Aqueles que apoiavam o velho regime czarista abandonaram a Rússia na primeira oportunidade.

O aumento dos preços, já assustador durante a Grande Guerra, foi ainda pior durante a guerra civil. A nação enfrentou seu surto de hiperinflação, que pouco depois atingiu também a Alemanha. Um rublo russo comprava, em 1913, um pacote de açúcar, mas no começo de 1921 uma dona de casa precisava de cerca de 17 mil rublos para comprar essa mesma quantidade do produto. O índice oficial de inflação geralmente serve como medida da competência financeira de um governo. De acordo com tal medida, a Rússia de Lenin foi inicialmente uma negação.

A meta oficial era construir uma nova sociedade, mas antes disso a velha sociedade, despedaçada pela guerra, tinha de ser reconstituída. As ferrovias estavam em ruínas. Antes da guerra, a Rússia possuía 17 mil locomotivas a vapor, mas em janeiro de 1920 restavam apenas 4 mil. Talvez nenhuma grande rede ferroviária do mundo tenha sido alguma vez tão devastada. As locomotivas a vapor eram essenciais para milhares de atividades, incluindo o transporte das safras de grãos do campo para as cidades esfomeadas e a entrega de carvão para as cidades geladas. Muitos escritórios e fábricas trabalhavam no inverno intenso sem o benefício da calefação. Nos teatros, o público tremia, enquanto os atores esfregavam as mãos para se aquecer.

O medo era uma arma cada vez mais utilizada pelo governo russo, sendo provocado dia e noite com uma mistura de violência, selvageria e insensibilidade. Muita gente deixou de expressar suas ideias, até mesmo para amigos próximos. Quando o governo suspeitava que cidadãos pudessem ter pensamentos subversivos a respeito de assuntos como política, religião, economia, literatura e artes, tirava-os à força de seus lares ou locais de trabalho, e os suspeitos ficavam desaparecidos durante anos. Vizinhos se viraram uns contra os outros. Alguns eram recompensados por espionar amigos e conhecidos.

O regime bolchevique, tendo assumido o nome de comunista, declarou guerra à antiga classe média, a burguesia. Em novembro de 1918, no jornal *Terror Vermelho*, um chefe da polícia secreta afirmou que não eram necessárias provas para justificar a alegação de que um membro dessa classe havia "agido com palavras ou atos contra o poder soviético". Nem mesmo uma postura de boa vontade em relação ao novo regime era capaz de salvar um antigo banqueiro ou dono de fábrica. "Vamos exterminar a burguesia como classe", anunciava-se.

> Na Rússia, após a Primeira Guerra, o regime comunista iniciou o extermínio da antiga classe média, a burguesia.

Bertrand Russell, filósofo britânico que simpatizava com as novas ideias políticas, visitou a Rússia em 1920, na posição privilegiada de membro de uma delegação um tanto radical. Em Petrogrado, ficou chocado com as cenas diárias de pobreza – em contraste com a vida luxuosa que levavam muitos dos novos oficiais –, embora ele próprio compartilhasse do luxo. Russell disse que o período que passou na Rússia foi um "pesadelo contínuo que se tornou cada vez pior".

Muitas justificativas foram criadas para o surgimento da nova Rússia, e algumas eram legítimas. Metade do país havia sido destruída pela guerra. Qualquer governo – comunista, liberal ou conservador – teria tido problemas para reerguer um território tão devastado. Até o regime comunista do terror poderia ser temporariamente justificado por seus simpatizantes, pois o czar, então morto, dispusera de uma polícia secreta própria. Havia outra desculpa, inicialmente aceita por muitos liberais e radicais no Ocidente, para os sangrentos acontecimentos no país: o comunismo era uma experiência ainda em fase de ajustes. Os simpatizantes se sentiam no direito de pedir aos críticos: "Por favor, deem tempo aos comunistas para que possam completar seu experimento."

O ano decisivo para a vitória dos comunistas na guerra civil foi 1920. Em março, o exército dos russos brancos de Anton Denikin praticamente se desfez. Em agosto, os russos vermelhos foram derrotados pelo exército polonês perto de Varsóvia, o que permitiu aos poloneses se retirarem da guerra. Em novembro, o exército vermelho capturou o porto sulista de Sebastopol. Foi somente em 1922, no entanto, que a província do extremo leste, cujo centro ficava no porto de Vladivostok, reintegrou-se à mãe Rússia.

COM ALGUNS GOLPES DE CANETA VERMELHA

Às vezes o experimento era interrompido; às vezes progredia, mas logo em seguida estagnava novamente. De início, a maior parte das indústrias nas cidades foi nacionalizada. Bancos, ferrovias privadas, estaleiros e grandes fábricas passaram a ser gerenciados pelo governo. As fábricas menores foram poupadas e as que contavam com apenas dez trabalhadores e nenhum equipamento mecanizado receberam permissão para permanecer privadas. A regulamentação era pontuada por exceções, por isso fábricas que possuíam maquinário, mas que contavam com apenas cinco trabalhadores, também podiam continuar tendo gestão privada.

As grandes propriedades foram nacionalizadas. Com alguns golpes de caneta, foi feito o maior confisco registrado na história. As ondas de choque se espalharam pelo mundo. Na opinião da maior parte dos conservadores e dos que se situavam no centro da política daquela era, a propriedade privada representava o bastião da ordem civil e da liberdade. Desde então, o mundo assistiu a vários atos de confisco e redistribuição.

Do Mar Báltico ao longínquo Oceano Pacífico, em 10 mil vilarejos e áreas circundantes, a maior parte das cercas foi eliminada ou instalada em outro lugar. A pequenina fazenda familiar de 1 ou 2 acres – inteiramente cultivada pela família – prevaleceu. Os ricos fazendeiros perderam na revolução e os milhões de camponeses mais pobres foram inicialmente os que saíram ganhando.

Milhões de pessoas que viviam em outros países leram sobre a reconstrução da Rússia e se alegraram. Socialistas entusiásticos partiram para a nova terra prometida. Alguns eram norte-americanos que organizaram comunas agrícolas com nomes como Red Banner (bandeira vermelha) e Proletarian Life (vida proletária). Um grupo de entusiastas judeus chegou com tratores – um luxo naquela terra de arados puxados por cavalos. Algumas dessas comunas duraram tanto quanto o entusiasmo inicial.

Uma onda de renovações sociais tomou conta da Rússia. O calendário ocidental foi adotado. Novos tribunais do povo foram organizados. O estado passou a se encarregar de toda a educação. A publicação de livros e jornais se tornou monopólio do governo e ideias anticomunistas pararam de circular. O exército foi reformado e os novos oficiais não ostentavam estrelas douradas, distintivos ornamentados nas boinas nem faixas nas mangas.

A liberdade religiosa acompanhou a revolução, mas logo foi atacada. O cristianismo foi oficialmente desprezado e muitas igrejas se transformaram em museus do ateísmo. O casamento deixou de ser uma cerimônia religiosa. A Igreja Ortodoxa Russa perdeu seu status, suas terras e sua renda, ficando sem dinheiro para pagar os salários de bispos e padres. Quando o novo patriarca ameaçou excomungar os oponentes de sua igreja, em fevereiro de 1918, foi ignorado. Muitos dos bispos e padres ortodoxos foram assassinados ou presos por crimes reais ou imaginários contra um governo que não poderiam apoiar. Sua condição de inimigos da revolução era irrefutável.

Forçada a sustentar um dos episódios mais tumultuados da história moderna, a economia vacilou. Em relação ao cultivo de alimentos, a

União Soviética ficou defasada. Todos os incentivos foram retirados dos camponeses, que se viam obrigados a vender seu excedente de alimentos para o governo em troca de notas de dinheiro de pouco valor. Por que, então, produzir excedentes? Lenin, admitindo que os fazendeiros passavam por "uma crise extraordinariamente aguda", abrandou as normas. Em março de 1921, temporariamente voltou no tempo. Camponeses receberam incentivos para plantar mais grãos e vender parte de sua produção no mercado aberto – era a chamada Nova Política Econômica, na verdade uma velha política, temporariamente restabelecida a fim de evitar a fome e acalmar a inquietação.

Uma severa seca no verão de 1921 impediu a recuperação da vida econômica. Fazendeiros tiveram colheitas paupérrimas e ficaram sem dinheiro para comprar comida. O tifo dizimou dezenas de milhares de pessoas enfraquecidas. A ajuda tardou, mas chegou, proveniente do governo dos Estados Unidos, da Cruz Vermelha norte-americana, de associações cristãs e de uma série de igrejas da América do Norte, dos *quakers* aos luteranos, na forma de comida, sementes e medicamentos. A União Soviética engoliu o orgulho e aceitou o auxílio que salvou milhões de vidas. Após esse período, vieram as chuvas e os brotos verdes das plantações trouxeram alegria. Em 1923, a Rússia exportava grãos.

A Nova Política Econômica ajudou as cidades pequenas. Lojas particulares foram reabertas em 1921 e restaurantes e livrarias privadas reapareceram aqui e ali. Nessa explosão temporária de liberdade, caixeiros-viajantes andavam abertamente pelas ruas – sem medo de que a milícia os prendesse sob a acusação de fazer comércio a fim de obter lucro. O passatempo agradável de olhar as vitrines havia sido visto com maus olhos pela Rússia comunista anteriormente, mas Arthur Ransome, em seu livro *Six Weeks in Russia* (Seis Semanas na Rússia, em tradução literal), mostrava-se maravilhado com as multidões que repentinamente reapareceram nas ruas comerciais.

Muitos dos melhores músicos, pintores e escritores da Rússia não acreditavam que a liberdade pudesse voltar. Sentindo-se desconfiados ou hostis diante da revolução, não deixaram de amar sua pátria, com suas florestas e seus campos, tampouco o povo e seus costumes. Sergei Rachmaninov, que deixou a Rússia após a revolução, sentiu o espírito tão empobrecido longe da terra natal e de seu ambiente cultural peculiar que, ao longo de muitos anos vivendo na França e nos Estados Unidos, não conseguiu compor uma só sinfonia. A música que se formava em sua mente era sufocada. "Eu me sentia como um fantasma vagando por um mundo estranho", disse ele em 1939, mas ainda assim se recusava a retornar. Marc Chagall, que passou a viver definitivamente fora da Rússia, percebeu que, durante as seis décadas de exílio, todas as pinturas que produziu estavam marcadas pela "saudade da minha terra natal".

> EM MEADOS DO SÉCULO, GRANDES MÚSICOS, PINTORES E ESCRITORES RUSSOS ACREDITAVAM QUE A LIBERDADE JAMAIS RETORNARIA A SEU PAÍS.

O compositor Igor Stravinsky, que já vivia fora da Rússia em 1917, deu pulos de alegria quando soube que a monarquia russa havia caído. Escreveu para sua mãe, que morava em São Petersburgo: "Todos os meus pensamentos estão com a senhora nestes inesquecíveis dias de felicidade." De longe, ele sentiu essa felicidade se enfraquecer. Mesmo passados muitos anos, nunca quis rever sua São Petersburgo. Em matéria de sentimentos e de lealdade, permaneceu intensamente russo e, sempre que compunha, datava a partitura de acordo com o antigo calendário russo, e não com o ocidental.

Máximo Gorki já era celebrado como romancista realista muito antes da era revolucionária. Como rebelde que havia lutado por mudanças, aplaudiu a Rússia de Lenin e assistiu, da Ilha de Capri, a seu perigoso início. Retornou à União Soviética (então sob o domínio de Stalin), onde passou seus cinco últimos anos de vida. Festejado pelo governo, ficou contente ao ver centenas de ruas, escolas, clubes de escritores e até mesmo uma cidade batizados em sua homenagem. O herói que retornava ao lar, no entanto, começou a perceber que o forte interesse de Stalin por escritores, cineastas e outros artistas era uma forma de manipulação. Gorki se rebelou. Em segredo, comparava Stalin a "uma pulga monstruosa" que mordia a carne das pessoas a sua volta. Boatos dizem que a morte do escritor foi resultado de uma ordem secreta de Stalin.

Enquanto isso, Lenin era alçado ao posto de líder da revolução. Quando morreu, vítima de um derrame, em 1924, aos 54 anos de idade, seu corpo foi embalsamado e guardado em um mausoléu, originalmente de madeira, na Praça Vermelha, em Moscou. Alguns turistas que o viram quarenta ou mais anos depois acharam que aquele homem de barba ruiva, com seu impecável terno cinza, mais parecia um educado gerente de banco de um próspero bairro czarista. Seu cérebro havia sido dissecado por fiéis cientistas soviéticos, que o declararam especial, como caberia ao primeiro líder de uma nação renascida.

O HOMEM DE AÇO ENTRA EM CENA

Lenin havia triunfado graças a ações pragmáticas e correção ideológica. Seu sucessor, Joseph Stalin, acreditava ser o momento de reacender a chama do comunismo. Enquanto Lenin fez da Rússia uma terra comunista, Stalin a transformou novamente em potência mundial.

Stalin era oriundo de uma província remota das montanhas do Cáucaso, filho de um sapateiro e de uma lavadeira. O russo não era sua língua nativa e, quando ele se tornou fluente na fala, ainda se percebia seu sotaque da Geórgia. Seu verdadeiro nome era Dzhugashvili, bem mais tarde trocado por Stalin, que significava *homem de aço*. O denso bigode e as marcas de catapora em seu rosto – confundidas com cicatrizes de guerra aos olhos de muitos que o viam pela primeira vez – fortaleciam sua presença autoritária.

Após passar algum tempo em um seminário teológico – a Igreja Ortodoxa dificilmente faria inimigo tão amargo –, voltou-se para a política. Tomando os escritos de Karl Marx como guia, planejou a

4 Rússia e Turquia, 1925

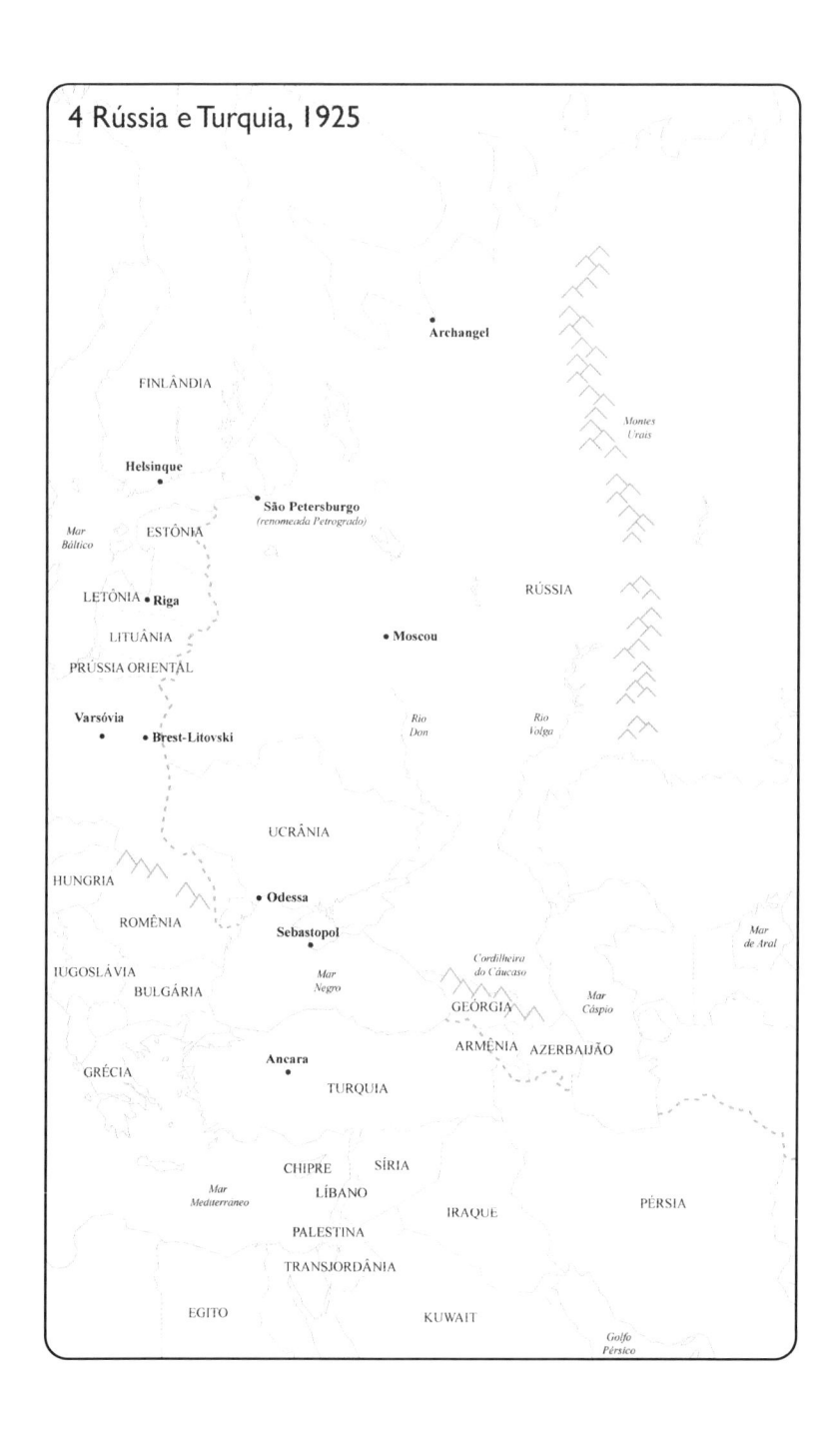

- Archangel
- FINLÂNDIA
- Montes Urais
- Helsinque
- São Petersburgo *(renomeada Petrogrado)*
- Mar Báltico
- ESTÔNIA
- LETÔNIA • Riga
- LITUÂNIA
- PRÚSSIA ORIENTAL
- RÚSSIA
- • Moscou
- Varsóvia
- • Brest-Litovski
- Rio Don
- Rio Volga
- UCRÂNIA
- HUNGRIA
- ROMÊNIA
- • Odessa
- Sebastopol
- Mar de Aral
- IUGOSLÁVIA
- BULGÁRIA
- Mar Negro
- Cordilheira do Cáucaso
- GEÓRGIA
- Mar Cáspio
- ARMÊNIA AZERBAIJÃO
- GRÉCIA
- Ancara
- TURQUIA
- CHIPRE SÍRIA
- Mar Mediterrâneo
- LÍBANO
- IRAQUE
- PÉRSIA
- PALESTINA
- TRANSJORDÂNIA
- EGITO
- KUWAIT
- Golfo Pérsico

deposição do czar. Como punição, passou períodos na Sibéria. Sua primeira esposa, Ekaterina, uma cristã devota, morreu antes do período mais longo de exílio.

Em 1917, quando a agitação estava no ar, Stalin voltou rapidamente a São Petersburgo e atuou como editor do principal jornal bolchevique. A imprensa era uma plataforma poderosa para uma pessoa inteligente e manipuladora que ascendia rapidamente. Depois da morte de Lenin, em janeiro de 1924, Stalin tomou o poder supremo, do qual tinha se aproximado. Leon Trotsky, que parecia ser o mais provável sucessor de Lenin, foi afastado e expulso da Rússia cinco anos depois. Mas não conseguiu fugir para longe o suficiente: foi assassinado na Cidade do México, em 1940, por ordem de Stalin.

Durante o governo de Stalin, o domínio dos camponeses aos poucos foi desfeito. O pobre homem do campo, que havia apoiado a revolução em 1917, foi lentamente privado de sua recompensa. Cerca de 25 milhões de pequenas fazendas familiares foram confiscadas em nome do povo. As fazendas coletivas, com seus numerosos empregados, tomaram conta das planícies. Foi uma das mudanças mais dramáticas na história mundial da agricultura, pois a populosa União Soviética era essencialmente rural, e a maior parte de seu povo dependia do solo. A vantagem da fazenda coletiva ou estatal consistia no fato de ser facilmente mecanizada e produzir mais comida com menos trabalho. Sem dúvida, inúmeros pobres camponeses preferiam a vida gregária nas grandes fazendas e a oportunidade de operar máquinas ou tornarem-se especialistas.

Muitos dos fazendeiros autônomos, os *kulaks*, cuja eficiência tanto havia contribuído para a nova União Soviética na época da fome, foram punidos em 1929. Mesmo quando possuíam apenas algumas cabeças de gado, mas arrendavam alguns palmos a mais de terra, eram acusados de ser capitalistas. Que crime poderia ser mais grave? Eram enviados para lugares remotos ou mesmo executados. Enquanto isso, aqueles que permaneciam no campo abatiam seus animais e comiam ou defumavam a carne, para que não fosse confiscada pelo governo.

Devido a uma mistura de más condições climáticas e desordem rural, no início da década de 1930, a fome se instalou. Cerca de 10 milhões de pessoas morreram.

Stalin fortaleceu as defesas do país. Assim como as nações estrangeiras consideravam a União Soviética potencialmente hostil, a União Soviética considerava hostil a maior parte do mundo. Generosas quantias foram destinadas ao exército, à marinha e à aeronáutica (esta última ainda em formação). Um grande esforço foi devotado à industrialização, para que o país pudesse lutar em uma guerra sem ter de contar excessivamente – como havia acontecido com a Rússia czarista – com a importação de material bélico. É compreensível que Stalin não desejasse depender da precária ajuda externa no caso de um novo conflito.

Promoveu-se uma campanha para produzir mais eletricidade, maquinaria pesada, ferro, aço e carvão. O chamado Plano Quinquenal, lançado em 1928, atingiu suas metas em menos de cinco anos e foi sucedido por outro Plano Quinquenal. Camponeses que visitavam novas e velhas cidades impressionavam-se com o barulho de martelos mecânicos, serras elétricas, britadeiras, rolos compressores, guindastes e motores supermodernos. Inicialmente, o céu era cortado pela fumaça de chaminés até que a eletricidade finalmente chegou em longos fios.

Entre 1928 e 1940, a produção anual de aço, cimento e carvão do país quadruplicou. Os estaleiros, as oficinas de locomotivas e as fábricas de tratores se expandiram com uma rapidez de fazer inveja a muitos engenheiros ocidentais. Estações energéticas de queima de carvão e projetos de hidrelétricas receberam alta prioridade e foram retratados lindamente em pôsteres coloridos. Uma das fases mais velozes de avanço industrial já registradas só foi possível porque muitos russos passaram a comer menos pão do que antes e tiveram reduzida sua cota semanal de manteiga. Já que a União Soviética não conseguia empréstimos de outros países com facilidade – era improvável que saldasse as dívidas –, teve de fazer sacrifícios para sustentar sua prosperidade industrial. Porções menores de ensopado ajudaram a pagar a nova rede elétrica. Cotas menores de cerveja e tabaco pagaram as novas escolas.

Em 1939, a União Soviética estava em terceiro lugar entre as maiores potências industriais do mundo. Era um feito impressionante. O estado e os cidadãos tinham razões para comemorar os muitos avanços materiais alcançados. Na educação e em alguns aspectos da cultura, os ganhos foram notáveis. O nível de alfabetização, baixíssimo na época em que o último czar havia assumido o governo, tornou-se quase igual ao da maior parte dos países da Europa Ocidental. A educação superior e técnica eram gratuitas, atraindo um grande número de rapazes e moças. Os serviços de saúde eram muito superiores aos oferecidos vinte e cinco anos antes. Em diversas artes cênicas, especialmente no balé, na ópera e nas orquestras sinfônicas, o padrão era alto e o número de pessoas que frequentavam eventos culturais nas cidades grandes da Rússia era maior do que em muitos dos países ocidentais. Havia, no entanto, um grave obstáculo: uma ditadura implacável.

O partido bolchevique, que inicialmente defendera de maneira hipócrita a discussão democrática, acabou produzindo uma ditadura. Os críticos de Stalin foram silenciados. Biólogos e botânicos, economistas e soldados que o descontentavam eram rebaixados, enviados para províncias longínquas e campos da Sibéria ou executados.

Servidores leais da revolução de outubro de 1917 foram enviados para o pelotão de fuzilamento. Comunistas estrangeiros que, quando em risco de morte, haviam buscado refúgio em Moscou e sido acolhidos ouviam batidas repentinas na porta de casa e não eram mais vistos por suas famílias. Enquanto Hitler, então no domínio da Alemanha, geralmente demonstrava um senso de lealdade aos velhos companheiros de partido, Stalin começou a temer seus fiéis camaradas, especialmente aqueles que ocupavam altos postos. Supostos inimigos foram presos e julgados ou executados sem julgamento.

Enquanto numerosos cidadãos aprenderam a temer o ditador, incontáveis outros o respeitavam por ter reconstruído a nação e renovado seu orgulho. O patriotismo que persistia na altiva União Soviética era um dos principais aliados de Stalin.

Os sucessos, tanto os reais quanto os aparentes, do comunismo na União Soviética afetavam a política em outros países. Embora os partidos comunistas da França, da Itália, da Alemanha e de diversas outras nações não tenham chegado ao governo, todos conquistaram um grande grupo de seguidores, que certamente tomariam o poder nacional à força se houvesse oportunidade. A ênfase na força moldou diversos partidos políticos rivais. A ascensão dos fascistas na Itália e dos nazistas na Alemanha – partidos políticos com exércitos de rua – fez parte de uma reação ao crescimento do comunismo e do forte apelo que este exercia sobre dezenas de milhões de mentes na Europa.

CAPÍTULO 7
O VELHO SULTÃO E O JOVEM TURCO

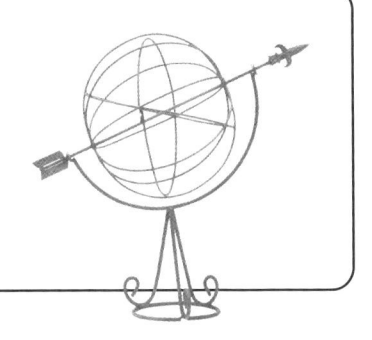

A Rússia e a Turquia eram inimigas implacáveis havia muito tempo, mas depois da Primeira Guerra Mundial seguiram novos caminhos com determinação semelhante. Usando a derrota e as adversidades para se reformular, esses países tentaram apagar grande parte de seu passado. Embora a jovem União Soviética fosse uma ideia interessante, a Turquia também fez uma das experiências mais corajosas da história do mundo islâmico. Seu novo soldado líder tentou tirar o véu islâmico da vida turca.

Desses dois experimentos, o da Rússia foi por algum tempo o mais influente. Apontando o coletivismo e o materialismo como caminho para o futuro, conquistou uma legião de admiradores em todo o mundo. A longo prazo, porém, talvez os eventos na Turquia tenham sido mais significativos. Lá, o Islã foi domado, mas não derrotado. No final do século era o Islã, e não o comunismo, que demonstrava maior vigor.

O Império Otomano era vasto em 1900, alcançando três continentes. Embora não mais dominasse completamente o norte da África e a região dos Bálcãs, continuava a ser a força predominante na Ásia Menor, governando a maior parte das cidades que figuram no Velho e no Novo Testamento. O império estava sob o domínio do sultão, cujo prestígio era ainda maior pelo fato de ser também o califa, ou seja, o representante do profeta Maomé. A cidade sagrada de Meca localizava-se em seu império e, para facilitar a peregrinação anual, uma grande ferrovia estava sendo construída do Mar Mediterrâneo até Medina, com o auxílio de moedas e cédulas doadas por fiéis de muitos países.

Em termos de religiões e etnias, o império era diversificado em 1900. Constantinopla, com seu horizonte pontilhado de mesquitas, minaretes e cúpulas, tinha uma população de 1 milhão de pessoas, mas somente a metade era muçulmana. O comércio do movimentado porto de Esmirna era dominado por gregos. Salônica, o grande porto otomano do outro lado do Mar Egeu, mostrava-se como a única cidade importante da Europa onde os judeus constituíam o maior grupo étnico. Outra minoria expressiva dentro do império era a dos armênios cristãos, comerciantes experientes. Mas o mais numeroso grupo de estrangeiros dentro desse império compacto eram os árabes. Chegando aos 6 milhões de pessoas, viviam distantes de Constantinopla e certamente não se consideravam turcos.

A ASCENSÃO DO JOVEM TURCO

Os turcos dominavam o império, fornecendo oficiais para o exército e funcionários para o serviço público. De tempos em tempos, nacionalistas turcos tentavam introduzir a democracia em um império governado pelo sultão e pelos pilares da tradição. Em 1908, com o auxílio de oficiais do exército, chegaram ao poder. O regime democrata ajudou a formar a aliança militar com a Alemanha. Foi um jovem oficial turco que, após a derrota do país na Primeira Guerra Mundial, deu início a uma nova nação, surgida dos destroços do Império Otomano.

Mustafá Kemal nasceu no porto da cidade de Salônica, atualmente território grego, filho de um oficial inferior otomano que não se via como inferior. A mãe era vinte anos mais nova do que o pai e exerceu uma influência muito forte sobre o filho. Ele tinha cabelos claros, olhos azuis, determinação, senso do dever e uma espécie de orgulho tímido. Embora criado na religião islâmica – tinha um avô que sabia o Alcorão de cor –, Mustafá sentia uma atração irresistível pelos costumes ocidentais, que então tomavam forma naquele porto cosmopolita. Ficou radiante quando pôde tirar as amplas calças turcas em forma de balão que os garotos usavam e vestir um uniforme de estilo ocidental em seu colégio militar.

Quando o major Mustafá contava com 20 e poucos anos, o Império Otomano lutava para sobreviver. Ele foi com sua tropa para a Líbia, onde, fora do pequeno porto de Tobruk, tentou impedir os italianos de avançar rumo ao interior. Alguns anos mais tarde, durante a Primeira Guerra Mundial, destacou-se, mais do que qualquer outro oficial turco, como um bom tático e um bravo defensor das terras altas de Gallipoli. Seus colegas notavam cada vez mais a capacidade de organização de Mustafá.

Ele nutria a esperança de um dia poder modernizar a Turquia, uma ambição que surgiu quando conheceu o homem que se tornaria o sultão. Em 1917, prestes a partir em uma delegação com destino à Alemanha para tratar da guerra, Mustafá notou a chegada de um delegado de modos polidos que ele não conhecia: "Ele fechou os olhos e pareceu mergulhado em pensamentos." No ano seguinte, o homem ausente e misterioso se tornou o sultão Mehmed VI. Quando o novo sultão não conseguiu demonstrar a liderança de que um império derrotado precisava e permitiu que os vitoriosos aliados ocupassem Constantinopla e outras regiões importantes do país, Mustafá Kemal assumiu o poder.

> MUSTAFÁ KEMAL FOI O GOVERNANTE TURCO QUE TENTOU MODERNIZAR A TURQUIA, PREGANDO INCLUSIVE A ABOLIÇÃO DO USO DO VÉU.

Como líder do Movimento Nacionalista Turco, formado em 1919, Mustafá tentou recuperar o controle do país. Expulsou as forças gregas que, com o apoio da Grã-Bretanha, da França e dos Estados Unidos, haviam ocupado o movimentado porto de Esmirna e grandes áreas do interior. Ele era outra vez o herói nacional. Sua campanha foi tão rápida e cruel que 180 mil gregos e armênios deixaram a Ásia Menor, refugiando-se na Grécia. Suas táticas eram tão inteligentes que, em setembro de 1922, seu exército realmente parecia capaz de retomar o Estreito de Dardanelos e até de invadir a Península de Gallipoli.

Surpresos com o rumo dos acontecimentos, os aliados tinham de decidir se lutariam mais uma vez na guerra que haviam vencido pouco tempo antes. Em Londres, durante um encontro urgente do gabinete britânico, o primeiro-ministro Lloyd George confidenciou: "É inconcebível permitirmos que os turcos tomem a Península de Gallipoli. Devemos lutar para evitar que isso aconteça." Os reforços britânicos logo estavam a caminho – navios de guerra, cruzadores, uma esquadra de submarinos e uma flotilha de destroyers –, além de navios de transporte de tropas que vinham de Gibraltar, de Malta, do Egito e da própria Grã-Bretanha, bem como aeronaves do Egito. Por algumas semanas, a guerra pareceu provável.

Os aliados, vitoriosos no longo combate contra a Turquia, estavam então divididos. A França havia desistido definitivamente de lutar; a Grã-Bretanha hesitava. As negociações começaram e o determinado Mustafá Kemal conseguiu quase tudo o que queria. O território de Gallipoli pertencia novamente à Turquia e os aliados retiraram seu exército de Constantinopla.

O triunfo da Turquia foi um momento fatídico para Grã-Bretanha e França. Quando derrotada, a Alemanha faria o que a derrotada Turquia fez: empregar a determinação, o patriotismo e a força das armas para suprimir as punições impostas após a Primeira Guerra Mundial.

Havia dois governos na Turquia durante o mês de triunfo: um formalmente chefiado pelo tímido sultão Mehmed VI, na ocupada cidade de Constantinopla, e outro liderado pelo agressivo Mustafá Kemal, na cidade livre do interior, Ancara. Mais uma vez, foi Kemal quem tomou a iniciativa. Pediu ao sultão para demitir os ministros que havia nomeado em Istambul. Quando o sultão se recusou a fazer isso, a assembleia nacional se reuniu em Ancara, em 1º de novembro, e determinou, com apenas um voto contrário, que a Turquia devia tornar-se uma república. Na verdade, a assembleia foi além, depondo o sultão.

O último sultão partiu de sua terra natal em um navio de guerra britânico, o HMS Malaya, por acaso também o nome de uma ilha islâmica. Por algum tempo, viveu em Meca, a cidade sagrada que nenhum sultão anterior havia considerado digna de uma visita. Passou seus últimos dias com três de suas esposas no resort italiano de San Remo, onde morreu de apoplexia em maio de 1926.

A longínqua Ancara foi confirmada como capital da nova república da Turquia. A cidade havia sido escolhida por Kemal como capital temporária em 1920, em parte por ficar bem distante do mar, o que não permitiria o ataque dos gregos ou de qualquer outro invasor. Ancara ficava exposta ao vento no inverno, enquanto nas noites de verão uma nuvem de mosquitos da malária surgia do pântano próximo à estação de trem. Em 1925, a cidade estava melhor. Havia rumores sobre a construção de uma central telefônica e de uma estação de rádio que poderiam servir a aproximadamente 50 mil habitantes. Ao mesmo tempo, algumas embaixadas, embora relutantes, transferiam para lá o pessoal antes sediado na antiga e adorável capital à beira-mar.

A CRUZADA CONTRA O BARRETE E O VÉU

Uma a uma, algumas das tradicionais proibições otomanas foram afastadas. Desaprovando o costume de as mulheres usarem véu, Kemal anunciou em 1924: "Deixem que mostrem o rosto ao mundo." As mulheres não eram forçadas a seguir esse conselho, mas nas grandes cidades elas cada vez mais abandonavam o véu.

Para os homens, as instruções de Kemal eram mais enfáticas. O barrete era praticamente o símbolo do homem turco respeitável e até o próprio Kemal havia usado um, vermelho, macio e grande, por muito tempo em sua vida adulta. O barrete era tão fortemente identificado com o Islã que aqueles que usavam publicamente um chapéu com aba praticamente se definiam como ocidentais infiéis. Em uma ação radical e provocativa, o uso do barrete foi abolido em 1924. Outras regras de roupas foram disseminadas: os funcionários públicos tinham de usar chapéus europeus, e meninas e meninos eram obrigados a vestir aventais negros na escola, à moda francesa.

O líder não entrou pessoalmente nas mesquitas para refazer os rituais e as preces, mas tratou de comandar algumas mudanças. Por um decreto seu, os anúncios de preces vindos dos altos minaretes deveriam ser feitos em língua turca, e não árabe. Os sacerdotes deixaram de vestir suas roupas tradicionais ao circular pelas ruas. Mesmo a proibição de beber álcool – uma interdição que permeava a vida islâmica – foi desafiada por Kemal, primeiro em locais privados e depois em locais públicos.

Nos dez anos após a expulsão do califa, a Turquia progressivamente arrumou a casa. O relógio mudou, e o dia solar dos muçulmanos, que marcava o tempo a partir do nascer do sol, foi substituído pelo dia que se iniciava à meia-noite. Os numerais internacionais foram adotados, o alfabeto latino chegou e os sobrenomes se tornaram obrigatórios. Constantinopla, um nome grego, foi alterado para Istambul, e Angora foi oficialmente confirmada como Ancara.

A condição das mulheres melhorou, embora mais rapidamente nas cidades do que nas fazendas e mais em público do que na vida privada. O direito de um homem se divorciar de uma das esposas deu lugar a uma lei de divórcio semelhante à adotada na Suíça. As filhas adquiriram os mesmos direitos dos filhos na herança dos bens da família. As mulheres obtiveram o direito ao voto nas eleições parlamentares e 18 delas conquistaram um lugar na nova assembleia de 1935, no mesmo tempo em que as primeiras mulheres chegavam ao cargo de juíza. Aconteceram os primeiros concursos para escolha da rainha da beleza da Turquia, e uma moça foi coroada em meio aos sinais de desaprovação das mulheres mais velhas, que ainda usavam véu. Aos olhos de alguns críticos moderados, a condição feminina havia piorado no exato momento em que parecia melhorar.

Tendo quase transformado a vida social, Kemal tentava restabelecer a economia. Gabava-se de que o país possuía então mais de mil tratores movidos a gasolina. Mas, em 1925, esse era um número humilhante quando comparado às centenas de milhares de cavalos, burros, mulas, bois e até homens e mulheres que puxavam arados e charretes. Mesmo nas cidades, em lojas e bazares, tudo era tão moroso quanto nos últimos anos do Império Otomano. Alguns visitantes juravam que o comércio havia se tornado menos vigoroso porque muitos dos gregos, judeus, armênios e outros espertos homens de negócios das cidades do velho império não estavam mais lá.

De pensamento dinâmico, Kemal era ditatorial em uma grande variedade de assuntos e situações. Às vezes, lançava "um tremendo olhar que trazia abaixo toda a sua testa, como se houvesse uma nuvem carregada sobre suas sobrancelhas". E era esse olhar que ele usava cada vez mais para governar a nação. Cidadãos talentosos eram forçados a se exilar. Inimigos já não recebiam mais permissão para deixar o país, sendo alguns julgados e executados. Partidos políticos que pudessem incomodar eram erradicados. O pai da pátria admirava a ideia ocidental de parlamentos e assembleias nacionais, desde que pudesse escolher quem participaria deles. Ele era mais do que um presidente. Perto do fim, vendo a si mesmo como a nação, adotou o nome de Atatürk (pai dos turcos). Poucos líderes fizeram mais do que ele para transformar um país.

Os méritos do "furacão" Atatürk foram ávida e furiosamente debatidos nos países islâmicos vizinhos. O rei Amanullah do Afeganistão começou, com alguma cautela, a imitar Atatürk. Falou até mesmo em educação de mulheres, proposta que gerou grandes queixas nas cordilheiras e nos desfiladeiros afegãos. Em 1929, após um protesto de líderes muçulmanos, foi levado a se exilar. O Irã foi ainda mais longe em 1935 e abandonou quase completamente o costume do uso do véu. Lá, as reclamações contra os novos modos profanos aumentavam e diminuíam intermitentemente, atingindo um crescendo aproximadamente meio século mais tarde, quando leis religiosas severas voltaram ao Irã.

Esperava-se, em muitos lugares, que outros países muçulmanos seguissem os modos turcos, experimentando a democracia, incentivando os direitos das mulheres e rejeitando o poder das mesquitas nas questões políticas e sociais que não estivessem ligadas à vida religiosa. Mas, meio século mais tarde, em muitos desses países, a mesquita se sobrepôs à vida cotidiana, os xeques e os generais prevaleceram, e a urna eleitoral passou a lembrar mais um pequeno caixão do que o lar da liberdade.

CAPÍTULO 8
CADA VEZ MAIS DEPRESSA

À s vezes acontece de um jovem inventor conseguir resolver um problema complicadíssimo em uma área complexa. Guglielmo Marconi, um italiano de 20 e poucos anos, contribuiu para a invenção do rádio. Na época, as mensagens, por telefone ou telégrafo, somente podiam ser transmitidas por fios e Marconi aperfeiçoou um modo de enviá-las sem o uso de linhas de conexão.

A MENSAGEM MILAGROSA

A invenção do rádio se baseou em experimentos anteriores de outros teóricos, e Marconi fez funcionar essas teorias. Seu primeiro equipamento sem fio havia mostrado do que era capaz em 1899, quando um cruzador naval britânico enviou uma mensagem para uma embarcação próxima. Comunicar-se com algo tão próximo não parecia um grande evento, mas enviar o sinal ao longo da costa seria um milagre. Isso aconteceu em 1901, quando uma mensagem foi transmitida da Ilha de Wight para a Cornualha, sem a ajuda de fios. Enviar as notícias da imprensa por sinais sem fio através do Atlântico logo custaria mais barato do que usar o velho cabo submarino.

Seria possível ouvir claramente a voz humana por meio do rádio? Essa possibilidade era excitante, uma vez que o telefone, invenção já consagrada, somente podia ser usado para comunicações entre distâncias relativamente curtas. Praticamente todos os telefonemas aconteciam dentro do perímetro das cidades e mesmo assim eram dispendiosos. Em 1910, uma pessoa rica em Londres podia ligar para alguém em Paris, mas não em Roma ou em Nova York. Em pouco tempo, o rádio tornaria esse tipo de comunicação possível.

Uma vez que os primeiros rádios não conseguiam transmitir vozes a uma distância muito grande, cada cidade precisou construir a própria estação. Pittsburgh teve a primeira, fundada por amadores e experimentadores em 1920. Nellie Melba deu um recital no estúdio de uma rádio perto de Londres; poucos dias mais tarde, quando alguns navios aportaram, correu a notícia de que no mar, muitas centenas de quilômetros longe da costa, o capitão, o operador de rádio e alguns passageiros tinham se reunido em uma sala para escutar a lânguida e emocionante voz da cantora. As estações de rádio se multiplicavam, dedicando muito de seu tempo de transmissão a músicas de gramofone ou artistas ao vivo no estúdio. Em torno de 1930, uma estação de rádio de Londres ou de Auckland podia transmitir uma corrida no sábado e uma missa no domingo.

> NAS NAÇÕES MAIS PRÓSPERAS, A MAIORIA DOS LARES POSSUÍA UM APARELHO DE RÁDIO EM MEADOS DA DÉCADA DE 1930.

Nas nações mais prósperas, a maioria dos lares possuía um equipamento sem fio em meados da década de 1930. Era um aparato enorme, com válvulas bastante grandes, escondidas dentro de uma caixa trabalhada, de nogueira ou carvalho; ficava apoiado em quatro pernas e era pesado demais para ser levado de um aposento para outro. Na parte da frente do equipamento havia um lindo mostrador, muitas vezes feito de um novo tipo de plástico marrom chamado baquelita, que apresentava cada estação dentro da área de cobertura. Enquanto a maioria das pessoas ficara sabendo da deflagração da Primeira Guerra Mundial pelos jornais ou pelo boca a boca, desta vez milhões de europeus iriam ouvir as graves notícias da Segunda Guerra Mundial através de seus requintados rádios.

O rádio aumentou o interesse por músicas gravadas, impulsionando o uso de gramofones. Inventado por Edison no longínquo ano de 1877, o incômodo gramofone teve de ser aperfeiçoado várias vezes antes de se tornar realmente utilizável. Mesmo na década de 1920, um disco de gramofone tinha apenas quatro minutos de cada lado, tendo de ser virado manualmente para proporcionar outros quatro minutos de som. Ainda assim, as vendas de discos para gramofones, especialmente os de jazz, cresceram muito na década de 1920. Os LPs, discos de longa duração feitos de vinil, só viriam a desafiar seus antepassados de curta duração depois da Segunda Guerra Mundial.

O entretenimento estava em efervescência durante os primeiros vinte e cinco anos do século 20. Das grandes ideias então recentes, o cinema não parecia tão promissor. Faltavam-lhe emoção e encanto. Sem som, não se comparava ao teatro. Sem a ajuda das palavras, os atores tinham de exagerar a interpretação, gesticulando com mãos, olhos e boca. Muitos dos primeiros filmes eram feitos por produtores que possuíam uma pequena sala. Lá, pessoas em busca de diversão pagavam uma moeda pelo direito de assistir, através de um buraquinho, a um filme simples. Muitas vezes, um pianista ou violinista tocava um tema musical adequado – tenso ou alegre, de acordo com o que pedia o enredo do filme. Como a maioria dos filmes era de curta duração, dez ou mais deles eram exibidos em uma noite.

Mary Pickford foi a primeira pessoa a receber o título de "namoradinha da América". Seu verdadeiro sobrenome era Smith; ela nasceu no Canadá e, em 1909, estrelou *The Violinmaker of Cremona*, filme realizado no sistema de quadros em movimento (*motion picture*). Ela se tornou o primeiro rosto feminino conhecido em todo o mundo, uma vez que o da rainha Vitória, que havia comandado um quarto do globo, era conhecido apenas por meio dos desenhos que retratavam suas feições nos minúsculos selos postais da Grã-Bretanha e de suas colônias.

Outra inovação, o microfone, rapidamente transformou os discursos políticos, bem como as canções populares. Com ele, um político sem uma voz poderosa podia discursar ao ar livre para milhares de pessoas. Novos tipos de artistas populares, desconhecedores das técnicas de projetar a voz em público, adotaram avidamente os microfones. A música ficou mais popular e menos clássica. Cantores como Bing Crosby e Perry Como se alegraram com a nova técnica, pois podiam cantar com suavidade e até sussurrar ou murmurar, alcançando públicos muito numerosos como nenhum cantor tradicional bem treinado havia conseguido. As vozes graves e roucas também foram favorecidas pelo microfone.

As mensagens de longa distância enviadas sem o uso de fios, as estações de rádio, o gramofone, o microfone e o cinema tiveram maior impacto sobre a política, a vida doméstica e o mundo do entretenimento a partir da década de 1920. Uma invenção paralela, o automóvel, foi um pouco mais rápida em transformar o cotidiano, mas ainda não era um bem possuído por muitas famílias, exceto nos Estados Unidos.

O MEDO E O ENCANTO DOS AUTOMÓVEIS

Em 1900, em alguns países não havia um carro sequer. A maior parte das estradas que ligava as grandes cidades não era apropriada para um veículo que viajava a 30 quilômetros por hora e os motores dos primeiros carros costumavam apresentar defeitos. Muitos deles consumiam, na verdade, mais água do que gasolina e os motoristas, ao subirem uma ladeira, frequentemente viam, bem na sua frente, um jato de vapor – era a água em ebulição no radiador. Os carros não eram projetados para serem usados à noite, exceto em cidades com bastante iluminação, pois os faróis, que usavam querosene, não clareavam o suficiente.

As mulheres raramente dirigiam, pois para isso era preciso força física e conhecimento de mecânica. Os frágeis pneus dos carros costumavam furar nas estradas rurais, às vezes por causa de um espinho, de um cravo de ferradura ou de pedaços pontudos de metal ou vidro. Substituir o pneu pelo estepe era um trabalho pesado e sujo. Até para dar a partida do motor uma manivela tinha de ser penosamente girada à mão. Se houvesse uma contraexplosão, a manivela saía de controle e podia facilmente quebrar o braço de quem a girava.

Mas cada vez mais as mulheres pensavam em dirigir. Para se proteger nessa aventura, cuidadosamente escolhiam chapéu, luvas e capa. Sabiam que no fim de uma viagem teriam de pentear novamente os cabelos e arrumar as roupas, por causa do vento e da poeira que penetravam no automóvel.

Os primeiros carros e as barulhentas motocicletas fizeram inimigos. Em 1902, em Nova York, um jornal de Medicina denunciou os automóveis "malcheirosos" que assustavam as pessoas nas ruas e que eram "um terror, tanto para os pedestres quanto para os cavalos". Woodrow Wilson, que mais tarde seria presidente dos EUA, ficou horrorizado com a arrogância dos motoristas ricos: "Nada espalhou mais sentimentos socialistas neste país do que o uso do automóvel", disse. Deve-se acrescentar, porém, que os sentimentos socialistas não se espalharam muito por lá.

> OS PRIMEIROS CARROS E AS BARULHENTAS MOTOCICLETAS FIZERAM INIMIGOS.

Os vastos espaços e a crescente prosperidade da América pareciam sob medida para os automóveis. Em 1914, fabricavam-se mais carros nos Estados Unidos do que em qualquer outro país. O centro da indústria automobilística era a cidade de Detroit. Foi lá que Henry Ford, um garoto do campo que se tornou um ótimo mecânico, fabricou seus carros. Aperfeiçoando a linha de montagem, uma inovação quase tão importante quanto o próprio automóvel, ele produzia carros baratos, porém confiáveis. Cada empregado realizava uma tarefa específica: fixar parafusos, apertar pinos, instalar uma parte extra ou inspecionar e conferir o trabalho final. As condições que retardavam a produção de carros eram superadas. Grandes abrigos eram necessários para guardar os automóveis enquanto a tinta secava lentamente. Em 1923, porém, surgiu a ideia de pintá-los com um jato de tinta de nitrocelulose de secagem rápida.

A ascensão financeira de Henry Ford foi espetacular. Ele era uma das pessoas mais comentadas do planeta. A história de sua vida, publicada em 1923, alcançou 30 edições na Alemanha, onde um de seus ávidos leitores foi Adolf Hitler, então na prisão. Mesmo na nova União Soviética, que não aprovava as histórias de riquezas obtidas da noite para o dia, o método de produção de carros de Ford foi intensamente estudado por engenheiros. Superando de longe seus principais rivais – como Citroën, da França, Austin e Morris, da Inglaterra, e a Fiat, da Itália –, seu sucesso foi quase inacreditável. Ano após ano, recusou-se a alterar o projeto básico de seu modelo T Ford e um total de 15 milhões desses carros chegou às estradas do mundo: um recorde somente quebrado pela Volkswagen mais de uma geração depois.

Os carros se tornavam mais baratos e confiáveis. Em 1930, o típico automóvel moderno tinha teto à prova de água, portas de aço e janelas de vidro, para proteger os passageiros das variações do clima. A maioria dos novos carros apresentava freios hidráulicos (mais seguros), pneus mais resistentes e motores mais silenciosos, com a adição de chumbo à gasolina. Tais motores, no entanto, ainda não eram potentes e, quando carros pequenos tinham de subir uma ladeira muito íngreme, tornavam-se mais lentos a cada mudança de marcha. Alguns tinham de parar e respirar – enquanto a água quente do radiador fervia – antes de retomar a barulhenta subida.

O modo de vida em países de grande extensão era reformulado pelos automóveis. As ruas das cidades ficaram mais limpas e havia menos moscas no verão. As pilhas de esterco de cavalo se tornaram menos frequentes. As pessoas podiam construir casas em bairros mais afastados das estações ferroviárias, expandindo assim as cidades. Antes, resorts de férias no litoral ou nas montanhas precisavam de uma ferrovia ou de um navio a vapor para levar os turistas. Com os automóveis, as estações de trem foram abandonadas e os túneis das linhas férreas ficaram silenciosos.

Os carros eram libertadores. Permitiam deixar de lado as tabelas de horários que dominavam outras formas de transporte, possibilitando que seus donos esquecessem velhas rotinas monótonas. O automóvel também afetava o namoro e o casamento, os locais onde as pessoas faziam compras, piqueniques ou passavam férias, o modo como formavam procissões funerárias e que igreja ou cinema frequentavam. Os proprietários de carros precisavam de recursos que os norte-americanos foram rápidos em projetar. O primeiro hotel à beira de uma estrada surgiu nos anos 1920, na Califórnia; o primeiro cinema drive-in foi inaugurado em New Jersey, em 1933; dois anos mais tarde, em Oklahoma, os primeiros parquímetros foram instalados. A guerra e a paz seriam moldadas por veículos motorizados, os tanques, carros blindados e outros veículos usados por Hitler permitiriam, em 1940, vitórias rápidas que seriam impossíveis na guerra anterior.

O VOO NA "MÁQUINA ESTRANHA"

Os irmãos Wright fabricavam e consertavam bicicletas em Dayton, Ohio, quando se envolveram na desafiadora empreitada de construir uma máquina voadora. Iniciando por planadores, começaram a pensar sobre como construir e fazer voar um avião movido por um motor. Embora sua educação formal fosse pouca, realizaram inúmeros cálculos e experimentos altamente sofisticados antes de construir um motor de quatro cilindros em sua oficina de bicicletas. Na manhã de 17 de dezembro de 1903, Orville Wright conseguiu manter a máquina voadora no ar durante doze segundos. Mais tarde, naquela mesma manhã, um voo comandado por Wilbur durou quase um minuto, percorrendo uma distância de 260 metros.

Outro inventor e aviador foi ainda mais versátil. O brasileiro Alberto Santos Dumont, filho de um magnata do café, construiu um balão movido por um motor a gasolina. Em 1901, em Paris, dois anos antes do primeiro voo dos irmãos Wright – o balão sobrevoou calmamente a Torre Eiffel e pousou em segurança. Em seguida, o brilhante brasileiro construiu uma aeronave com asas que, em novembro de 1906 – na presença de oficiais do Aero-Club du France –, voou uma distância de 220 metros. Assim como muitas invenções importantes, a primeira máquina voadora se beneficiou da genialidade de inúmeros engenheiros, comerciantes, pilotos, meteorologistas e outros profissionais. Naquela época, não se sabia ao certo se enormes balões motorizados ou aeronaves com asas fixas seriam capazes de vencer grandes distâncias.

Vinte anos depois desses experimentos, aeronaves voavam tranquilamente a velocidades que ultrapassavam em muito as dos transatlânticos mais rápidos. Mas havia uma grande diferença: um transatlântico podia transportar mil passageiros em um ambiente amplo e luxuoso, enquanto as maiores aeronaves carregavam apenas o piloto e dois passageiros com pouca bagagem – ainda assim era preciso aterrissar com frequência para abastecer. O avião, com duas asas, um grande propulsor de madeira e uma minúscula cabine, era como um grande pássaro desajeitado, incapaz de atravessar uma forte tempestade tropical.

Em 1926, Alan Cobham, experiente piloto britânico, decidiu voar pelo Oriente Médio até Cingapura e a Austrália, deliberadamente seguindo a costa asiática durante a estação das monções. Como as enormes massas de nuvens negras representavam perigo, escolheu um avião que, equipado com um par de esquis ou boias, poderia fazer um pouso de emergência na água. O poderoso motor Siddeley-Jaguar lhe deu confiança e ele voou de Londres a Nápoles em um longo dia de verão, chegando depois do pôr do sol. Muito tempo depois, quando teve de passar pelas paredes de nuvens tropicais, o mesmo piloto se sentiu desesperado: conseguia driblar algumas tempestades, mas a chuva o cegava até mesmo na luz do dia.

Um ano mais tarde, Charles A. Lindbergh mostrou o que poderia ser realizado em dias de bom tempo, voando sozinho de Nova York a Paris. Sem fazer paradas, ficou trinta e três horas no ar. Se tivesse carregado dois passageiros ou se não fosse favorecido pelos ventos, a longa jornada provavelmente teria sido impossível.

Para viagens de longa distância, os enormes balões a gás e dirigíveis indicavam o futuro. Embora fossem apenas cerca de duas vezes mais velozes que os transatlânticos, tinham uma capacidade de carga que nenhuma aeronave com asas, daquela época, poderia igualar. Mas custavam caro e, nos primeiros anos, pareciam propensos a acidentes. Em 1922, o grandioso zepelim Roma, pertencente ao exército norte-americano, chocou-se contra fios de alta tensão e 34 pessoas morreram. No ano seguinte, o zepelim francês Dixmude caiu no mar e ninguém escapou. O dirigível mais famoso da Grã-Bretanha, o enorme R-101, na forma de uma imensa baleia, partiu para a Índia em 1931, mas caiu durante uma tempestade sobre a França, ocasionando a morte de 46 pessoas.

A aeronave com asas e de tamanho menor começou a triunfar e nenhum avião foi mais efetivo que o DC-3 de Donald Douglas – rápido, prático e todo feito em metal. Algumas companhias aéreas começaram a organizar voos semanais sobre o Atlântico e mesmo o Pacífico, usando principalmente hidroaviões. No entanto, poucos passageiros podiam pagar pela viagem e muitos dos que tinham dinheiro não estavam dispostos a correr o risco. Os avanços nas aeronaves, tanto em termos de velocidade quanto de capacidade de carga, aceleraram-se nos anos de 1930 com a iminência da guerra. A vitória em muitos dos momentos decisivos da Segunda Guerra Mundial seria determinada pela habilidade aérea dos combatentes.

OS NOVOS REIS DO PETRÓLEO

No início do século, o mineral mais importante era o carvão. Nenhum país tinha condições de se tornar industrialmente potente sem as próprias grandes reservas de carvão, e a ascendência precoce da Europa na era do vapor deveu-se muito à sua preponderância nesse aspecto. Em 1920, no entanto, tal recurso passou a ser desafiado por um combustível encontrado com menos facilidade e que parecia faltar na maior parte da Europa.

O desafiante era o petróleo – nome que vinha das duas palavras latinas para pedra e óleo. Foi procurado sistematicamente pela primeira vez pelos norte-americanos, que perfuraram as rochas da Pensilvânia, em 1859. A Rússia também se tornou uma grande exploradora de petróleo. Um dos produtos úteis desses primeiros campos petrolíferos foi o querosene, que forneceu luz à noite para muitas casas antes iluminadas por velas. A ascensão do automóvel e do avião, bem como a demanda adicional por combustíveis para navios e estações de energia, tornaram ainda mais necessário o petróleo que vinha dos novos poços de Oklahoma, Kansas e Califórnia. Em 1925, os Estados Unidos produziam metade do petróleo mundial.

No Oriente Médio, as reservas profundas ficavam escondidas por várias camadas de areia e rochas. A primeira descoberta de petróleo aconteceu na Pérsia em 1908, sob a responsabilidade de um grupo organizado por William K. d'Arcy, advogado e empreendedor de Queensland que tinha feito fortuna com a mina de ouro de Mount Morgan, na altura do Trópico de Capricórnio. Duas décadas mais tarde, encontrou-se petróleo pela primeira vez no país vizinho, o Iraque, a 1,5 mil pés de profundidade. O óleo, quando atingido, jorrou, caindo por terra e rapidamente formando um pântano inflamável. Na década de 1930, a Península Arábica, com seus desertos, montanhas e grandes praias, produziu petróleo de ótima qualidade.

Como o mundo guardava o recurso em abundância, o Oriente Médio ainda não precisava ser um grande produtor. Na segunda metade do século, no entanto, essa se tornaria a região dominante na produção, capaz de fazer as grandes potências mundiais dançarem conforme sua música.

O BRILHANTE EINSTEIN E SEU OLHO CEGO

Aqueles que praticavam a ciência pura pareciam misteriosos e distantes, e o trabalho deles não era facilmente explicável. Mas suas pesquisas apontavam outra possível fonte de energia, exatamente no momento em que cada vez mais petróleo era localizado no Oriente Médio.

Na Alemanha, no Natal de 1895, o professor Wilhelm Röntgen relatou a descoberta do raio X. Uma de suas primeiras imagens memoráveis mostrava os ossos da mão da sra. Röntgen, com o dedo anelar circundado pela aliança. A partir de então surgiu, direta ou indiretamente, uma linha de pesquisas mais abstratas em laboratórios, universidades e salas de estudos da Europa. Na França, Henri Becquerel descobriu que o urânio era capaz de emitir raios, Pierre e Marie Curie descobriram o rádio, demonstrando também que sua radioatividade estava no campo da Física, e não no da Química. Na Inglaterra, J. J. Thomson descobriu que o átomo era divisível, e Ernest Rutherford, um acadêmico proveniente da Nova Zelândia, delineou a teoria nuclear, compreendendo algumas das implicações da incrível quantidade de energia "latente no átomo". Na Alemanha, Max Planck desenvolveu a teoria quântica e revolucionou o conhecimento sobre o fluxo de energia, o qual não era contínuo, como se pensava anteriormente. O jovem dinamarquês Niels Bohr, trabalhando na Inglaterra, levou esse pensamento audacioso adiante. Ano a ano, as verdades da Física – a "filosofia natural", como era chamada – eram varridas por um furacão de novas ideias.

Albert Einstein se juntou a esse furacão criativo e deu sentido a ele. Para os pesquisadores que possuem um conhecimento amplo a respeito das diversas áreas do conhecimento, Einstein foi o maior cientista do século 20. Judeu alemão, viveu a infância em Munique, onde seu pai passou por altos e baixos na indústria de energia elétrica. Inicialmente, Einstein não ia bem na escola – o violino era a paixão do garoto. Sua verdadeira formação começou em Zurique, onde desabrochou como matemático, e depois em Berna, onde foi um jovem funcionário do registro de patentes. Era alegre, generoso e mentalmente brilhante, sem, no entanto, ostentar tais qualidades.

A crença de que os suíços não inventaram nada além do relógio cuco é desmentida pelo trabalho de Einstein, realizado em grande parte em cidades suíças. Em 1905, aos 26 anos de idade, ele transformou os conceitos de luz, espaço e tempo com sua teoria especial da relatividade.

Seu segundo avanço notável, a teoria geral da relatividade, foi anunciado em 1916, durante a guerra, quando Einstein lecionava em Berlim. Até então, ninguém havia contribuído tanto para o entendimento das simplicidades e complexidades do universo.

Acreditava-se que Einstein fosse um gênio capaz de atuar decisivamente em qualquer campo. Suas opiniões sobre guerra e paz eram vistas como produtos de sua genialidade. Ele apreciava a complexidade da natureza física, porém não via complexidade nenhuma na natureza humana e nas relações internacionais. Assim, ao pregar uma espécie de pacifismo em uma época inadequada, sem querer ajudou a enfraquecer algumas das barreiras contra a ascensão de Hitler. Einstein sabiamente deixou a Alemanha no final de 1932, pouco antes de Hitler se tornar chefe do governo.

O primeiro terço do século havia visto germinar de forma impressionante as pesquisas sobre matéria, tempo, espaço e energia, e as consequências práticas disso ainda não podiam ser previstas. Uma linha de pesquisa, não necessariamente vista como importante, centrava-se no átomo e na energia explosiva que continha. Essa linha conduziria a um precipício em 1945.

CAPÍTULO 9
UM PERCUSSIONISTA ITALIANO

A Itália mesclava o sofisticado ao primitivo. Em Roma, havia corais encantadores, hábeis cirurgiões, teólogos dedicados e a nobre arquitetura de muitas épocas; em Milão estavam competentes engenheiros e artesãos e a aclamada casa de ópera. Mas no campo a maior parte do povo era pobre. Às vésperas da Primeira Guerra Mundial, a família italiana típica era rural e seu padrão de vida assemelhava-se mais ao do norte da África do que ao das famílias alemãs. Em 1910, nas cidades, a lei ainda permitia que crianças de 9 anos trabalhassem em fábricas.

SURGE MUSSOLINI

Por muito tempo, a Itália foi uma terra dividida, com muitas regiões e muitos dialetos. Era difícil uni-la sob um mesmo espírito. No sul, o analfabetismo era generalizado. Em cada dez pessoas na Calábria, apenas três sabiam ler e escrever, embora no extremo norte os alfabetizados fossem mais numerosos. Como uma democracia relativamente nova, a Itália tinha poucos eleitores até 1912, quando o voto, em uma transição súbita, foi concedido aos homens maiores de 21 anos que soubessem ler e escrever, aos homens analfabetos com mais de 30 anos e aos soldados reformados.

O país era o único entre os mais populosos da Europa que não possuía campos ricos em carvão ou minério de ferro, nem siderúrgicas movimentadas que pudessem competir com as do Vale do Ruhr e as da Inglaterra.

Neutra nos primeiros meses da Primeira Guerra Mundial, a Itália era cortejada por ambos os lados. Juntou-se inesperadamente à Grã-Bretanha, à França e a seus aliados. Por mais de três anos, lutou bravamente contra os austríacos e os húngaros nos Alpes, mas sem grandes sucessos militares. Ansiosa por tornar-se uma grande potência, a Itália esperava recompensas do lado vencedor – na verdade, ouvira promessas a respeito disso –, mas ficou tão decepcionada com as negociações de paz em Paris, em 1919, que em certa ocasião seus representantes se retiraram. Muitos italianos se desiludiram ao ver seus grandes sacrifícios humanos na guerra tão parcamente recompensados.

Havia um forte tambor nacionalista esperando para ser tocado por um político em ascensão, alguém capaz de ressoar nos ouvidos dos soldados reformados. Até mesmo os civis estavam ansiosos para ouvir o som desse percussionista, pois tinham sofrido, durante a guerra, um período de escassez de pão, em parte porque os navios com farinha e grãos, vindos dos portos do Mar Negro, não conseguiam chegar ao país. Em agosto de 1917, um protesto pela falta de pão na cidade industrial de Turim causou a morte de cerca de 50 pessoas.

Depois da guerra, o problema econômico foi ressaltado por uma inquietação política. Em 1920, o país estava à beira de uma revolução. No porto adriático de Ancona, um batalhão do exército amotinou-se. Greves paralisaram ferrovias, linhas de bonde e estações de energia elétrica. Os problemas foram agravados pela severa, embora curta, depressão pós-guerra que se abateu sobre quase todos os países da Europa. A ocasião era propícia à ascensão de Mussolini.

OS CAMISAS-NEGRAS DE ROMA

Benito Mussolini convenceu os italianos de que podia fazer algo para resolver os problemas da pátria. E por algum tempo de fato conseguiu. Seu pai era ferreiro e também um revolucionário. Assim, deu ao filho o nome de uma figura revolucionária, Benito Juarez, o libertador do México. Sua mãe, Rosa, era a professora do povoado, uma católica devota que não queria revolução alguma. O jovem Benito, puxando um pouco ao pai e um pouco à mãe, queria ser professor e revolucionário. No início do século 20, após ser recusado como professor em diversas cidades, foi viver na Suíça.

Talentoso com as palavras, tanto as escritas quanto as pronunciadas do alto das tribunas, Mussolini voltou à Itália para ser editor de jornais radicais: em Forli, sua cidade natal, cuja publicação se chamava *Luta de Classes*, e em Trento, perto da fronteira com a Áustria. Suas opiniões lhe renderam algum tempo na prisão. Por fim, foi convidado a assumir a editoria do *Avanti*, jornal oficial dos socialistas. Quando a Primeira Guerra Mundial eclodiu, ele desafiou a posição dos socialistas – que queriam a neutralidade – e defendeu que a Itália tomasse parte na guerra contra os povos de língua alemã, os quais considerava inimigos naturais, uma vez que ocupavam parte do nordeste da Itália. Após a entrada do país na guerra, serviu como soldado nas geladas montanhas do norte, perto da fronteira austríaca. Em 1917, foi ferido pela explosão de uma granada. Seu período como soldado foi útil para a política – muitos veteranos de guerra acreditavam que, quando Mussolini falava em público, falava em nome deles.

Combativo e ambicioso, o líder fundou o Partido Fascista, em Milão, em março de 1919, quatro meses depois do fim da guerra. De pequena participação no violento cenário político e ativo principalmente no norte da Itália, o partido pedia ordem no caos civil, no mesmo tempo em que contribuía para a existência desse caos; denunciava o alto nível de desemprego e desejava auxiliar os trabalhadores, mas não por meio de sindicatos trabalhistas; prometia ainda refrear o individualismo capitalista. Em lugar de corporações, sindicatos, universidades e um parlamento fortes, defendia o poder do estado como uma instituição que impõe, julga e inspira. O fascismo acreditava mais na nação do que no internacionalismo.

Além de confiar no poder das palavras, Mussolini acreditava na força bruta. De fato, *fasces* – origem do nome do partido – era um feixe de varas que simbolizava a autoridade na era romana. Ele estava ansioso, como vários outros líderes de grupos políticos rivais, para criar uma força armada própria que crescesse cada vez mais. Na Itália, era fácil comprar armas de fogo em lojas e em um curto período de 1921 – ano de desordem civil – um decreto do governo permitiu que aproximadamente 900 mil italianos comprassem armas de fogo. Os fascistas de Mussolini, vestindo suas camisas negras, feriam adversários, tomavam o controle de repartições públicas e dispersavam reuniões de grupos políticos rivais. Em algumas cidades, os camisas-negras enfrentaram socialistas armados; em outras, a polícia. Inicialmente urbano, o partido conseguiu novos membros na zona rural, graças à sua visível simpatia pelos esforçados trabalhadores do campo.

> ALÉM DE CONFIAR NAS PALAVRAS, O DITADOR ITALIANO BENITO MUSSOLINI ACREDITAVA TAMBÉM NA FORÇA BRUTA.

Em outubro de 1922, o partido fascista tinha militantes em número suficiente para planejar um grande comício popular e fazer uma ameaçadora demonstração de força. Às estações de trem de Roma, em poucos dias, chegaram perto de 30 mil fascistas, número que logo se elevaria a 50 mil. Quase todos se distinguiam por vestir camisas negras feitas de tecidos variados. As armas desse exército eram rifles, pistolas, bastões, porretes e açoites.

Diante dos bandos de camisas-negras reunidos em Roma, o rei Victor Emmanuel III e o primeiro-ministro concordaram em declarar estado de emergência. O exército teria, então, autoridade para impor ordem nas ruas. Na manhã seguinte, o monarca mudou de ideia e se recusou a assinar a promulgação que declararia o estado de emergência. Embora o rei não fosse partidário de Mussolini, acreditava ter chegado a hora de um líder forte formar uma coalizão e comandar temporariamente a nação, então dispersa e dividida. Mussolini foi sua escolha pessoal – uma decisão espantosa, uma vez que, em todo o parlamento, o partido fascista era superado em número pelos liberais, católicos, conservadores e mesmo pela quantidade de socialistas e comunistas somados. Além disso, o escolhido era republicano e poderia eventualmente derrubar a monarquia.

Mussolini estava em Milão quando recebeu o telegrama convocando-o a ir a Roma. Foi então ao encontro do rei – baixo e tímido, mas bastante determinado –, que o convidou a formar seu gabinete. Da equipe de 14 membros, faziam parte outros três fascistas e dois heróis de guerra – os comandantes das forças armadas. Sua mensagem para o público estava implícita: as forças armadas, e não mais as esfarrapadas camisas negras, encontravam-se novamente no comando. Seis semanas mais tarde, o parlamento concedeu a Mussolini e a seu gabinete, por ampla maioria (sendo os socialistas e os comunistas os dissidentes), o direito de governar por decreto, e não por ato do parlamento, durante o período de um ano. Nos primeiros doze meses, Mussolini proporcionou ordem suficiente para agradar à maioria dos italianos.

Nas eleições nacionais de 1924, os fascistas aproveitaram todos os recursos do estado para aumentar sua votação, enquanto seus adversários, desesperadamente divididos, não recorreram nem mesmo ao bom senso. Os fascistas obtiveram 403 das 599 vagas. Mais tarde, foram abolidas as eleições, que, conforme a explicação de Mussolini, não eram mais necessárias ao país. As jovens e aparentemente fortes raízes da democracia foram arrancadas. Mas a própria democracia, pode-se dizer, ajudou a destruir a si mesma.

LUZES E SOMBRAS NA ITÁLIA

A Itália se tornou assunto na Europa. Uma multidão de visitantes fazia o julgamento daquilo que Mussolini havia alcançado em seus primeiros anos. Embora muitos se impressionassem, os democratas se aterrorizavam com o que viam ou ouviam: o banimento de partidos rivais e a deportação de dissidentes políticos para ilhas que serviam de prisão, sem o benefício de um julgamento. Também lamentavam a proibição de greves, a interferência nas universidades e a censura dos meios de comunicação. Jornais, livros, programas de rádio e até anúncios eram censurados. Os descontentes com os rumos da política praticamente só podiam expressar-se com segurança na privacidade do lar ou no confessionário. O governo de partido único caminhava de mãos dadas com um conjunto de ideias oficiais.

Os barulhentos tambores de Mussolini fascinaram e depois repeliram Arturo Toscanini, um dos grandes maestros do mundo e regente da casa de ópera La Scala. Após a guerra, como muitos italianos patriotas, Toscanini era simpático a Mussolini, tanto que, em Milão, no ano de 1919, foi candidato ao parlamento pelo partido fascista. Desiludindo-se aos poucos, o maestro protestou usando sua batuta e se recusando a conduzir a apresentação do hino fascista em um dos eventos musicais mais esperados do século 20, a estreia de *Turandot*. A vingança era inevitável. Em Bolonha, em 14 de março de 1931, ao entrar em um teatro onde regeria a orquestra, ele e sua mulher foram atacados por fascistas. Três meses mais tarde, Toscanini deixou o país.

Muitos turistas não notavam as ameaças e intimidações que permeavam a vida pública e intelectual dos italianos. Outros argumentavam que era preferível que os fascistas, e não os comunistas, colocassem a Itália em uma camisa de força. Além disso, durante os primeiros anos do regime de Mussolini, o país havia se recuperado. As mudanças não ocorriam apenas lá – um reflorescimento nacional aconteceu na Finlândia e em vários outros países europeus –, mas era impressionante como a Itália havia praticamente emergido do caos. A vida econômica se fortalecia. O desemprego se mostrava menos ameaçador, as greves se tornaram raras e os funcionários públicos eram menos suscetíveis ao suborno. No sul, a Máfia estava sob controle. Muitos turistas tinham a certeza de que, pela primeira vez, os notórios trens italianos não chegavam atrasados às estações – afirmação um tanto exagerada, mas a verdade é que pelo menos eles chegavam.

A Itália lançava mão de políticas que muitos dos antigos fascistas jamais haviam previsto. No congresso do partido em Florença, em agosto de 1919, alguns membros queriam confiscar as propriedades de certas ordens religiosas. Uma década mais tarde, sua posição havia mudado. Mussolini assinou um tratado que faria do Vaticano, o lar do papa, uma nação independente.

Um aspecto de peso, raramente observado na vida italiana desde a Renascença, impressionava muitos observadores que se encontravam no centro ou à direita do cenário político. A Itália teve grande sucesso em eventos internacionais, especialmente em 1933 e 1934. O boxeador Primo Carnera venceu o título mundial de pesos pesados; a seleção de futebol conquistou a Copa do Mundo; os hidroaviões italianos – principal transporte em viagens de longa distância daquela época – eram motivo de inveja por parte de muitos países; e o Rex, um navio de linha regular, quebrou o recorde de travessia do Atlântico. Mussolini se regozijava com tais feitos.

Ainda que hoje em dia sua figura seja ofuscada pela de Hitler, Mussolini foi muito influente na década de 1920. Mesmo os alemães cultos que viajavam até a Itália para apreciar a boa música ou as pinturas clássicas às vezes se surpreendiam ao observar como aquele país alegremente caótico se refazia. Se tanto podia ser alcançado na Itália, com tamanhas desvantagens econômicas, o que poderia ser obtido na Alemanha, com todas as vantagens disponíveis? De certo modo, o sucesso de Mussolini abriu o caminho para Hitler.

CAPÍTULO 10
UMA DEPRESSÃO MUNDIAL

A Primeira Guerra Mundial enfraqueceu de tal maneira a Europa que a participação do continente no total da população global e na economia caiu consideravelmente. O centro das finanças mudou-se para os Estados Unidos – o dínamo da atividade econômica. Pela primeira vez, os principais países europeus dependiam parcialmente de Nova York, que no papel de centro financeiro era naturalmente menos experiente do que Londres no enfrentamento de crises. Infelizmente, a crise financeira que estourou em Nova York no ano de 1929 foi mais séria do que qualquer outra enfrentada por Londres.

Embora os Estados Unidos apresentassem vulnerabilidades econômicas na década de 1920, a maior parte das nações europeias foi assolada por outras muito mais graves. Era preciso pagar pela guerra. A dívida nacional da Grã-Bretanha e da Alemanha aumentou 11 vezes, e a da França e a da Itália, 6. A Europa foi vítima de outra doença financeira logo após a guerra. Em um cenário de incerteza, os preços subiam descontroladamente. Em 1922, os preços na Áustria aumentaram 14 mil vezes. Na Polônia, a alta foi de 2,5 milhões de vezes e na Rússia, de 4 bilhões de vezes. Um ano mais tarde, a Alemanha quebrou até mesmo esses recordes astronômicos. Embora o nome técnico disso seja inflação, tratava-se, na verdade, de um caos completo.

Outra ruptura da década de 1920 pode ser facilmente compreendida pelos europeus de hoje, já que são testemunhas da situação contrária, pois a criação da União Europeia, ao abrandar as fronteiras nacionais, permitiu que o comércio e os investimentos corressem livremente por boa parte da Europa, proporcionando prosperidade crescente. O oposto aconteceu após o fim da guerra, em 1918. A Europa tinha então um grupo de novos países cujas fronteiras haviam sido demarcadas, chegando a incríveis 20 mil quilômetros de linhas divisórias. Novas nações impunham tarifas e inauguravam aduanas que antes não existiam. Portos se separaram do interior, linhas férreas foram interrompidas e moinhos de farinha não estavam mais ligados a suas fontes de grãos. Na Europa circulavam 27 moedas diferentes, enquanto às vésperas da guerra o total era de apenas 14.

PÂNICO EM WALL STREET

Os Estados Unidos se desenvolveram bastante durante boa parte da década de 1920. Carros lustrosos corriam pelas estradas, e bairros residenciais com casas novas financiadas por uma grande quantidade de bancos espalhavam-se por toda parte. A bolsa de valores fervilhava, uma vez que era absurdamente fácil tomar dinheiro emprestado para comprar ações.

Na quinta-feira de 24 de outubro de 1929, a bolsa de valores de Nova York abriu movimentada, com poucos sinais de instabilidade. Então, por algum motivo, real ou não, uma histeria pessimista se instalou, aumentando a cada hora que passava. Quase todos queriam vender e, quando os preços caíram bruscamente, apareceram os caçadores de pechinchas, os quais descobriram, uma hora mais tarde, que tais pechinchas não existiam mais. Naquele dia, o número total de ações vendidas superou em mais de 50% as vendas em qualquer outro dia na história da bolsa.

No período de algumas semanas, as ações norte-americanas se valorizaram um pouco e logo caíram mais do que haviam subido. Com essa queda, os valores dos imóveis também diminuíram. Em outros países, os preços de praticamente todas as principais commodities, com exceção do ouro, sofreram queda. Era bastante normal que um boom econômico fosse seguido por uma recessão, mas aquela era assustadoramente grave. O medo deu lugar ao pânico. Nove mil estabelecimentos bancários cerraram as portas apenas nos Estados Unidos, além de terem sido fechados os principais bancos da Áustria, da Alemanha, da Tchecoslováquia e de outras nações prósperas. Na França, a política monetária, com o intuito de acumular reservas de ouro, aumentou o massacre internacional.

A maioria das pessoas parou de comprar produtos que não considerava essenciais. Novos carros não eram facilmente vendidos e a indústria automobilística em Detroit e em Turim passou a comprar menos aço e borracha. Assim, fornecedores demitiram trabalhadores, as mulheres pararam de comprar novas roupas para a família e a demanda por lã, algodão e couro diminuiu em cidades e fábricas a milhares de quilômetros de distância. Nos feriados, os resorts em praias da África do Sul e na Riviera, bem como em montanhas no Japão e na Suíça, tinham apenas metade da ocupação.

> No início do século 20, o Brasil era considerado um gigante adormecido que um dia poderia despertar.

A crise, muito mais do que a guerra mundial, deu a impressão de que o mundo todo era um só lugar e de que não havia – nem mesmo aos pés dos Andes ou nas baías do Rio de Janeiro – como escapar dos efeitos do gigantesco acontecimento no Hemisfério Norte.

No início do século 20, o Brasil era considerado um gigante adormecido que um dia despertaria. Abrangendo cerca da metade do território da América do Sul e abrigando quase a metade de sua população, o país possuía as maiores áreas do mundo com seringueiras – uma commodity vital às vésperas da era dos automóveis – e também era o principal fornecedor de diamantes, até o surgimento do garimpo de Kimberley, na África do Sul. Com a denominação oficial de Estados Unidos do Brasil, era rico em recursos, mas geralmente incapaz de explorá-los adequadamente. Seu principal rival era a Argentina, um país próspero. A maioria dos viajantes que aportava no Rio de Janeiro e depois seguia para Buenos Aires costumava preferir a capital argentina em todos os aspectos, com exceção da paisagem. A cidade portenha era uma das 15 maiores do mundo, com um teatro e uma catedral católica imponentes.

Quando a guerra mundial irrompeu, em 1914, os países sul-americanos independentes nada fizeram. A maioria prosperou durante o conflito e nenhum sofreu danos severos. Da depressão mundial, entretanto, a América do Sul não conseguiu escapar.

DESEMPREGO – UMA DOENÇA GLOBAL

Os países que haviam acolhido grandes fluxos de imigrantes na década de 1920 pararam de recebê-los. Italianos não mais emigravam para o Brasil e a Argentina. A Austrália, outrora um destino importante, perdeu mais do que ganhou imigrantes – muitos deles retornaram para seus países de origem. Os Estados Unidos receberam menos de 100 mil imigrantes em 1931 – o número mais baixo desde 1862, durante a guerra civil americana. Milhares de desempregados ficaram tentados a deixar a Europa, mas descobriram que nas Américas a miséria era tão dura quanto em casa.

Algumas nações tinham taxas oficiais de desemprego que passavam dos 30%. Como em muitos países o valor do seguro social era baixo, a miséria e o desespero atingiam níveis altíssimos. Centenas de milhares de famílias europeias, cujo principal mantenedor se encontrava sem emprego, dividiam o lar com parentes para diminuir as despesas. As compras eram limitadas a batata, arroz, cebola, melado, chá e açúcar, além dos pães mais baratos. As pessoas andavam quilômetros em busca de preços vantajosos e percorriam o leito das ferrovias para recolher pedaços de carvão caídos das locomotivas.

A depressão logo atingiu a China. O mercado de exportação da seda, um artigo de luxo, quase entrou em colapso. Além disso, a demanda por seda natural foi prejudicada pela competição do novo produto sintético europeu, o raiom. A confecção de tecidos de algodão nas cidades chinesas foi abalada por produtos exportados a preço baixo pelo Japão. A Grã-Bretanha, onde a revolução dos tecidos havia se iniciado, tinha então tecelagens vazias, em parte por causa do vigor comercial do Japão e da expansão da indústria têxtil da Índia. Mas até o Japão acabou atingido pela depressão. Sua reação, como a de quase todos os países, foi tentar exportar mais. O resultado foi um excesso de bens encalhados em depósitos e lojas do mundo todo.

Por que a vida econômica mundial estava praticamente congelada? Essa depressão era pior do que qualquer outra ocorrida no passado em parte por haver muitas pessoas que vendiam produtos e serviços umas para as outras. Quinhentos anos antes, quando a principal tarefa de um povoado – e a maioria dos europeus vivia em povoados – era produzir comida, combustível e roupas para suprir as próprias necessidades, havia pouco comércio externo. Assim, uma desarticulação comercial nacional ou internacional não poderia causar muitos estragos. Em 1930, porém, mais da metade da população mundial dependia direta ou indiretamente do comércio, portanto um colapso colocava em risco o emprego e o padrão de vida da maioria. Embora houvesse um fórum para cooperação política – a Liga das Nações –, nenhum fórum contribuía para a cooperação econômica.

OS REFLEXOS SOBRE A POLÍTICA

A política foi afetada pela turbulência econômica. No ano de 1930, o primeiro-ministro Hamaguchi, do Japão, foi assassinado; Gandhi lançou uma campanha de desobediência civil na Índia, então sob domínio britânico; os curdos se rebelaram ao longo das fronteiras da Pérsia e da Turquia; os etíopes deram início a uma revolta contra seu imperador; judeus e árabes combateram na Palestina. Em todos os lugares, as pessoas apelavam para a força. Em um discurso proferido em Florença, Mussolini admitiu que as palavras têm sua beleza, mas "os rifles, as metralhadoras, os navios, os aviões e os canhões são ainda mais belos". Enquanto isso, na Finlândia, os fascistas tentavam dar um golpe, e na Polônia líderes radicais eram mandados para a prisão.

Na América Latina, em 1930 e 1931, longas greves, marchas pelas ruas e protestos violentos eram frequentes, levando à derrubada do partido que ocupava o poder em 11 de seus 20 países. Em 1931, o Japão invadiu e conquistou a Manchúria – um prelúdio de sua invasão à China seis anos mais tarde. Em 1932, revoluções armadas surgem na América do Sul. Bolívia e Paraguai entraram em guerra, e o Peru lutava contra a Colômbia – uma disputa que a desafortunada Liga das Nações foi convidada a resolver. Mesmo em nações relativamente estáveis havia disputas dramáticas. Em 1933, os australianos do oeste tentaram se separar da Austrália – e uma ampla maioria votou a favor disso.

O capitalismo estava em desordem, condenado em vários círculos como uma desgraça econômica e moral. John Maynard Keynes, o gênio de Cambridge, que tanto faria para fortalecer e recondicionar o capitalismo, declarou em 1936: "É fato que o mundo não vai tolerar por muito tempo o desemprego", o qual era, em sua opinião, um elemento e uma parcela do "capitalismo individualista dos dias atuais". O sistema econômico que outrora havia operado milagres não podia mais dar trabalho para dezenas de milhões de pessoas que o buscavam. Como resultado, o comunismo passou a desfrutar de grande prestígio.

Durante a depressão, a União Soviética forneceu empregos, embora com salários baixos e muitos riscos, a quem quisesse e também a quem não quisesse. Vários russos finalmente voltaram para casa após um exílio autoimposto: o famoso compositor Prokofiev foi calorosamente recebido e ali permaneceu. Os russos que retornavam logo encontravam ocupação. Embora soubessem que não havia inatividade em seu país, não percebiam quanto trabalho era feito, às escondidas, por multidões de prisioneiros políticos.

> A PRIMEIRA GUERRA, SEGUIDA DE UMA GRAVE DEPRESSÃO ECONÔMICA MUNDIAL, BAIXOU A CONFIANÇA NA IDEIA DE PROGRESSO HUMANO.

As principais ideias políticas ganham e perdem prestígio: quando em seu auge, parecem incontestáveis; quando se enfraquecem, parecem prestes a desaparecer para sempre. A Rússia comunista, e não os Estados Unidos capitalistas, foi aclamada como a fórmula para o futuro durante a década de 1930. O brilhante George Bernard Shaw falava por milhões de reformadores ocidentais quando disse que as fazendas coletivas e as cidades-jardim da União Soviética eram "um imediato e enorme sucesso" que deveria ser copiado em todo o Ocidente. Ele nem precisava mencionar que, em contraste, a maioria das grandes cidades da Europa possuía favelas e um grande número de desempregados.

A depressão mundial, logo após a devastadora guerra, reduziu a confiança na ideia de progresso humano. Tal perda de confiança era notável na Europa Ocidental. Thomas Mann, romancista alemão, lamentava a extinção da outrora forte cruzada por liberalismo, humanismo e democracia. Diante de um ditador, tais virtudes eram tão frágeis quanto palitos de fósforo. Na Alemanha, esses palitos estavam prestes a ser esmagados.

CAPÍTULO 11
A ASCENSÃO DE HITLER

A Alemanha, mais do que talvez qualquer outra nação da Europa, sofreu com a depressão mundial. O país estava completamente aberto a novas soluções políticas. Poderiam o comunismo, o socialismo ou o capitalismo oferecer uma resposta ou havia uma solução caseira?

A nação havia passado por um período de caos anteriormente. Após o fim da guerra, o imperador se exilou na Holanda, as colônias alemãs foram divididas entre os países vitoriosos, quase toda a marinha de guerra estava no fundo do mar e boa parte da marinha mercante havia sido confiscada. Com o Tratado de Versalhes, partes do território alemão foram retalhadas e transferidas para França, Polônia, Tchecoslováquia, Dinamarca, Bélgica e Cidade Livre de Danzig. Vultosas somas de dinheiro e grandes quantidades de mercadorias tiveram de ser pagas pela Alemanha aos vitoriosos, mas nem tudo foi cumprido.

Na pequena e elegante cidade de Weimar, que substituía temporariamente Berlim como capital, os membros do parlamento não se sentiam donos da situação. Em várias cidades, os comunistas eram fortes e, encorajados pelo que se passava na União Soviética, procuravam maneiras de iniciar um golpe. Seus rivais, também alertas, eram agressivos. Na nova democracia, a bala competia com o voto.

Os encontros e desencontros políticos na Alemanha tinham muitas complexidades e correntes secundárias, das quais o antissemitismo era uma. Além disso, os judeus se destacavam bastante na política do pós-guerra, em contraste com a proporção que alcançavam na população, e tal sucesso somente poderia ocorrer com o apoio de não judeus. A cidade de Munique, no fim de 1918, serviu brevemente como capital da República Socialista da Baviera, cuja maioria dos líderes era formada por judeus. Mas estes também estavam divididos. O presidente da república socialista era Kurt Eisner, um judeu, assassinado por um oficial do exército de ascendência parcialmente judia. Por volta de 1924, a temporada de assassinatos e tentativas de golpes havia passado, e a Alemanha parecia uma democracia estável.

Muitos alemães ainda desejavam um líder forte, um homem de ação que se sobrepusesse ao debate dos políticos e o silenciasse, caso fosse necessário. Por fim, esse líder chegou. Doze anos mais tarde, entretanto, grande parte dos alemães, ao observar sua pátria destroçada, acabou concluindo que ele não era o milagreiro tão desejado.

A CABEÇA DE HITLER

Adolf Hitler era austríaco, da cidade de Braunau, onde o pai trabalhava como funcionário da alfândega. Pelos padrões daquela época, Hitler teve oportunidades de educação acima da média. Chegou a Viena, aos 16 anos de idade, para estudar belas-artes. Após anos como pintor de pouca expressão, mudou-se para Munique, onde, no início da guerra, alistou-se no exército. Combatendo no front oriental, ficou incapacitado pela exposição ao gás e foi condecorado por bravura – sua tarefa era das mais arriscadas: levar mensagens em meio às balas, às granadas que explodiam, ao barulho e à fumaça. A camaradagem reinante nas trincheiras o reconfortava e a derrota final da Alemanha o deixou consternado. Até mais do que os outros soldados, sentiu-se traído pelos líderes da nação e – de acordo com seu julgamento irracional – pelos judeus.

Esse ex-cabo apresentou o próprio nome àqueles que continuavam à procura de um novo líder para a Alemanha. Chegando ao topo de um pequeno grupo bávaro que logo adotaria a denominação de Partido Trabalhista Nacional Socialista Alemão, Hitler falava apaixonadamente sobre as preocupações da Alemanha, para grupos que o ouviam nas ruas. Os membros do partido estavam extremamente dispostos a enfrentar em público os comunistas, mais bem preparados. Depois de tentar derrubar o governo da Baviera, Hitler foi parar na prisão, onde se dedicou a elaborar soluções para os problemas da Alemanha e a redigir suas memórias e um manifesto, publicados sob o título de *Mein Kampf* (*Minha Luta*), obra lida por somente alguns milhares de pessoas logo após sua publicação, em 1925.

O partido nazista de Hitler ainda ocupava uma posição inferior na que era praticamente a segunda divisão da política alemã e, em sucessivas eleições para o Reichstag, alcançou somente uma pequena fração do total de votos, ficando muito atrás dos socialistas e dos comunistas. Hitler continuava a ser o inimigo implacável do comunismo, regime que ele preferia chamar de "conspiração judaico-bolchevique". Sua promessa constante era a de que tornaria a Alemanha grande novamente.

Exceto pelas ideias enfáticas e pelos discursos estridentes, inicialmente Hitler não se comportou como um líder populista. Sua aparência disciplinada – o cabelo, preto e liso, estava sempre penteado com esmero – e sua conversa despretensiosa em ocasiões privadas faziam-no parecer um indivíduo reservado. Havia algo de espartano em seu modo de vida. Não bebia nem fumava e evitava carne. Nacionalista, apreciava as florestas e montanhas da Alemanha, bem como os mais apaixonados compositores germânicos, dos quais o preferido era Wagner. Não sentia necessidade de viajar para o exterior. A Alemanha era seu mundo.

O partido nazista de Hitler teria permanecido em segundo plano na política, não fosse pela depressão mundial. Desde 1918, a economia alemã estava vulnerável. A obrigação de ressarcir os inimigos vitoriosos foi um golpe a longo prazo na confiança do país, ainda que as somas realmente pagas, sob os termos modificados do tratado de paz, não tenham sido comprovadamente tão vultosas. Além disso, vários fatores enfraqueciam a economia: as empresas eram obrigadas pelos sindicatos a contratar mais empregados do que seriam necessários; os fazendeiros da Prússia haviam obtido proteção contra a importação de grãos; os preços da indústria de aço e carvão estavam altos; e altos também estavam os salários de vários setores – tais aumentos foram conseguidos pelos sindicatos, devido à falta de mão de obra, causada em parte pelo elevado número de mortos na guerra. Não se sabe exatamente por que motivo, mas a nova república alemã, cujo parlamento se reunia na romântica cidade de Weimar, nunca foi completamente bem-sucedida. O milagre econômico alemão dos anos 1850-1914, que ativamente levara o país ao topo da torre europeia, começava a balançar.

> EM TEMPOS DE DESEMPREGO, HITLER OFERECEU PATRIOTISMO E AÇÕES FIRMES. AS PESSOAS ENTÃO CORRERAM PARA SE FILIAR AO SEU PARTIDO.

Quando a depressão mundial se instalou, a Alemanha foi outra vez atingida – inclusive por si mesma –, desta vez mais duramente do que qualquer outro grande país. Em 1932, a produção industrial alemã correspondia a apenas 60% da registrada em 1929, o último ano de prosperidade. Em Berlim, Dresden e outras grandes cidades, cenas de pessoas vestindo farrapos, recolhendo gravetos para servir de lenha ou revirando latas de lixo provavelmente eram mais frequentes naquela ocasião do que em qualquer outra, em um período de cem anos. A nação registrou a impressionante taxa de desemprego de 30%, enquanto na Inglaterra tal taxa era de 22%.

Hitler ofereceu patriotismo e ações firmes. As pessoas então correram para se filiar a seu partido, cujo número de membros saltou para cerca de 200 mil, dos quais metade fazia questão de desfilar vestindo a camisa marrom que o simbolizava. Nas eleições de 1932 – poucos países tiveram tantas eleições –, Hitler alcançou a surpreendente marca de 18% da votação. Em outra eleição no mesmo ano, conseguiu 37% dos votos, fazendo do partido nazista o maior de todos. Em janeiro de 1933, foi convidado para o cargo de chanceler – primeiro-ministro, na verdade – em um governo de coalizão. Em agosto de 1934, com a morte do já bastante idoso presidente da república, Hitler foi eleito com 88% dos votos para o posto que combinava os cargos de chanceler e presidente. Durante essa eleição, o uso que fez do rádio, dos alto-falantes, das procissões à luz de archotes, dos slogans, das faixas e de toda a orquestra da propaganda foi fantástico.

A MORTE DA DEMOCRACIA ALEMÃ

Tendo subido os degraus da democracia, Hitler jogou a escada fora. Entretanto, se após três anos no poder o líder precisasse pedir novamente o voto dos alemães, receberia tal apoio com facilidade. Hitler correspondeu à grande necessidade do povo alemão, que ansiava pela recuperação do respeito próprio e pela segurança após a humilhante derrota na Primeira Guerra Mundial, a incontestável severidade do tratado de paz e as privações impostas pela depressão.

A vida política alemã foi mutilada. Os outros partidos foram extintos e os sindicatos, esmagados. Pessoas leais aos nazistas eram colocadas nas diretorias de grandes empresas. Os oficiais mais antigos das forças armadas tinham de afirmar lealdade ao líder nazista. As igrejas estavam sob controle – os católicos, com o consentimento do Vaticano, e os protestantes, com a concordância de cinco em cada seis clérigos luteranos. O medo da prisão, do espancamento e da humilhação pública tornou-se parte de um novo estilo de vida.

A prosperidade instalou-se entre os milhões de crianças, mulheres e homens alemães que anteriormente não tinham sequer o que comer. No início de 1935, o desemprego, que caíra de modo drástico, provavelmente era o mais baixo no mundo industrializado. Para os alemães, ficava difícil protestar contra a ascensão de uma ditadura implacável quando a esperança na economia germinava e a fumaça mais uma vez subia das chaminés das fábricas.

O governo alemão gastava muito, enquanto outros países continuavam a economizar o dinheiro público. A construção de uma rede de rodovias pavimentadas, o reflorestamento e a edificação de moradias nas cidades geravam empregos. Enquanto isso, o rearmamento continuava. Mesmo antes de Hitler chegar ao poder, as forças armadas alemãs, proibidas pelo Tratado de Versalhes de exercitar sua pouca força, usavam secretamente o território soviético para testes de armamentos e treinos táticos. Hitler passou a rearmar o país abertamente, logo recompondo a marinha de guerra, a força aérea e o exército numa época em que as democracias eram impedidas pelos próprios eleitores de fazerem o mesmo. Os problemas políticos e as privações econômicas da Europa davam a Hitler a oportunidade de desmantelar o Tratado de Versalhes de 1919 – e ele o fez à força. As maiores nações europeias, voltadas para as angústias econômicas de seus povos, não deram atenção suficiente à ameaça que o ditador representava.

> NÃO ERA NADA FÁCIL PARA OS ALEMÃES PROTESTAR CONTRA A ASCENSÃO DE UM DITADOR IMPLACÁVEL QUANDO A ESPERANÇA NA ECONOMIA GERMINAVA.

Hitler agiu, como sempre, de modo decidido. Em 16 de março de 1935, simplesmente anunciou que o Tratado de Versalhes, que restringia o tamanho do exército alemão, já não era mais válido e que o governo tinha a intenção de formar um contingente de cerca de meio milhão de homens, excedendo em muito o número de soldados franceses. Três meses mais tarde, Hitler convenceu a Grã-Bretanha a deixá-lo reconstruir a marinha alemã até o tamanho-limite de um terço da marinha britânica.

A harmonia entre políticos britânicos e franceses e a concordância de opinião entre os povos das duas nações nunca foi tão importante quanto em 1935, mas raramente pareceu tão distante. Se os dois principais vencedores europeus da Primeira Guerra Mundial tivessem agido rapidamente e com firmeza, poderiam ter ameaçado Hitler com uma invasão imediata, enquanto seu exército ainda recrutava homens. Ele não teria tido escolha a não ser recuar. No ano seguinte, muito confiante, o ditador deu outro passo: enviou seu exército bastante aumentado para reocupar a Renânia. Em 1938, esse exército entrou na Áustria – que, sendo país de língua alemã, não parecia capaz de oferecer grande resistência – e também na Tchecoslováquia. Como um boxeador, Hitler calculava seus golpes cuidadosamente.

Infelizmente, França e Grã-Bretanha não eram aliados naturais. Sua inimizade remontava a seiscentos anos e foi essa hostilidade que guiou as relações entre as duas nações na década de 1930. Os britânicos insulares, com sua defesa natural formada pelo mar, podiam assistir sentados ao rearmamento de Hitler. Já a França precisava estar em pé e a postos, mas não desejava enfrentar a Alemanha sem o apoio militar britânico, e tal apoio demorou a aparecer.

Com sua oposição ao rearmamento, a opinião pública de muitos países da Europa Ocidental provou-se uma aliada involuntária de Hitler, pois, embora eloquente ao expressar sua hostilidade contra a guerra, não entendia bem os efeitos de suas ações. Em meados da década de 1930, para que houvesse tranquilidade internacional, era urgentemente necessária uma cruzada pela paz na Alemanha, e não na Grã-Bretanha e na França. Entretanto, em terras germânicas, infelizmente, tal cruzada estava fora de questão, pois teria sido rechaçada sem piedade.

A SITUAÇÃO DE JUDEUS E CIGANOS

Em 1900, a maior parte dos judeus vivia nas regiões central e leste da Europa, especialmente na Rússia e no Império Austro-Húngaro, sendo porém minoria até mesmo nesses lugares. Muitos se vestiam de maneira característica e o dia de veneração deles era preferencialmente o sábado, não o domingo. Em uma época de nacionalismos, eram diferentes e costumavam ver-se assim.

Na Europa como um todo, não havia outra minoria étnica de tanto sucesso nas universidades, na Música, na Literatura, na Medicina, no Direito e nos negócios. Na Alemanha, para onde migraram de regiões mais ao leste, eram especialmente bem-sucedidos. Lá, o antissemitismo era menos notável. Os judeus alemães permaneciam como uma minoria bastante reduzida – menos de 1 milhão – e eram atuantes na vida nacional. Haviam servido nas forças armadas durante a Primeira Guerra Mundial, contribuíam para boas causas e esforçavam-se para ser assimilados pela maioria.

Hitler atacou os judeus em seu livro *Mein Kampf,* mas entre suas inúmeras frases de ódio não havia nenhuma ordem precisa para que fossem exterminados. De fato, os judeus que viviam na Alemanha provavelmente se sentiam seguros no mês em que Hitler alcançou o poder, pois controlavam ou administravam muitas instituições importantes. Uma grande parte de três influentes jornais alemães pertencia a judeus. O clube de futebol FC Bayern, campeão de 1932, depositava sua confiança em um técnico e em um presidente judeus. Mas nos seis anos seguintes, à medida que as políticas e os discursos do governo se tornavam cada vez mais antissemitas, a maioria dos judeus deixou a Alemanha, abandonando seus bens. Muitos alemães permaneceram solidários a eles e tal solidariedade foi denunciada nos folhetos nazistas impressos no ano de 1938. Nessa época, os decretos de Hitler contra os judeus já estavam plenamente ativos.

De acordo com tais decretos, os judeus não eram mais considerados cidadãos alemães e até os passaportes deles foram carimbados com um J. Não tinham permissão para casar com mulheres ou homens nascidos na Alemanha. Às vésperas da guerra, não podiam possuir automóveis nem exercer suas profissões, tampouco ir ao cinema ou a outros lugares de entretenimento público.

Os ataques a judeus na Alemanha eram imitados na Itália, embora em menor escala. Lá, eles eram poucos, mas influentes nas universidades e em algumas profissões. Em novembro de 1938, Mussolini decretou que estavam impedidos de participar do serviço público e das forças armadas, praticamente tolhendo seu direito aos estudos e ao exercício do magistério, além de proibir que se casassem com não judeus. Como concessão, decretou que as viúvas e os filhos de judeus mortos em combate pela Itália estavam dispensados de cumprir as leis antissemitas – benefício que se aplicava também aos judeus que figuravam entre os fundadores do Partido Fascista.

Os ciganos também se tornaram alvo de Hitler, mas não de Mussolini. A Índia era a antiga pátria desse povo. Assim como os judeus, os ciganos tinham um forte senso de família e tradição e, vagando pela Alemanha com seus cavalos e suas pequenas carroças, recusavam-se a observar os costumes que uma sociedade convencional exigia. Enquanto os judeus geralmente eram temidos por serem muito trabalhadores e bem-sucedidos, os ciganos eram desprezados por serem menos laboriosos e viverem absortos nos próprios costumes e valores. Sua sina, comparada à dos judeus, foi objeto de pouca discussão. Um povo parcialmente nômade não costuma construir memoriais nem museus e desperta menos interesse público.

A Segunda Guerra Mundial – e não os manifestos raciais que a precederam – expôs seriamente judeus e ciganos. Por volta de 1939, a liberdade e o patrimônio deles estavam em situação de risco. Três anos mais tarde, era a vida deles que corria perigo.

CAPÍTULO 12
UMA SEGUNDA GUERRA MUNDIAL

Os generais alemães previam que não conseguiriam travar uma guerra longa. Embora rico em carvão, o país não contava com poços de petróleo. Sem colônias, não podia produzir, durante a guerra, borracha, estanho e outras mercadorias que vinham principalmente das regiões dos trópicos. Matéria-prima vital tinha sido acumulada inteligentemente, mas o estoque de alguns metais – cobre, ferro, magnésio e chumbo – duraria apenas nove meses. O país estava pouco preparado para uma guerra prolongada, uma vez que ficaria rapidamente sem munição e petróleo, sendo então forçado a negociar a paz em termos desfavoráveis.

Essa situação precária era de fato o desejo dos vitoriosos aliados quando impuseram o rigoroso tratado de paz à Alemanha em 1919. Tal tratado, no entanto, teve o efeito contrário, convencendo o país de que, ao planejar a próxima guerra, deveria obter vitórias rápidas e decisivas durante a primeira fase, para que pudesse apoderar-se de suprimentos vitais do inimigo.

O tratado de paz ao fim da Primeira Guerra Mundial também não teve o efeito esperado porque privou a Alemanha e a Rússia do que ambas ainda consideravam ser seu por direito. Em 1939, as duas nações, achando-se prejudicadas, estavam prontas para recuperar esses territórios à força. Embora ideologicamente distantes e cultivando uma profunda animosidade, combinaram secretamente invadir a Polônia e dividi-la entre si. Quando veio a público, o pacto deixou atônitos muitos líderes europeus. Era o equivalente, em nossa época, a um acordo secreto assinado por Israel e seus vizinhos muçulmanos para declarar guerra a um país não considerado inimigo e repartir seu território.

POLÔNIA E FRANÇA CAEM

A Polônia, uma das maiores nações da Europa, havia se constituído a partir de grandes territórios tomados de três diferentes nações: Alemanha, Rússia e Império Austro-Húngaro. O fato de dois dos três doadores estarem insatisfeitos não era um bom presságio. Tanto a Alemanha quanto a Rússia queriam se expandir, e a Polônia era o alvo mais óbvio. Os dois países poderiam simplesmente argumentar que retomavam antigas terras que lhes haviam sido tiradas injustamente.

Orgulhosa de sua língua, de sua literatura e de suas tradições, a Polônia desejava havia muito reconquistar a antiga grandeza. Mas não era uma nação unida. Embora a população de cerca de 30 milhões fosse majoritariamente católica, a variedade de nacionalidades não contribuía para um governo harmonioso. Na década de 1920, a segunda maior cidade polonesa era Breslau, onde se falava alemão. Tal cidade havia recebido o novo nome de Wroclaw e muitos de seus cidadãos queriam que ela continuasse fazendo parte da Alemanha, como era até pouco tempo antes. Por outro lado, muitos poloneses que tinham vivido sob o jugo alemão até 1918 lembravam o modo miserável como foram tratados – e retribuíam dificultando a vida dos alemães que ali residiam. A Polônia também contava com o maior contingente de judeus da Europa, sobre os quais costumavam pairar a suspeita e a inveja. Além disso, os poloneses também se encontravam divididos. Uma Polônia unida e bem-armada, com aliados alertas, talvez tivesse feito Hitler pensar duas vezes antes de lançar um ataque. Mas ele não teve de pensar tanto.

Em 1º de setembro de 1939, Hitler invadiu a Polônia e quinze dias depois tropas russas marchavam sobre o território para completar a conquista. A Rússia foi além e tentou retomar a parte da Finlândia que lhe pertencia antes das revoluções de 1917. Os finlandeses combateram corajosamente no gelo e na neve, mas por fim resolveram admitir a derrota e acabaram conseguindo termos que estavam longe de ser desastrosos. Grã-Bretanha, França, Canadá, Austrália e Nova Zelândia eram oponentes de Hitler desde o início, mas não influenciaram em nada esses primeiros eventos da guerra. Preferiram esperar. E Hitler agiu.

Quando a primavera de 1940 despertou na Europa Ocidental, as condições eram propícias para que o rápido exército e a hábil força aérea de Hitler aumentassem suas conquistas. Confiando na superioridade dessa força aérea e na surpresa, Hitler começou a tomar parte da Europa, pedaço a pedaço. Dinamarca e Noruega caíram em abril, Holanda e Bélgica, em maio. A próxima seria a França. Pela primeira vez, Hitler teria de combater uma grande nação tão bem-armada, ao menos no papel, quanto a Alemanha. Se o poderio militar do aliado da França, a Grã-Bretanha, fosse colocado na balança da guerra, ela penderia para o lado francês.

Nos altos círculos de Paris, a visão otimista era de que o exército de Hitler não conseguiria avançar mais do que alguns quilômetros em território francês. A maioria dos líderes franceses previa que o conflito seria uma repetição da Primeira Guerra Mundial, defensiva e sem saída. Em 1940, a França depositava suas esperanças em uma extensa fortaleza para resistir à Alemanha. Chamada de Linha Maginot, era um muro de concreto, com depósitos e arsenais subterrâneos, linhas férreas conectadas e galerias onde exércitos inteiros podiam abrigar-se. Foi a mais extensa e a mais cara fileira de fortes na história das guerras.

Os alemães não se lançaram contra o concreto da Linha Maginot. Eles simplesmente tomaram um desvio e entraram na França, com seus tanques e carros de combate, por uma porta lateral entreaberta: as florestas pouco guarnecidas da região de Ardenas. A poderosa Linha Maginot logo foi abandonada, tornando-se um museu sem visitantes, a contar a história das guerras.

Como a Grã-Bretanha demorou para enviar ajuda, os franceses inicialmente se defenderam sozinhos. Em seu território, deveriam oferecer resistência ao invasor alemão, mas a cada momento eram superados taticamente. Em uma ou duas semanas, as divisões motorizadas do exército de Hitler atravessaram as fazendas francesas, onde, durante os quatro anos da guerra anterior, os combates haviam se concentrado, em um beco sem saída mortal. Os alemães praticamente pularam por cima do velho front ocidental e se aproximaram de Paris. À frente deles, muitas vezes bloqueando as estradas, movia-se uma vasta coluna de refugiados franceses, rumando rapidamente para o sul, com seus pertences empacotados às pressas e depositados em carroças, caminhões, automóveis e mesmo em bicicletas, carrinhos de bebê e carrinhos de mão.

OS DIAS GLORIOSOS DE CHURCHILL

Raramente na história da Europa Ocidental tanta responsabilidade ficou sobre os ombros de apenas um homem. Winston Churchill havia se tornado primeiro-ministro britânico no exato momento em que Paris estava prestes a cair. Se Londres caísse em seguida, as liberdades individuais e civis desapareceriam em quase toda a Europa.

Churchill nasceu em 1874, de família rica e aristocrática, mas com alguma dureza na alma. Seu pai era um lorde, e seu avô, um duque, embora a mãe, nova-iorquina, não possuísse nenhum título até se casar. Desde tenra idade, mostrou determinação, embora precisasse esforçar-se bastante nos estudos. Aos 26 anos, já havia lutado em batalhas em três continentes, tendo escrito sobre cada conflito. Seu talento com as palavras foi demonstrado nas páginas impressas, nos palanques políticos e nos discursos em banquetes.

Tornou-se um membro em ascensão na Câmara dos Comuns, com algo de buldogue no maxilar e nos ombros, um tom avermelhado nos cabelos e uma energia equivalente à de dois políticos. Mais tarde, diligentemente preparou a maior marinha de guerra do mundo para o conflito que viria em 1914.

Sempre haverá discussões sobre o papel de Churchill no planejamento do ataque à Gallipoli turca, o qual se iniciou com a investida da marinha inglesa. Mas poucos criticam sua previsão de que, uma vez chegando ao poder, Hitler iniciaria uma nova guerra na Europa. Durante anos, os avisos de Churchill foram enérgicos, porém solitários. Seu apelo pelo rearmamento da Grã-Bretanha, a um alto custo, não lhe valeu muitos amigos. Mas a eclosão da guerra acabou por justificar os avisos. Aos 64 anos de idade, Churchill foi escoltado, como um velho cruzador, de seu velho ancoradouro até o comando da frota do país. Em maio de 1940, um mês antes da queda da França, tornou-se o primeiro-ministro britânico.

> CHURCHILL PREVIA QUE HITLER INICIARIA UMA NOVA GUERRA SE CHEGASSE AO PODER, PORÉM TAIS AVISOS SÓ FORAM LEVADOS A SÉRIO APÓS A ECLOSÃO DO CONFLITO.

No final de maio, o exército britânico na França, em perigo por causa do rápido avanço alemão, teve de ser resgatado. Aproximadamente 900 embarcações britânicas, grandes e pequenas, com a cobertura da força aérea, fizeram a evacuação das tropas nas praias perto de Dunquerque – o porto havia sido bombardeado pela força aérea alemã até se tornar inutilizável. Mais de 340 mil soldados britânicos, franceses e belgas foram salvos nas cercanias de Dunquerque e outros 200 mil soldados aliados foram recolhidos por navios britânicos de Cherburgo e de portos franceses mais ao leste. Se todos esses homens tivessem sido aprisionados, o moral britânico e sua capacidade de defender o litoral poderiam ter sofrido um dano irreparável.

Em 14 de junho de 1940, apenas dez dias depois das últimas retiradas de Dunquerque, os primeiros soldados alemães se preparavam para entrar em Paris, então uma cidade fantasma que havia se despedido dos seus cidadãos, os quais rumavam para o sul, fugindo das retumbantes tropas alemãs. Os líderes do governo francês já se haviam retirado em pensamento antes mesmo de efetivamente deixarem a cidade. Em 17

5 A Europa de Hitler em meados de 1942

Mapa da Europa indicando:
- Potências e parceiros do eixo
- Terras conquistadas
- Países neutros
- Potências aliadas

Localidades indicadas: NORUEGA, FINLÂNDIA, Leningrado, SUÉCIA, Mar Báltico, PAÍSES BÁLTICOS, Moscou, DINAMARCA, PRÚSSIA ORIENTAL, GRÃ BRETANHA, IRLANDA, HOLANDA, POLÔNIA, RÚSSIA, BÉLGICA, LUXEMBURGO, ALEMANHA AMPLIADA, FRANÇA OCUPADA, TCHECOSLOVÁQUIA, UCRÂNIA, SUÍÇA, ÁUSTRIA, HUNGRIA, Rostov, OCEANO ATLÂNTICO, REPÚBLICA FRANCESA DE VICHY, ROMÊNIA, IUGOSLÁVIA, Mar Negro, Córsega, ITÁLIA, BULGÁRIA, ESPANHA, ALBÂNIA, Mar Cáspio, PORTUGAL, Sardenha, GRÉCIA, TURQUIA, GIBRALTAR (Grã-Bretanha), Sicília, Mar Mediterrâneo, MARROCOS ESPANHOL, NORTE DA ÁFRICA FRANCÊS, MALTA (Grã-Bretanha), Creta, CHIPRE (Grã-Bretanha)

de junho, um correspondente norte-americano, ao chegar à capital ocupada pelos alemães, resumiu o estado de espírito predominante: "Percebo aqui a completa ruptura da sociedade francesa." Disse ainda que a dramática cadeia de eventos era "quase monstruosa demais para nela acreditarmos." Cinco dias depois, os franceses estavam prontos para assinar a rendição formal.

Uma das mais antigas democracias do mundo, a França defendia tal regime como naturalmente superior a outras formas de governo. Às vésperas da queda do país, entretanto, sólidas evidências apontavam aquela democracia como uma das causas do próprio fracasso. Os eleitores franceses, e aqueles que os conduziam, haviam se recusado a fazer os sacrifícios necessários para conferir à nação defesas mais fortes. O país enfrentava grandes divisões internas. Os primeiros-ministros eram trocados com demasiada frequência. A França foi o primeiro país democrático a entrar em colapso durante o curso de uma guerra.

O armistício foi assinado por um representante francês no fim da tarde de 22 de junho, em uma floresta francesa. Hitler esteve presente na primeira parte da cerimônia. Depois foi passear, admirando-se com a elegância de Paris, prestando homenagens a Napoleão em seu túmulo, inspecionando cuidadosamente a Ópera, que chamava de "o mais belo teatro do mundo", e visitando os velhos campos de batalha da Primeira Guerra Mundial, antes de retornar à Alemanha. Sentia-se orgulhoso. A França havia caído tão facilmente que a Grã-Bretanha provavelmente imploraria a paz.

A BATALHA PELA GRÃ-BRETANHA

Churchill lamentou a rendição da França. Além disso, temia que Hitler, usando os portos franceses, invadisse o arquipélago britânico. Uma vez que as tropas nazistas ocupassem todo o litoral europeu voltado para a Inglaterra e a Escócia, os alemães poderiam usar qualquer um, entre as centenas de portos e campos de aviação capturados, para deflagrar a invasão à Grã-Bretanha.

Com 3 mil aeronaves à disposição, os alemães estavam em vantagem. Em 8 de agosto de 1940, iniciaram a campanha para derrotar a Grã-Bretanha, lançando ataques contra portos e navios, campos de aviação, estações de radar e as vitais fábricas de aviões do sul da Inglaterra. As cidades industriais do interior eram alvo de bombardeios noturnos. A população londrina imaginava quando chegaria sua vez, e ela chegou em setembro. No primeiro dia, mais de 400 aviões alemães atacaram a cidade e, aproximadamente 100 foram abatidos. Os ataques à luz do dia custaram caro também para os alemães.

Ao longo dos registros históricos, centenas de cidades haviam sido sitiadas e, nos últimos séculos, muitas foram severamente danificadas pela ação de artilharia, mas aquela era a primeira guerra em que o coração de uma grande metrópole podia ser atacado diretamente do céu. No Natal, grande parte da velha cidade – igrejas, bancos, monumentos e construções antigas – estava destruída total ou parcialmente. A questão mais importante era saber se o ânimo dos civis resistiria à devastação e ao perigo que a noite trazia. Como demonstrado na Rússia em 1917 e na Alemanha em 1918, o colapso do moral dentro dos lares podia ser tão destrutivo quanto o colapso no campo de batalha.

Naqueles dias sombrios de 1940, pessoas que observavam Churchill trabalhando fizeram dele uma descrição incomum, mas estranhamente tranquilizadora. Ao acordar, ele se sentava na beira da cama, vestindo um roupão vermelho e, fumando um charuto, recolhia as últimas notícias da guerra e as mensagens militares depositadas em uma caixa ou ditava respostas para serem datilografadas em máquina manual pela secretária, que ocupava uma mesa próxima. Aos pés da cama, sossegadamente, ficava o gato negro de Churchill, Nelson, batizado em homenagem ao herói da marinha britânica do século anterior.

O primeiro-ministro era um estadista determinado a defender uma civilização que corria um perigo sem precedentes. Em meio às trevas, ele espalhava luz e um sentimento de força interior: "Não são dias sombrios os que enfrentamos; são dias magníficos – os melhores que nossa nação já viveu." Ali estava um grande homem vivendo seu ano mais glorioso, conforme se perceberia mais tarde.

Churchill considerava Hitler tremendamente favorecido, tanto pela sorte como por um exército e uma força aérea altamente profissionais. Quase toda a Europa Ocidental estava em poder da Alemanha, exceto por alguns países, como Espanha, Portugal, Irlanda, Suíça e Suécia, nações mais ou menos neutras, mas que só poderiam assim permanecer se Hitler consentisse – e seus líderes sabiam disso. Cautelosas, tentavam não demonstrar qualquer hostilidade contra o líder nazista. A neutralidade sueca era particularmente falsa, uma vez que o país permitia que as tropas alemãs cruzassem seu território, além de continuar a ser um ativo exportador de minério de ferro para a Alemanha hitlerista.

A extensa costa e as ilhas do Mediterrâneo eram o próximo alvo de Hitler. Os alemães invadiram a Grécia e, em abril de 1941, tomaram a cidade de Atenas. No fim de maio, a ilha grega de Creta estava quase totalmente ocupada, após os ousados saltos dos paraquedistas alemães. Grandes forças militares da Itália e da Alemanha encontravam-se reunidas no norte da África e Churchill temia que o Egito fosse o próximo país a cair nas mãos de Hitler. Se isso acontecesse, o Canal de Suez, que disponibilizava um atalho vital entre a Europa e a Ásia, também estaria sob controle alemão. E, se esse canal estivesse perdido, a Grã-Bretanha somente poderia enviar reforços – urgentemente necessários na Índia, em Cingapura, na Birmânia, em Hong Kong e em outras colônias – por uma longa rota oceânica que passava pelo extremo da África do Sul antes de chegar ao Oceano Índico.

A GUERRA CHEGA À RÚSSIA

Enquanto isso, Hitler dava liberdade a Stalin nas planícies do leste. Logo após a queda de Paris, Stalin aproveitou a oportunidade para anexar as três nações bálticas: Lituânia, Estônia e Letônia. Províncias russas antes dos dramáticos eventos de 1917 e, depois disso, independentes por quase um quarto de século, esses países passaram novamente para o controle russo. Mais ao sul, o reino da Romênia, diante do ultimato russo, entregou o território que lhe foi exigido. Seus importantes campos petrolíferos, entretanto, não passaram para as mãos de Stalin, uma vez que as tropas alemãs intervieram e tomaram o controle da maior parte do país. Entretanto, a Rússia, no espaço de um ano, havia recuperado boa parte do território perdido ao aceitar a derrota na Primeira Guerra Mundial.

A faixa de nações enfraquecidas e, em sua maioria, novas, perto da fronteira ocidental da Rússia – uma área que se estendia desde a Finlândia e o Mar Báltico, no norte, até a Romênia e o Mar Negro, no sul – parecia uma bandagem comprida e esfarrapada. Stalin a havia recortado, com o consentimento de Hitler. Mas a amizade entre os dois ditadores era oportunista e eles não confiavam realmente um no outro. Suas ideologias eram muito diferentes e as ambições territoriais colidiam. O fato de ter assinado um pacto de amizade com Stalin não perturbou nem um pouco a consciência de Hitler. Na verdade, com tal acordo, ele poderia mais facilmente apanhar Stalin desprevenido.

Muito confiantes, as tropas de Hitler iniciaram, em 22 de junho de 1941, a invasão da União Soviética. Durante os primeiros meses, Hitler parecia próximo de conseguir o que pretendia, uma vez que seu exército encontrava poucos obstáculos. O porto de Leningrado foi o mais difícil deles, pois se preparou para um cerco demorado, erguendo barreiras a fim de bloquear o avanço dos tanques inimigos e manter sob controle o exército alemão e o finlandês. A sitiada Leningrado, mês após mês, sobreviveu graças ao racionamento de comida. Em um ano, 650 mil vidas foram perdidas por causa de epidemias, fome e bombas disparadas pela artilharia alemã. Contudo, durante o cerco, tais perdas praticamente se tornaram um benefício público, pois reduziram o número de bocas a serem alimentadas.

Civis e militares se mantinham firmes. Durante o verão de 1943, espaços abertos, quintais e jardins públicos formavam um mosaico de plantações de batata e repolho, permitindo o aumento da porção diária de comida. Durante os primeiros meses da invasão, Hitler estava exultante. Os soldados alemães haviam conquistado uma grande área do território inimigo antes que chegasse o terrível inverno. De que importava a resistência de Leningrado se as forças alemãs estavam próximas de Moscou, a cidade mais importante?

De forma surpreendente, a nação alemã não explorou por completo sua superioridade militar. Enquanto o exército lutava e sofria em solo estrangeiro, os civis descansavam em solo pátrio, aproveitando uma espécie de vida confortável em tempos de paz. Um indício do excesso de confiança de Hitler era sua recusa em usar todos os hábeis trabalhadores capturados. Ele tinha sob seu comando talvez 6 milhões de judeus em toda a Europa, mas durante a primeira fase da guerra utilizou-os apenas como trabalhadores subalternos ou braçais e, mesmo assim em escala limitada. No início de 1942, havia firmemente decidido exterminar os judeus não apenas na Alemanha, mas em todos os países ocupados por suas tropas. De várias partes da Europa, especialmente da Polônia, judeus eram enviados em trens de carga aos campos de concentração, onde a maioria era morta com eficiência fria e sistemática. Na parte ocidental da Rússia e na Ucrânia, centenas de milhares de judeus foram executados pelas tropas alemãs. Ciganos também eram enviados para campos de trabalhos forçados e, pelo menos 250 mil deles, foram mortos. Na lista de vítimas, estavam também os homossexuais.

Tais acontecimentos, talvez os mais bárbaros da história moderna, foram chamados pelos líderes alemães de Solução Final. Somente mais tarde o nome Holocausto veio a ser usado.

O DILEMA DE TÓQUIO

A confiança dentro dos círculos militares alemães era enorme e, até o final de 1941, era fácil entender por quê. Os exércitos de Hitler, ao conquistarem mais partes da Europa do que Napoleão jamais havia conquistado, pareciam prestes a tomar Moscou e talvez Leningrado na primavera seguinte. Era possível que o Japão subitamente atacasse a União Soviética pelo leste, enquanto os alemães continuariam a atacá-la do oeste, apertando o Urso Russo até a morte. As decisões japonesas, imprevisíveis para um observador distante, determinariam em parte os resultados da guerra, então em seu terceiro ano.

Em Tóquio, os líderes sabiam que aquela era uma formidável oportunidade de derrotar o velho inimigo. Haviam lutado contra a Rússia em uma guerra vitoriosa nos anos de 1904-05 e, muito rapidamente, em um confronto armado sem resolução que começara na Mongólia em maio de 1939. Ali estava a oportunidade de investir decisivamente. Os russos deslocavam tanques, retirando-os da Sibéria e mandando-os para as proximidades de Moscou, para reforçar as defesas da cidade. Por outro lado, os japoneses tinham a oportunidade de lançar um ataque pelo sul contra as enfraquecidas colônias europeias que se estendiam desde Hong Kong e da Birmânia, sob domínio britânico, até as Índias Orientais Neerlandesas, ricas em petróleo.

CAPÍTULO 13
DE PEARL HARBOR À QUEDA DE BERLIM

Pearl Harbor, na remota ilha do Havaí, era uma das maiores bases navais do mundo. Na manhã de 8 de dezembro de 1941 – horário de Tóquio – esse porto abrigava cerca de 70 embarcações de guerra de todos os tamanhos. Seu comandante acreditava que um ataque japonês pelo mar, embora possível, não fosse provável. Tecnicamente, os Estados Unidos continuavam neutros, o que aumentava a sensação de segurança. A base naval japonesa mais próxima estava do outro lado do oceano, fato que tranquilizava os norte-americanos.

Os japoneses enviaram secretamente seis porta-aviões através do Pacífico para empreender o ataque principal contra Pearl Harbor. Seu sucesso foi notável. Navios em grande quantidade e 188 aviões norte-americanos foram destruídos ou danificados. Mesmo assim, os pilotos e comandantes dos submarinos japoneses ficaram bastante desapontados, uma vez que os três porta-aviões norte-americanos estavam em alto-mar na manhã do ataque e não foram descobertos.

Na mesma manhã, os japoneses se preparavam para lançar um ataque--surpresa às Filipinas, uma jovem nação a caminho da independência, mas que ainda necessitava muito dos Estados Unidos para sua defesa. Distante das bases navais da Califórnia e de Pearl Harbor, o arquipélago filipino poderia ser mais facilmente atacado pelo Japão do que defendido pelos Estados Unidos. Ainda assim, o general norte--americano residente nas Filipinas, Douglas MacArthur, acreditava poder defender adequadamente o país, já que seu exército tinha o apoio de 250 aeronaves de guerra e uma força naval que incluía 29 submarinos. Além disso, MacArthur contava com sete novos equipamentos de radar, com os quais podia ser alertado sobre um ataque aéreo japonês, embora apenas dois deles estivessem funcionando. Também havia baterias antiaéreas, capazes de defender os novos campos de aviação, mesmo não sendo armamento de primeira classe. O general não considerava, sob hipótese alguma, a possibilidade de os japoneses lançarem ataques simultâneos contra uma grande quantidade de bases navais norte-americanas, britânicas, holandesas e francesas nos trópicos. Um ataque tão amplo e coordenado não tinha precedentes na história naval.

Duas horas após a devastadora investida contra Pearl Harbor, a terrível notícia chegou às Filipinas, onde foi divulgada com gravidade pelas estações públicas de rádio. No espaço de uma semana, a força aérea norte-americana nas Filipinas foi reduzida a poucos caças.

ALERTA EM CINGAPURA

A base aeronaval britânica em Cingapura era quase tão vulnerável quanto as bases norte-americanas nas Filipinas. Os oficiais britânicos previam um ataque japonês, mas estavam tão confiantes quanto o general MacArthur. Foram levados a acreditar que os pilotos japoneses não conseguiam avistar alvos à noite, que possuíam uma força aérea lenta e que seu exército, durante os quatro anos anteriores, tinha dado mostras de incapacidade ao não conquistar a China. Mas se esqueciam de considerar um importante fator: o empenho dos japoneses em promover o rearmamento na década anterior.

Em Londres, Churchill tinha boas razões para ser cauteloso em relação ao Japão, já que este possuía uma poderosa marinha de guerra, originalmente treinada por oficiais britânicos. Era provável que os navios japoneses excedessem em número os britânicos se a guerra estourasse no sudeste da Ásia. Além disso, a queda da França, no ano anterior, havia acabado com os planos britânicos para a defesa naval de Cingapura. Inicialmente, um acordo previa que, se Cingapura estivesse em perigo, a esquadra francesa patrulharia o Mediterrâneo, permitindo que os britânicos enviassem socorro. No entanto, parte da esquadra francesa estava sob controle alemão e parte fora avariada.

A Grã-Bretanha não dispunha de uma esquadra nem de aviões rápidos que pudessem ser enviados para essa nova zona de guerra. Eram todos urgentemente necessários para defender as ilhas britânicas e suas passagens marítimas mais próximas, para patrulhar as rotas dos comboios no Atlântico, para evitar que os alemães tomassem o Egito e o Canal de Suez e para empreender ataques aéreos contra a Alemanha. Com a crise se aproximando do sudeste da Ásia, a Grã-Bretanha podia enviar apenas duas embarcações de primeira classe: o novo couraçado Prince of Wales e o velho cruzador Repulse, que chegaram a Cingapura pouco antes do ataque a Pearl Harbor. Esses dois poderosos navios deveriam ter sido acompanhados por um porta-aviões, o Indomitable, mas ele ficou encalhado nas Índias Ocidentais e não foi possível enviar um substituto.

A queda da França permitiu outro golpe contra a segurança de Cingapura. A vizinha Indochina, colônia francesa, alvo de pressões diplomáticas e ameaças, havia aberto espaço para a presença de tropas japonesas em seu território e em seus portos. Horas antes de os japoneses atacarem Pearl Harbor, suas tropas na Indochina francesa iniciavam a invasão da Tailândia e do extremo norte da Malásia britânica. Em 8 de dezembro de 1941, as primeiras notícias da invasão chegaram a Cingapura. Na mesma tarde, um pouco antes do pôr do sol, duas grandes embarcações de guerra britânicas deixaram o porto de Cingapura para interceptar a esquadra japonesa. Dois dias mais tarde, esses navios foram afundados pelos aviões japoneses. No histórico das guerras, foi a primeira vitória aérea importante sobre uma grande força naval. Ao ouvir os relatos, Churchill declarou ter sido esse um dos piores dias da história da Grã-Bretanha.

Aquela zona de guerra estava quase completamente controlada, no ar e no mar, pelo Japão. No dia de Natal, suas tropas finalmente tomaram Hong Kong. Em 1º de janeiro de 1942, Manila estava prestes a cair e, no dia seguinte, bandeiras japonesas já eram hasteadas para comemorar o triunfo.

Os soldados nipônicos, auxiliados por sua vitoriosa força aérea, aumentaram o domínio sobre a metade norte da Península Malaia. Cercavam um porto após o outro, atravessavam rios largos e caudalosos e, usando bicicletas sempre que possível, avançavam em direção à selva e às plantações de arroz. Aproximando-se de Cingapura, ainda eram excedidos em número pelos britânicos, hindus e australianos, mas seu ímpeto não diminuía. Os oficiais eram extremamente capazes e empregavam conhecimentos com habilidade; os soldados se adaptavam à guerra na selva e a determinação deles raramente se abalava. Cingapura e sua magnífica base naval caíram em 15 de fevereiro de 1942. Em nenhuma parte do mundo, tantas tropas sob comando britânico haviam sido aprisionadas em um só dia. Dezenas de milhares dos capturados pelos japoneses no sudeste da Ásia morreriam em campos para prisioneiros de guerra, trabalhando em estradas de ferro ou em presídios improvisados.

Quase todos os planos dos britânicos e norte-americanos foram destruídos ou frustrados pelos eventos inesperados na Guerra do Pacífico. Após a queda de Cingapura, as Índias Orientais Neerlandesas se viram em perigo. Os japoneses desembarcaram tropas com facilidade e apoderaram-se da ilha de Java em março. Mesmo antes da tomada de Sumatra e seus valiosos campos de petróleo, as forças japonesas alcançaram a Nova Guiné e as ilhas próximas. As tropas norte-americanas nas Filipinas já estavam condenadas.

Havia um medo terrível e crescente: os japoneses atacariam a Índia? No primeiro dia da guerra, parecia inconcebível que as tropas nipônicas pudessem aproximar-se por um instante da fronteira indiana. Mas naquele momento a metade sul da Birmânia britânica, exportadora de arroz e produtora do precioso petróleo, estava em perigo, sendo uma potencial via de entrada para a Índia. Em março de 1942, a capital,

Rangum, foi tomada. Se toda a Birmânia havia sucumbido, seria a parte leste da Índia o próximo alvo dos incansáveis exércitos do Japão? Os líderes indianos, que tanto queriam a independência de seu país em relação à Grã-Bretanha, tinham em mãos a desejada oportunidade de desorganizar os esforços de guerra britânicos e até mesmo de convidar os japoneses para entrar em seu território como libertadores. Mas acabaram desistindo da ideia.

Os japoneses comandavam então todos os portos do litoral leste da Ásia, do arquipélago da Indonésia e das Filipinas. Esse longo corredor de terra e cruzamentos de rotas marítimas se estendia do Japão até as proximidades das águas costeiras do norte da Austrália. Os aviões japoneses, decolando dos mesmos porta-aviões que haviam sido usados no ataque a Pearl Harbor, bombardearam o porto australiano de Darwin pela primeira vez. Os soldados japoneses, após alcançarem o cume do elevado Monte Owen Stanley, rapidamente desceram até quase chegar a Port Moresby, enseada perto do canto sudeste da Nova Guiné.

Port Moresby permite o acesso ao Estreito de Torres, uma pequena passagem que separa a Nova Guiné do norte da Austrália. Na primeira semana de maio de 1942, navios para o transporte de tropas, porta-aviões e outras embarcações japonesas tentaram capturar Port Moresby, aproximando-se através de uma rota longa e indireta. A força naval, avistada dos céus, foi interceptada pelos norte-americanos. Por vários dias, a Batalha do Mar de Coral foi travada, tornando-se o primeiro grande conflito em que as esquadras rivais não tinham uma à outra em seu campo de observação. Os aviões lançados pelas esquadras foram os responsáveis pela maioria dos ataques devastadores, enquanto outras aeronaves partiram do território australiano à procura dos navios japoneses. Tecnicamente, o Japão venceu – destruiu mais navios –, embora tenha perdido a maior parte dos aviões. Mas precisava ter desferido um golpe mais duro para poder dar continuidade a seu plano de invasão. Por fim, sua esquadra voluntariamente retornou. Pela primeira vez, a maré não correra a seu favor.

Um mês mais tarde, na Batalha de Midway – perto de uma ilha

isolada entre Tóquio e Pearl Harbor –, as marinhas norte-americana e japonesa se prepararam para lutar outra vez. Pouco antes, uma das mais importantes batalhas navais do mundo havia sido travada no Hemisfério Sul. Uma repetição de tal conflito estava para acontecer no Hemisfério Norte, com as mesmas marinhas e alguns dos mesmos porta-aviões. Os norte-americanos, tendo decifrado o código secreto da marinha japonesa, conheciam seus planos e suas táticas. Estava destruída a arma mortal do Japão: a surpresa.

Os japoneses perderam seus porta-aviões mais valiosos, chave do sucesso em uma guerra travada em um vasto oceano. Os Estados Unidos, por sua vez, haviam perdido somente um porta-aviões, o Yorktown, danificado na Batalha do Mar de Coral apenas um mês antes e milagrosamente reparado. A chance de o Japão obter uma vitória final diminuía, embora não se pudesse afirmar com certeza o desfecho do combate.

Os nipônicos se aproveitaram do vasto império conquistado no espaço de poucos meses. Colônias britânicas, francesas, holandesas e portuguesas, bem como bases de defesa norte-americanas e centenas de milhões de asiáticos que viviam naquelas terras, estavam disponíveis, além de todos os importantes materiais necessários à guerra – borracha, petróleo, estanho e quinina – lá produzidos. Mais de três anos de conflito foram necessários para que forças armadas norte-americanas, britânicas, australianas e de outros países conseguissem recuperar apenas uma parcela do território conquistado pelos japoneses.

A GUERRA SE VOLTA CONTRA HITLER

O ano da invasão da Rússia, 1941, foi o último do triunfo de Hitler. Na primavera e no verão seguintes, exatamente quando o Japão atingia o máximo de suas conquistas, as forças de Hitler pouco progrediam. Suas tropas capturaram a cobiçada cidade de Stalingrado, porém a perderam novamente pouco depois. Estavam sob seu domínio o litoral norte do Mar Negro, o litoral sul do Mar

6 O Império Japonês em 6 de maio de 1942

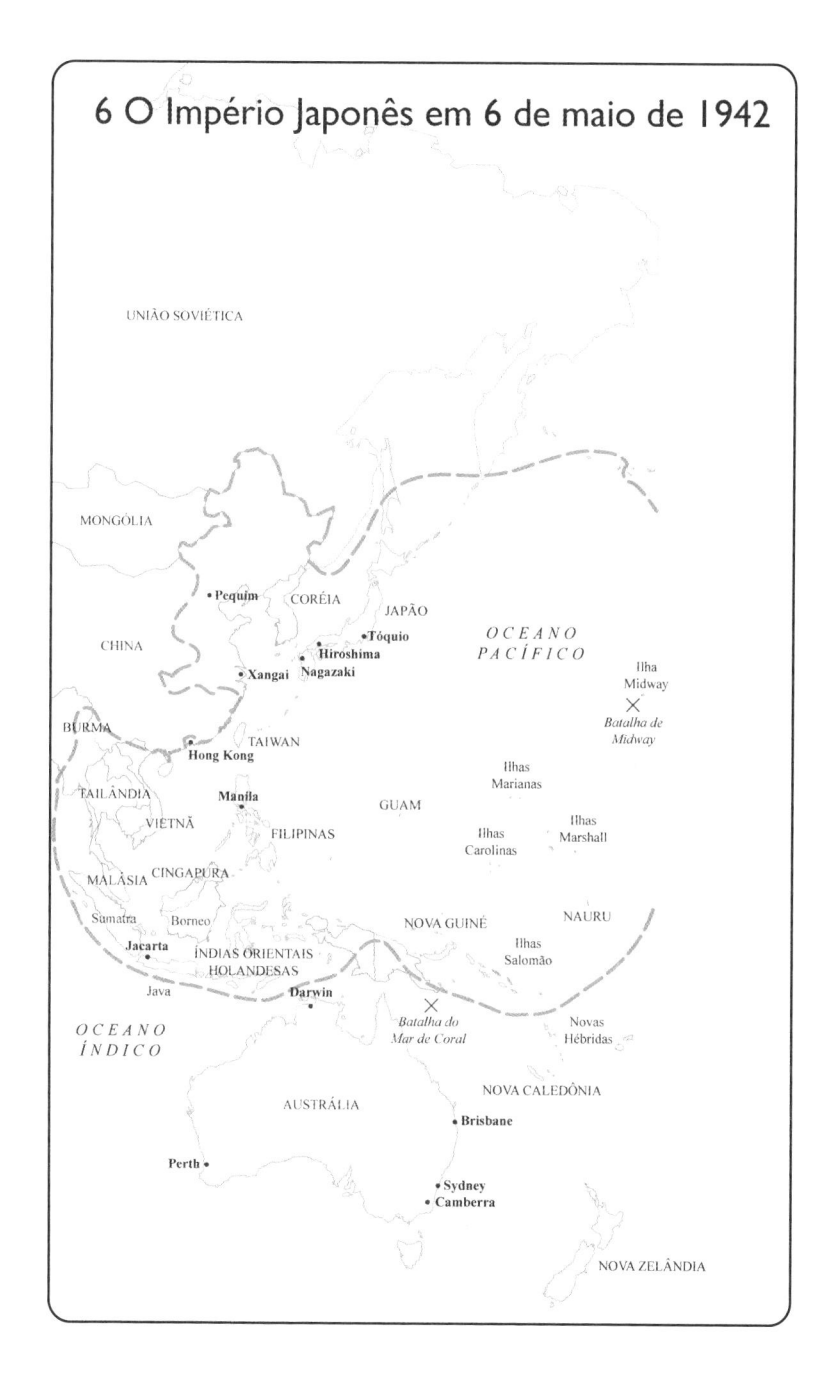

UNIÃO SOVIÉTICA

MONGÓLIA

• Pequim CORÉIA
         JAPÃO
CHINA   • Tóquio
         • Hiroshima   OCEANO
• Xangai Nagazaki   PACÍFICO
                                    Ilha
                                    Midway
BURMA   ×
         TAIWAN   Batalha de
    • Hong Kong   Midway
TAILÂNDIA   Ilhas
         Manila   Marianas
    VIETNÃ   GUAM
              FILIPINAS   Ilhas   Ilhas
    CINGAPURA   Carolinas   Marshall
MALÁSIA
 Sumatra   Borneo   NAURU
    Jacarta   NOVA GUINÉ
         ÍNDIAS ORIENTAIS   Ilhas
         HOLANDESAS   Salomão
    Java   Darwin
                    ×
OCEANO   Batalha do   Novas
ÍNDICO   Mar de Coral   Hébridas

                    NOVA CALEDÔNIA
         AUSTRÁLIA
                    • Brisbane

    Perth •
                • Sydney
                • Camberra

                        NOVA ZELÂNDIA

Báltico e uma grande parcela do oeste dos Urais russos, mas a Rússia era muito grande. Novas fábricas de munição e de aviões ficavam cada vez mais distantes dos invasores alemães. Além disso, comboios traziam suprimentos da Grã-Bretanha através de mares gelados e perigosos até portos no norte da Rússia.

A Alemanha começava a provar do próprio veneno – os bombardeios maciços. Em meados de 1942, mil aviões britânicos bombardearam a cidade de Colônia, no Reno. Os Estados Unidos, que haviam declarado guerra contra a Alemanha e o Japão, começaram a usar bases aéreas da Grã-Bretanha para partir em ataques ao solo alemão. Surgindo no horizonte como bandos de pássaros, os bombardeiros norte-americanos atacaram Berlim e outras cidades até então relativamente imunes.

> Em 1942, a Alemanha começou a provar do próprio veneno: os bombardeios maciços.

No norte da África e no Oriente Médio, as tropas alemãs e italianas, após ocuparem quase todo o litoral do Mediterrâneo, tiveram a possibilidade de tomar até mesmo o Canal de Suez, em 1942, mas não o fizeram. Foram expulsas do norte da África, instalando-se assim o trampolim para a invasão norte-americana e britânica da Sicília e de toda a Itália. Durante o verão de 1943, a Sicília foi invadida, sendo ocupada no período de quatro semanas. O extremo sul da Itália foi atacado pelo mar. Os alemães, que haviam deposto Mussolini e tomado o controle de boa parte do território italiano, defendiam-no, aproveitando as cadeias de montanhas sobre as planícies costeiras, avançando e recuando conforme fosse conveniente. A luta continuou durante seiscentos dias. Uma zona muito fortificada do norte continuava em poder dos alemães quando a guerra acabou.

Em meados de 1944, Hitler ainda imperava. Sob seu domínio, continuava toda a costa da Europa Ocidental, desde as baías norueguesas perto do Círculo Polar Ártico, ao longo da extremidade leste do Mar do Norte e do Canal da Mancha, até a Baía de Biscay, junto da fronteira da ocupada França e da neutra Espanha. Mas o Dia D, a data da prometida invasão dos aliados ao território francês, estava prestes a acontecer.

Em 6 de junho de 1944, os invasores desembarcaram na região francesa da Normandia, um ponto de ataque que Hitler não havia previsto. Protegida pela escuridão, a maior expedição naval da história, com cerca de 7 mil embarcações – de couraçados a torpedeiros, além de traineiras e navios mercantes, contando com o apoio de centenas de aviões –, aproximou-se da costa francesa. No fim do primeiro dia, 133 mil soldados aliados tinham desembarcado e outros 23 mil chegaram de paraquedas. No fim do mês, as tropas que haviam atravessado o mar, partindo da Inglaterra, contabilizavam mais de 800 mil soldados norte-americanos, britânicos e de outras nacionalidades. Os alemães foram expulsos. Paris foi retomada no fim de agosto, e Bruxelas, menos de quinze dias depois.

Quando chegou o inverno – o sexto a testemunhar a guerra –, a vitória na frente oriental estava próxima. Mas as fronteiras da Alemanha ainda não haviam sido alcançadas. Os soldados alemães eram dos mais resistentes e determinados do mundo. Não se entregariam facilmente.

Enquanto isso, as batalhas aéreas esmagavam os músculos e o espírito dos alemães. Suas fábricas, minas e siderúrgicas continuaram a trabalhar muito até 1944, quando a força e a precisão dos ataques empreendidos pelos bombardeiros britânicos e norte-americanos acabaram com a produção industrial da Alemanha. Materiais indispensáveis para a guerra se tornaram escassos. Os comandantes alemães no campo rogavam em vão por mais munição e tanques, bem como por mais apoio aéreo.

As decisões mais importantes para o mundo do pós-guerra não eram influenciadas apenas pelos fronts, mas também pelas simpatias e antipatias dos líderes das três nações que venciam o conflito. Nunca antes a decisão sobre tantos acontecimentos de importância mundial havia ficado nas mãos de apenas três personagens. No final de 1944, o futuro da Europa estava sendo decidido não somente no campo de batalha, mas também pela firmeza, pela personalidade e pelo choque de ambições dos três líderes aliados: Stalin, Roosevelt e Churchill. Os três trocavam mensagens com frequência e ocasionalmente se encontravam ao vivo. Cada um tinha os próprios interesses nacionais e mundiais. Suas ideologias, bem como as forças navais, terrestres e aéreas que comandavam eram distintas. Como em qualquer aliança formada em torno de um mesmo inimigo, não é de admirar que surgissem acirradas rivalidades internas.

De alguma forma, Franklin D. Roosevelt era o estranho entre os três líderes. Sua nação tinha sido a última a entrar no conflito, tal como havia acontecido na Primeira Guerra Mundial. Além disso, não era tão fisicamente vigoroso quanto os outros dois. Contraíra poliomielite com pouco menos de 40 anos e somente conseguia enfrentar as exigências de seu cargo graças ao auxílio de muletas e da cadeira de rodas. Oriundo de uma família rica e aristocrática da costa leste, que em parte descendia de nobres holandeses – Nova York se chamava originalmente Nova Amsterdã –, Roosevelt tinha uma visão política menos conservadora do que sua bagagem. Em cima de um palanque e vestindo um caro terno de homem de negócios, parecia mais o gentil e eloquente reitor de alguma universidade famosa ou o pastor de alguma grande congregação.

> No final de 1944, o futuro da Europa estava nas mãos de três líderes: Stalin, Roosevelt e Churchill.

Formar uma opinião sobre Stalin – tomar a decisão de acreditar nele e aceitar suas vagas promessas – não era nada fácil para os dois líderes de língua inglesa. De início, Churchill lhe deu algum crédito, mas depois recuou. Roosevelt, por sua vez, sentia certa simpatia por Stalin e seus corajosos exércitos, mesmo antes de conhecê-lo pessoalmente. No início de 1942, declarou acreditar que Stalin procurava apenas segurança para seu país. "Se ele recebesse um tratamento justo", escreveu o líder norte-americano, "não tentaria anexar nenhum país e trabalharia ao meu lado por um mundo de paz e democracia."

Nessa época, mais do que em qualquer outra, uma grande parcela da opinião pública dos Estados Unidos era simpática ao povo russo, que havia defendido sua pátria de maneira heroica e sofrido enormes perdas. Foi significativo que, após a Sinfonia de Leningrado ter sido composta por Dmitry Shostakovich, em parte enquanto o músico estava na cidade sitiada, nos Estados Unidos a peça tenha recebido o acolhimento dispensado a um ato de heroísmo quando Toscanini a regeu pela primeira vez para uma grande audiência, pelo rádio, em 1942. Durante a temporada seguinte, a sinfonia foi executada em todo o país. Nos círculos acadêmicos, a União Soviética nunca havia estado tão em alta. Alguns espetáculos norte-americanos a retratavam como uma versão exótica dos Estados Unidos, uma terra de paisagens novas, cujos grandes espaços abertos prometiam oportunidades individuais.

Ao mesmo tempo, a Grã-Bretanha demonstrava simpatia pela União Soviética, com seus ideais de emprego e igualdade social, uma vez que o trauma da depressão mundial ainda estava vivo na memória dos britânicos. Assim, Churchill e Roosevelt podiam contar com um elevado índice de apoio silencioso do público ao ocasionalmente aprovarem as ambiciosas exigências soviéticas.

Em algumas negociações, Stalin conseguiu o que queria por causa da empatia entre ele e Roosevelt. Quando, em fevereiro de 1945, os três líderes se encontraram pela última vez, em um velho palácio czarista no porto de Yalta, no Mar Negro, Stalin e Roosevelt haviam conseguido uma espécie de harmonia pessoal. Além disso, os dois compartilhavam a desconfiança em relação ao longo controle da Europa Ocidental sobre o mundo, exercido em parte por meio das colônias espalhadas pelo globo. Os dois líderes, ao contrário de Churchill, acreditavam que chegaria a época de tais colônias se libertarem, e ambos estavam determinados a acelerar esse processo.

A habilidade de Stalin para negociar provinha de sua longa experiência como governante. Além disso, com a ajuda de jornalistas simpatizantes no Ocidente, criou o boato de que havia sido maltratado por seus aliados. Na verdade, o líder soviético recebeu uma tremenda ajuda militar dos Estados Unidos e da Grã-Bretanha. Sem tal auxílio, inteligentemente oferecido, suas tropas poderiam ter sido expulsas para mais longe pelos alemães nos sombrios meses de 1942. Stalin também havia pedido a seus aliados que abrissem uma frente ocidental para que a pressão alemã contra suas tropas diminuísse. Para ele, foi um grande desapontamento que tal frente só tenha sido aberta após a invasão da Itália, em 1943, e da França, em 1944. Mas seu ressentimento em relação a isso, expresso várias vezes, não deve ser totalmente levado em conta. A guerra contra o Japão podia ser considerada uma segunda frente. Grã-Bretanha e Estados Unidos tiveram de combater o Japão – sem qualquer ajuda soviética – até as últimas semanas da Guerra do Pacífico. Stalin, entretanto, tinha a seu favor um argumento irrefutável: seus soldados e a população civil russa haviam feito grandes sacrifícios.

O COLAPSO DE BERLIM

Quaisquer que fossem os acordos firmados pelos três líderes, especialmente em Teerã, em 1943, e em Yalta, em 1945, todos sabiam que a posse era a base da lei. E, se Stalin fosse o primeiro a reconquistar uma região, teria o direito de controlá-la após a guerra. Na importante corrida em direção a Berlim, as tropas soviéticas ultrapassavam seus rivais norte-americanos e britânicos. Ao libertar Leningrado de novecentos dias de cerco, os russos voltaram a controlar portos no Mar Báltico. Em julho, chegaram perto de Varsóvia e das fronteiras orientais da Hungria e da Romênia, aproximando-se ainda mais do Rio Danúbio. Vários portões se abriram para recebê-los. Em outubro, as forças soviéticas estavam prontas para continuar a penetrar no território da Iugoslávia, onde os partidários de Tito preparavam o caminho. Belgrado caiu em 19 de outubro. Vindas dos longínquos Montes Urais, as tropas soviéticas não avançaram muito além do Mar Adriático.

No início de 1945, os russos tomaram a capital polonesa, Varsóvia, e a capital húngara, Budapeste. Assim, quando os três líderes se reuniram em Yalta para definir o futuro da Europa, as tropas russas estavam em vantagem sobre as forças norte-americanas e britânicas. Ao ocupar inicialmente um país ou território, bem como ao proteger os grupos locais de comunistas e aprisionar ou matar seus rivais, as tropas soviéticas, com seus burocratas e sua polícia secreta, prepararam o caminho para a nova ordem.

Em abril, a guerra na Europa chegava ao fim. Os russos tomaram Viena, e Berlim estava a seu alcance. Os alemães, embora se defendessem desesperadamente, foram confinados a um estreito território de seu país pelos exércitos vindos do leste e do oeste. Até na Itália, onde se encontrava cerca de um quinto de todo o exército alemão, o desfecho parecia visível. Um acontecimento simbólico foi a captura de Mussolini e sua amante por guerrilheiros italianos nas proximidades do Lago Como – os dois foram executados. Em 29 de abril, os alemães abandonaram Veneza. Um dia depois, Hitler, sitiado na capital semidestruída, preferiu cometer suicídio. Mais dois dias se passaram e os russos assumiram o controle de Berlim.

Em 7 de maio de 1945, o sexto ano da guerra, as forças alemãs se renderam incondicionalmente. Boa parte de seu país estava em ruínas – pontes destruídas, ferrovias bloqueadas, parques industriais sem teto nem paredes e os centros de grandes cidades reduzidos a pilhas de entulho, destacando-se aqui e ali o que talvez tivesse sido uma torre. Os estragos, porém, não eram tão extensos se comparados à devastação nos países onde os exércitos alemães haviam combatido e onde a força aérea havia despejado inúmeras bombas. Além disso, no fundo do mar, era corroída lentamente a grande frota de navios de guerra e de carga dos aliados, vítimas dos torpedos.

Stalin, por meio de uma negociação obstinada e também graças ao formidável fato de seus exércitos continuarem avançando, havia conseguido mais do que inicialmente desejava. Ele queria, essencialmente, o Leste Europeu: uma região de terras, línguas e culturas variadas que se estendia do Mar Negro até o Báltico. Essa vasta área incluía muito do território ocupado, antes do conflito, pela Polônia, nação pela qual a França e a Grã-Bretanha haviam declarado guerra em 1939. Compreendia ainda Tchecoslováquia, Hungria, Romênia, Bulgária, a parte oriental da Alemanha e as três nações bálticas: Estônia, Letônia e Lituânia. Para a maioria desses povos, a esperança de independência começou a apagar-se mesmo antes do fim da guerra.

CAPÍTULO 14
UMA ARMA MUITO SECRETA

Em meados de 1945, a guerra havia acabado na Europa, mas não no leste da Ásia e em áreas do litoral do Pacífico. Ainda que os britânicos tivessem retomado uma parte significativa da Birmânia, que as forças norte-americanas houvessem recuperado a maior parte das Filipinas e algumas importantes ilhas meridionais japonesas e que as aeronaves dos Estados Unidos pudessem então se valer desses avanços para lançar pesados ataques contra Tóquio, os aliados não estavam preparados para invadir o Japão.

Para uma incursão de sucesso, seria necessária uma armada norte--americana ainda maior do que a usada na invasão da França no Dia D. Um exército grande o bastante para invadir Honshu, a principal ilha do Japão, e proteger navios, transportes terrestres e aeronaves não estaria pronto antes de 1º de março de 1946. Uma invasão como essa, dizia-se em Washington, comprometeria aproximadamente 1 milhão de vidas norte-americanas, entre mortos e feridos, uma vez que o Japão provavelmente lutaria até o fim. O moral nas cidades japonesas não havia sido abalado pelo intenso bombardeio que iluminara Tóquio nos últimos dias de maio de 1945. O exército nipônico estava determinado a lutar. Milhares de jovens pilotos camicases aguardavam a oportunidade de se sacrificar em ataques suicidas, efetuados por pequenos aviões, contra bases e navios de guerra dos Estados Unidos.

Poderiam os norte-americanos e britânicos – talvez com a ajuda dos russos – preparar uma invasão efetiva ao Japão? O debate era travado em sigilo absoluto em Washington. Havia um plano alternativo já pronto. Desconhecida pelos líderes japoneses e por Stalin, os norte-americanos mantinham uma arma cujas origens tortuosas remontavam aos anos de paz que precederam a Segunda Guerra Mundial.

SOB O ESTÁDIO

Albert Einstein, o mais famoso cientista do mundo, exerceu alguma influência na concepção dessa terrível arma. Em agosto de 1939, ele se encontrava em sua casa de férias em Long Island, perto da cidade de Nova York, e, a pedido de amigos, escreveu ao presidente dos Estados Unidos, país onde tinha passado a viver, comentando que experiências secretas com a "reação nuclear em cadeia" poderiam produzir um tipo incomum de bomba. Sobre seu enorme poder destrutivo, Einstein tinha poucas dúvidas: "Uma bomba desse tipo, transportada de barco e detonada em um porto, pode muito bem destruí-lo, bem como a região em volta." Mas por que transportá-la num barco? Porque, ouvindo a opinião de especialistas, Einstein concluiu que talvez fosse pesada demais para ser levada de avião.

Os conselhos do cientista serviram como aviso sobre o preço que Hitler e Mussolini poderiam pagar pelos maus-tratos aos judeus – Einstein era um judeu alemão dizendo aos Estados Unidos como se defender de sua antiga pátria. O próprio desenvolvimento da bomba foi beneficiado pelas pesquisas de outro refugiado, o brilhante físico italiano Enrico Fermi, chegado pouco tempo antes à América, acompanhado da esposa judia e dos dois filhos, inseguros quanto ao que lhes poderia acontecer na Itália.

Fermi participou de experiências nucleares na Universidade de Chicago. Em 1942, após o ingresso dos Estados Unidos na guerra, ele usou o estádio da universidade como refúgio seguro para criar uma reação atômica em cadeia. Fermi e sua equipe construíram o primeiro reator nuclear com o precioso urânio, transportado de navio da região de Katanga, no Congo Belga (atual Zaire).

Em 2 de dezembro de 1942, o reator nuclear ficou pronto, e vários instrumentos estavam preparados para medir sua radioatividade e outros efeitos. De brincadeira, Fermi e sua equipe deram a cada instrumento um nome retirado do popular livro infantil *O Ursinho Puff*. A delicada experiência então começou: a reação de fissão nuclear teve início e o plutônio, principal ingrediente da arma nuclear, foi obtido. Fermi declarou que a experiência tinha sido um sucesso e a comemoração foi regada a vinho servido em copos de papel.

A LUZ OFUSCANTE DOS ÁLAMOS

Cerca de dois anos e meio após a primeira experiência bem-sucedida de Fermi, a bomba atômica norte-americana estava pronta para ser testada. Embora se tratasse de um segredo guardado a sete chaves, a nova arma anunciou o próprio nascimento. Em 16 de julho de 1945, pouco antes do nascer do sol, a senhora H. E. Wieselman dirigia ainda na escuridão, cruzando a fronteira entre o Arizona e o Novo México, quando, de repente, as altas montanhas foram banhadas por uma cor meio vermelha, meio alaranjada durante cerca de três segundos. "Foi como se o sol tivesse se levantado e rapidamente se posto outra vez", ela recordou. Em outra estrada, uma mulher cega conduzida em um carro passou pela espantosa sensação de ter "visto" uma luz brilhante.

Esse foi um dos dias mais importantes na história da humanidade, mas o governo conseguiu manter o acontecimento fora de quase todos os boletins de rádio e manchetes de jornal dos Estados Unidos, adotando como álibi oficial para a luz ofuscante a explosão de um depósito de munição. O fato de que os Estados Unidos estavam testando uma bomba atômica para ser usada contra o Japão foi um dos poucos segredos de guerra que realmente permaneceram em sigilo.

A notícia de que a experiência fora um sucesso chegou ao presidente Harry Truman, que havia assumido o poder após a morte de Roosevelt, três meses antes. O dilema de Truman era decidir se usava uma das duas bombas atômicas de que dispunha em seu arsenal. O presidente não tinha intenção de usá-las se os japoneses se rendessem, mas eles se recusavam categoricamente a fazê-lo.

Para lançar a nova arma contra um alvo japonês, era necessário um bombardeiro pesado e de longo alcance. Os norte-americanos possuíam tal avião, a superfortaleza voadora B-29. Movido por quatro motores que faziam um barulho ensurdecedor, podia voar 3 mil quilômetros até o alvo e retornar à base. Um novo campo de aviação apropriado encontrava-se disponível, na ilha tropical de Tinian (no arquipélago das Ilhas Marianas), localizada 15 graus ao norte do Equador e tomada dos japoneses um ano antes. Assim, em 6 de agosto de 1945, uma pesada bomba atômica foi transportada da Califórnia por um navio e colocada em um avião bombardeiro.

> EM 6 DE AGOSTO DE 1945, UMA PESADA BOMBA ATÔMICA FOI COLOCADA EM UM AVIÃO BOMBARDEIRO. O ALVO ERA A CIDADE DE HIROSHIMA.

O alvo era o porto da cidade de Hiroshima. Oitava maior cidade japonesa, era uma base naval, um quartel-general e uma grande fabricante de agulhas. Naquela manhã de verão, os habitantes haviam saído para trabalhar – a maioria nas fábricas surgidas durante o período da guerra –, sem saber que tinham sido escolhidos, no último instante, como alvo de uma experiência. O grande bombardeiro começou a sobrevoar a movimentada cidade às 8h15 e lançou a bomba, que explodiu antes de chegar ao solo. A explosão concebida pelo engenho humano, a maior da história mundial, destruiu a parte central da cidade. Mesmo a 500 quilômetros de distância, o manto de fumaça branca pôde ser avistado.

Inicialmente, os líderes japoneses não deram sinais de que iriam se render. Afinal, por que deveriam? Sua honra e seu espírito de luta estavam em jogo. Três dias após o ataque a Hiroshima, ouviu-se um bombardeiro americano aproximar-se da cidade de Nagasaki. Muitos dos que correram pelas ruas de repente avistaram um clarão ofuscante, quase branco. O mundo que conheciam veio abaixo.

Durante o intervalo entre a explosão da primeira e da segunda bomba atômica, a União Soviética entrou na guerra contra o Japão. Soldados e veículos de combate que não eram mais necessários na Europa invadiram a Manchúria – ocupada pelos nipônicos –, cruzando velozmente o interior em pleno verão. Essa invasão deu aos japoneses um motivo a mais para se renderem. Mas o medo, tanto da bomba atômica quanto de uma invasão norte-americana, foi a principal ameaça que convenceu o imperador Hirohito e seu governo de que a nação deveria depor armas. Em 14 de agosto de 1945, o Japão se rendeu.

As bombas atômicas foram significativas não apenas porque deram fim à Segunda Guerra Mundial, mas também por sua capacidade de destruição. Seriam os cientistas e políticos capazes de lidar com o enorme poder que lhes fora confiado? Essa foi a questão mais importante e atormentadora nos últimos meses de 1945. O acontecimento mais destrutivo da história humana – seis anos de guerra culminando em duas poderosas explosões – mal havia chegado ao fim. Adolf Hitler, talvez o mais cruel tirano da história moderna, morrera pouco tempo antes. Joseph Stalin, outro tirano, cujas ações o mundo ainda não conhecia bem, continuava no poder. Ninguém poderia ter certeza de que a era da destruição havia chegado ao fim.

Observadores inteligentes, século após século, têm considerado os perigos e os benefícios de permitir a concentração de um grande poder nas mãos de uma só pessoa. As religiões importantes, cada uma a seu modo, tratam desse dilema. Nos tempos modernos, o estudioso que mais notavelmente se expressou a esse respeito foi o lorde Acton, um historiador nascido em Nápoles que passou a maior parte de sua vida acadêmica na Inglaterra e morreu na Alemanha no início do século 20. Como católico devoto, que percebia tanto o bem quanto o mal da natureza humana, pensou profundamente no prejuízo moral que se abate sobre os muito poderosos e no prejuízo físico e emocional infligido aos que ficam à mercê desse poder.

Em uma carta particular, Acton registrou algumas palavras de alerta que vieram a público apenas depois de sua morte. Tais palavras se tornaram especialmente expressivas quando Stalin, Hitler e outros líderes se destacaram, uma geração mais tarde. "O poder tende a corromper, o poder absoluto corrompe absolutamente", escreveu. "Grandes homens quase sempre são homens maus", acrescentou com mais melancolia do que se desejaria.

PARTE 3

CAPÍTULO 15
CAI O PANO

A mais devastadora guerra da história mundial havia ocorrido. O número de militares e civis mortos, mesmo em contagem parcial, era maior do que o da Primeira Guerra. A destruição de casas, escolas, igrejas, sinagogas, estradas, pontes, ferrovias, portos, fábricas, escritórios, aviões, navios, bem como outros equipamentos de uso militar em tantos países rivalizava, em seu total, com a devastação causada por todos os desastres naturais ao longo do século anterior. A capacidade global de produzir alimentos a curto prazo fora reduzida, uma vez que muitas terras próprias para cultivo estavam danificadas, animais de criação haviam sido mortos e moinhos de farinha, cervejarias e panificadoras estavam em destroços. A comida continuou escassa por muito tempo após o fim da guerra.

O mapa do mundo, drasticamente refeito com a Primeira Guerra Mundial, não passou por mudanças tão bruscas com a Segunda Guerra. Quase todas as colônias europeias foram mantidas. Entretanto, nos anos seguintes, os dramáticos efeitos dos movimentos de libertação foram sentidos na Índia, na Indonésia e em muitas regiões do Terceiro Mundo. As três grandes nações europeias – Grã-Bretanha, Alemanha e França – ficaram permanentemente enfraquecidas. A Grã-Bretanha estava financeira e industrialmente exausta. Nunca antes o vencedor de uma grande guerra havia ficado tão desgastado.

As grandes potências eram então apenas duas: os Estados Unidos e a União Soviética. Cada uma delas era uma nação de enorme extensão territorial, de proporções continentais, enquanto os países da Europa Ocidental possuíam territórios relativamente pequenos, mas extensas colônias ultramarinas. Curiosamente, as superpotências – palavra nova no vocabulário político – não "possuíam" praticamente nada no Hemisfério Sul, onde os gigantes do passado, como Espanha, Holanda, Portugal, Grã-Bretanha, França e até mesmo a Alemanha imperial, tinham colônias. Havia também outra novidade: as duas superpotências não eram vizinhas. Washington e Moscou estavam mais distantes uma da outra do que quaisquer capitais de dois rivais mundiais já haviam estado.

Inicialmente, houve uma esperança de que essas grandes potências fossem mantidas sob controle por uma nova versão da Liga das Nações. A primeira tentativa havia falhado; a segunda deveria funcionar. O principal incentivador da nova liga foram os Estados Unidos, que tinham ajudado a fundar a liga original, abandonando-a depois. Stalin e Churchill não se mostraram muito entusiasmados, mas Roosevelt parecia determinado. Entretanto, o presidente americano morreu pouco tempo antes da conferência que deu início à Organização das Nações Unidas.

Em 25 de abril de 1945, no grande salão de reuniões de São Francisco, encontraram-se 850 representantes, entre eles cinco primeiros-ministros e 37 ministros das Relações Exteriores. Foi um encontro de vencedores – os perdedores se juntariam ao grupo mais tarde –, e mesmo eles estavam divididos. A União Soviética não se daria por satisfeita com a nova ONU se suas repúblicas-satélite não pudessem igualmente se tornar membros. A França também não ficaria contente se não obtivesse um lugar no Conselho de Segurança, ao lado das outras quatro grandes nações – União Soviética, Estados Unidos, Grã-Bretanha e China –, com as mesmas prerrogativas. Mesmo entre os pequenos países ocorriam disputas. Uma reclamação frequentemente ouvida era a de que as nações da América Latina, que pouco haviam contribuído para a vitória, respondiam por uma soma considerável de votos.

ATRÁS DA CORTINA DE FERRO

Em maio de 1945, os exércitos soviéticos estavam presentes na maioria dos países das zonas central e leste da Europa, acompanhados de numerosos burocratas e da polícia secreta. Roosevelt tinha esperança de que cada uma das nações dessa grande região pudesse, talvez sob a proteção da União Soviética, definir as próprias políticas nacionais – mas Stalin preferiu encarregar-se disso. Sob suas ordens, a Polônia foi ocupada. Em alguns países dominados, inicialmente os governos eram compostos por comunistas e seus rivais, mas logo os primeiros assumiram o controle, livrando-se dos oponentes, que eram transferidos para postos de comando menos importantes ou então mandados para a prisão ou para uma sepultura sem identificação. Nas três pequenas repúblicas bálticas – Letônia, Estônia e Lituânia –, que se mantiveram independentes durante o período entreguerras, não houve uma só semana de autonomia. Em 1945, tornaram-se parte da União Soviética, para cujas repúblicas remotas foram enviados muitos de seus líderes.

No início, parecia que a Tchecoslováquia conseguiria manter-se independente durante aquele período turbulento. Nas eleições livres de maio de 1946, o Partido Comunista não alcançou a maioria dos votos. Em seguida, porém, um ministério de coalizão foi formado sob a liderança do comunista Klement Gottwald. Como era de costume, os comunistas tomaram o controle da força policial tcheca, o que levou os ministros oponentes a renunciar em protesto. Em março de 1948, um dos mais famosos políticos do país, Jan Masaryk, misteriosamente caiu da janela de seu escritório e morreu. Quinze dias depois, quando Gottwald rearticulou o ministério, havia nele apenas comunistas.

Moscou apertava com firmeza o laço em volta do Leste Europeu. A crítica séria era reprimida. As igrejas, especialmente a católica, eram perseguidas. Em 1949, Mindszenty, o cardeal de Budapeste, foi condenado à prisão perpétua, e o arcebispo Beran foi preso em Praga e mantido em local não revelado, ficando incomunicável. Na pequena Lituânia, onde havia um número considerável de católicos, 1,3 mil padres permaneciam relativamente livres em 1947. Nos três anos seguintes, cerca de mil deles foram presos ou deportados por autoridades russas.

A maioria dos intelectuais percebeu que não havia futuro para ideias independentes, exceto em Agricultura, Matemática, Física, Engenharia e outras áreas menos politizadas. A maioria dos escritores obedeceu. Os que mantiveram a independência só escreviam na privacidade de seus quartos, mas ninguém ousava publicar nada. Proprietários de empresas privadas, de qualquer tamanho, tinham pouco futuro – alguns eram declarados inimigos do povo e tinham sorte em continuar vivos. As fábricas, minas e lojas estatizadas, além das fazendas coletivas e de outros empreendimentos públicos, dominavam a economia, embora entre as curiosas exceções estivessem as pequenas fazendas particulares, cuja existência acabou sendo permitida em toda a Polônia.

Apesar da opressão do partido único, a vida cotidiana no Leste Europeu voltou ao seu curso. Depois que a economia completou o lento retorno à normalidade, a maior parte das pessoas conseguiu moradia (embora bem pequena), acesso a médicos e hospitais, férias remuneradas, cerveja e tabaco. Possivelmente, aqueles que estavam na parte de baixo da pirâmide social possuíam mais bens materiais do que seus avós haviam possuído quando tinham a mesma idade.

> APÓS A SEGUNDA GUERRA, APESAR DA OPRESSÃO DO PARTIDO ÚNICO, A VIDA NO LESTE EUROPEU VOLTOU AO SEU CURSO. A MAIORIA DAS PESSOAS TINHA ACESSO A MORADIA, COMIDA E HOSPITAIS.

GUERRA FRIA OU PAZ QUENTE?

A derrotada Alemanha estava dividida. Os Estados Unidos, por meio do Plano Marshall, generosamente financiaram o restabelecimento da Alemanha Ocidental – ajuda que a região sob controle soviético se recusou a aceitar – e lá a economia foi recuperada. Os russos tomaram maquinário e equipamentos valiosos, além de se apoderarem de mercadorias em sua zona na Alemanha Oriental, e a economia local sofreu as consequências. As pessoas começaram a sair de uma parte da Alemanha e ir para a outra. Em 1950, havia praticamente duas economias alemãs: uma vigorosa, no oeste, e outra restrita, no leste.

A divisão econômica foi acompanhada pela divisão política. Logo, havia duas entidades distintas: a República Federativa da Alemanha, no oeste, e a República Democrática Alemã, no leste. Para a defesa, uma Alemanha dependia dos EUA e da nova aliança chamada Organização do Tratado do Atlântico Norte (OTAN), enquanto a outra, a oriental, dependia da União Soviética e de sua organização para defesa, chamada Pacto de Varsóvia.

Berlim, a antiga capital da velha e unida Alemanha, era um território pequeno e isolado dentro da zona soviética. Dependia do petróleo e dos alimentos que vinham de fora e estava vulnerável à pressão de Moscou, que inesperadamente, em 1947, ordenou o bloqueio das linhas férreas, das estradas e dos canais por onde a maioria dos suprimentos da Alemanha Ocidental chegava à cidade. Britânicos e americanos reagiram, usando o caro expediente de enviar suprimentos por via aérea. Cerca de cem aviões chegavam por dia, muitos com carregamentos de carvão. Por mais de um ano, o transporte aéreo continuou. Encontrou-se uma solução sem que fosse preciso iniciar um novo conflito. Por meio de um acordo, a cidade de Berlim foi dividida em duas zonas opostas: uma ocidental e outra comunista. Essa divisão de toda a Alemanha e também de Berlim não havia sido planejada pelos vitoriosos no fim da guerra – ela simplesmente aconteceu.

Cunhou-se uma expressão para descrever a divisão política e econômica na Europa e, especificamente, na Alemanha. Costumava-se dizer que uma "cortina de ferro" separava países democráticos de países comunistas. Embora Winston Churchill não fosse o autor da expressão, foi ele quem a popularizou. Em 1920, Ethel Snowden, ao

7 A cortina de ferro, 1948

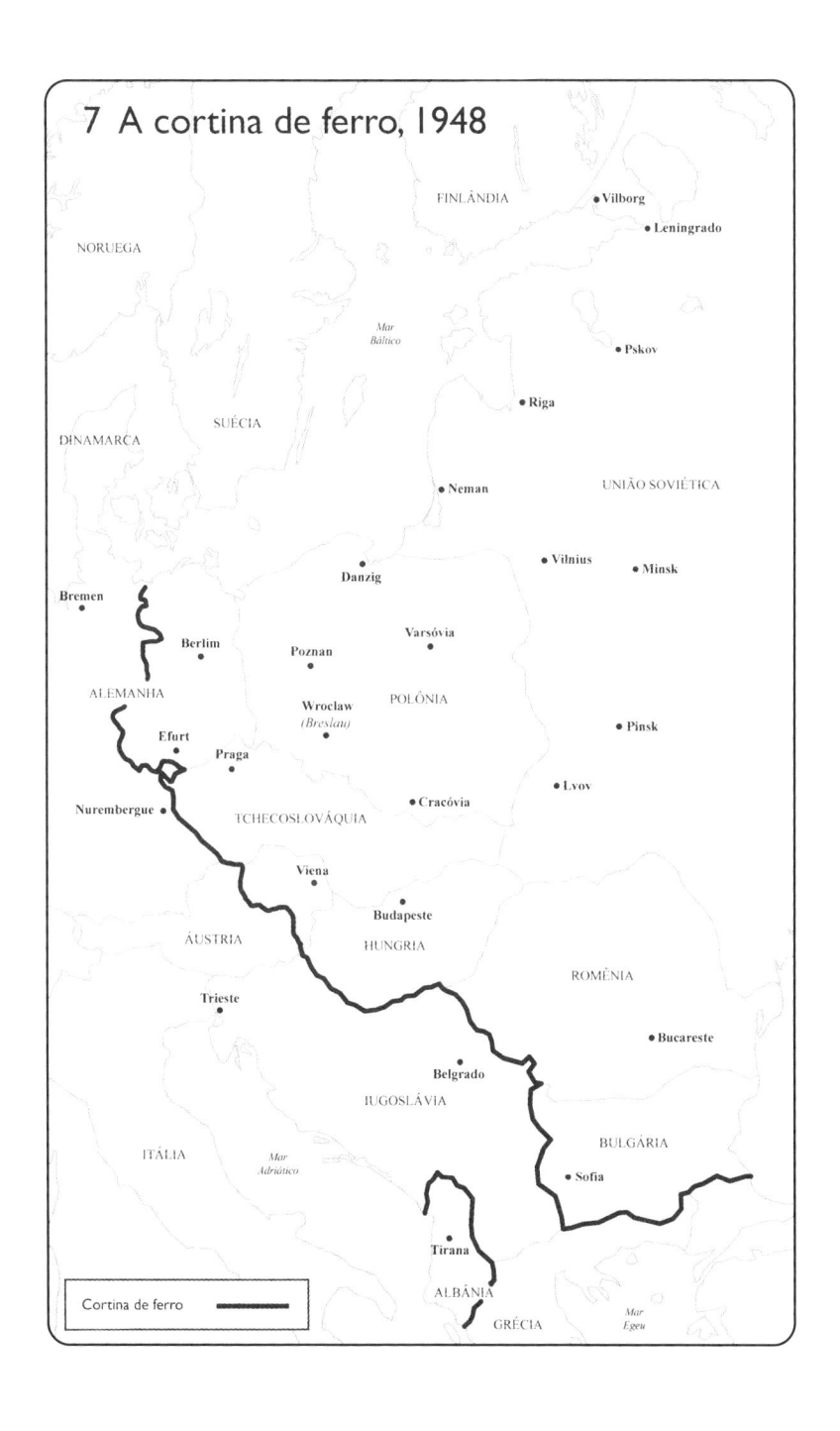

Cortina de ferro ▬▬▬

viajar para São Petersburgo com uma delegação do Partido Trabalhista britânico, escreveu que eles finalmente estavam "atrás da cortina de ferro". Após ficar esquecido por um quarto de século, o incisivo termo foi revivido por Churchill. Em 1946, durante um discurso proferido em uma pequena universidade norte-americana, ele lançou para o mundo a expressão, que logo estaria gravada em milhões de mentes.

Outra expressão que acompanharia aquela como uma irmã siamesa é *guerra fria*. "Não vamos nos enganar", escreveu o financista americano Bernard Baruch, em 1947, "hoje estamos em meio a uma guerra fria". Entretanto, somente o uso imaginativo da palavra *guerra* poderia descrever apropriadamente as relações entre os Estados Unidos e a União Soviética – que se assemelhavam mais a uma quente e tensa paz. A frase caiu no gosto do público e passou a retratar o clima de toda uma época. Essas expressões gêmeas, *guerra fria* e *cortina de ferro*, foram lançadas por homens na casa dos 70 anos de idade, que morreram muito antes que a fenda tão vividamente por eles descrita começasse a desaparecer.

A extensão da cortina de ferro, lamentada por Churchill, ainda não era precisa. Acabou por se estender do Báltico até o Mar Negro, como um grande inchaço por todo o Adriático. Duas nações adriáticas, a Iugoslávia e a Albânia, tornaram-se comunistas por meio de eleições livres. A Iugoslávia não rezava pela cartilha de Stalin e foi expulsa da liga soviética de nações afins, o Cominform, em 1948. A Albânia acabou rompendo com Moscou ao tornar-se aliada da China comunista.

A BOMBA DO DOUTOR SAKHAROV

A Rússia queria com urgência uma bomba atômica. Em 1949, com o auxílio de seu incansável serviço de espionagem, o país conseguiu desenvolver a arma. Mas não era o bastante. Quando Washington planejou a mais poderosa bomba de hidrogênio, os russos acharam que também precisavam ter a sua.

Um jovem físico chamado Andrei Sakharov liderou a pesquisa nuclear russa. Fruto da *intelligentsia* que já se destacava do *establishment* soviético, Sakharov criou uma apaixonada comparação entre a física teórica e uma sinfonia cheia de mistério e imensamente poderosa. Convocado em 1948 para o secretíssimo projeto de pesquisa atômica, relutou em entrar naquela densa atmosfera de segredos, mas concluiu com satisfação que estava trabalhando em um "genuíno paraíso de teóricos". Quando, em 1953, a Rússia finalmente obtete sua bomba de hidrogênio, ele tornou-se um herói. Enquanto isso, debates e deliberações entre os Estados Unidos e a União Soviética raramente faziam que um dos lados mudasse de ideia. O Conselho de Segurança parecia mais um jogo de xadrez de estratégia defensiva do que um lugar para o debate. Enquanto a União Soviética desenvolvia e testava armas nucleares, a relutância das superpotências em firmar acordos intensificava o temor de uma guerra atômica.

A maioria das pessoas bem-informadas do Ocidente achava que ainda veria outra grande guerra, com o emprego de armas atômicas. Mas em meio a toda a melancolia havia também otimistas. A União Soviética tinha sua cota de esperançosos, incentivados pela teoria marxista, a qual prometia uma inevitável vitória do bem sobre o mal.

A forte posição do comunismo no mundo, alguns anos após a Segunda Guerra Mundial, desafiava os ocidentais que criticavam o regime. A União Soviética possuía forças militares muito superiores, controlava um extenso território na Europa e na Ásia e sua ideologia guiava revolucionários em países e colônias da Europa, Ásia e América do Sul. O comunismo ainda alcançaria muitos triunfos, e a China era apontada como o local da próxima vitória.

A LONGA MARCHA DA CHINA

No começo do século, a China possuía todos os ingredientes possíveis para uma revolução política. Era um país rural, pobre, com um governo de péssima qualidade e exerce no mundo um papel de pouca importância, mesmo que ideias estrangeiras estivessem minando algumas de suas tradições. Possuía, após 1910, um círculo cada vez maior de críticos patriotas e pretensos políticos. Para eles, a notícia da vitória dos bolcheviques em São Petersburgo, em 1917, foi como um deslumbrante raio de luz.

Um dos que ficaram deslumbrados foi Mao Tsé-tung. Filho de um proprietário de terras e de uma devota budista, viveu com a família em uma área de 4 acres nos férteis campos de arroz ao sul do Rio Yang-tse. Mao estudou na escola de formação de professores antes de se tornar assistente na biblioteca da Universidade de Pequim. Quando o Partido Comunista Chinês foi criado, em 1921, na cidade portuária de Xangai, ele se tornou um de seus primeiros membros.

Durante muitos anos, a União Soviética estivera menos interessada no Partido Comunista Chinês do que no predominante Partido Nacionalista, o Kuomintang. Partido moderado, liderado pelo dr. Sun Yat-sen, o Kuomintang se espelhava no Partido Comunista Russo e tinha exército próprio. Durante algum tempo, o recém-criado partido comunista e os poderosos nacionalistas atuaram em conjunto. A aliança foi rompida em 1927. O novo líder dos nacionalistas, o jovem general Chiang Kai-shek, obteve apoio financeiro de alguns cidadãos ricos de Xangai, concordando em expulsar da cidade os comunistas mais destacados e os líderes dos sindicatos trabalhistas. Em abril de 1927, em Xangai, muitos foram assassinados.

Forçados a se refugiar nas montanhas, os líderes comunistas conseguiram obter o controle de seis territórios independentes ao longo do Rio Yang-tse. Em 1933, a região em que Mao se encontrava, nas montanhas perto da fronteira da sua província natal, Hunan, tornou-se o quartel-general do então ilegal Partido Comunista Chinês. Dois anos mais tarde, Mao seria seu líder nacional. Os heterogêneos exércitos dessas zonas comunistas independentes continuavam a crescer.

Ao general Chiang Kai-shek não restava alternativa senão atacar os comunistas. Seus exércitos, com a colaboração de instrutores e conselheiros alemães, forçaram a retirada dos soldados vermelhos para longe da costa. No final de 1935, Mao liderou seu exército e seus leais seguidores em uma longa e tortuosa marcha em direção ao noroeste da China, o que salvou os comunistas. Sua nova e isolada fortaleza no norte da província de Shaanxi era inconquistável. O povoado de Paoan, ornamentado com bandeiras vermelhas estampadas com a foice e o martelo, era seu campo de treinamento e planejamento. Lá, Mao vivia em uma caverna, tendo como luxo uma janela de vidro por onde entrava um pouco da luz do dia. Uma sentinela guardava a trilha de terra batida que levava ao esconderijo, uma vez que o líder tinha a cabeça a prêmio.

Quando os japoneses invadiram a China, em 1937, nacionalistas e comunistas concordaram em unir esforços contra o inimigo comum. Uma vez que o governo estava sob controle dos nacionalistas, era com eles que a população mais contava, mas tal esperança foi em vão. Os nacionalistas não possuíam o mesmo talento para a organização demonstrado por Mao. Faltava a seus oficiais a dedicação dos comunistas,

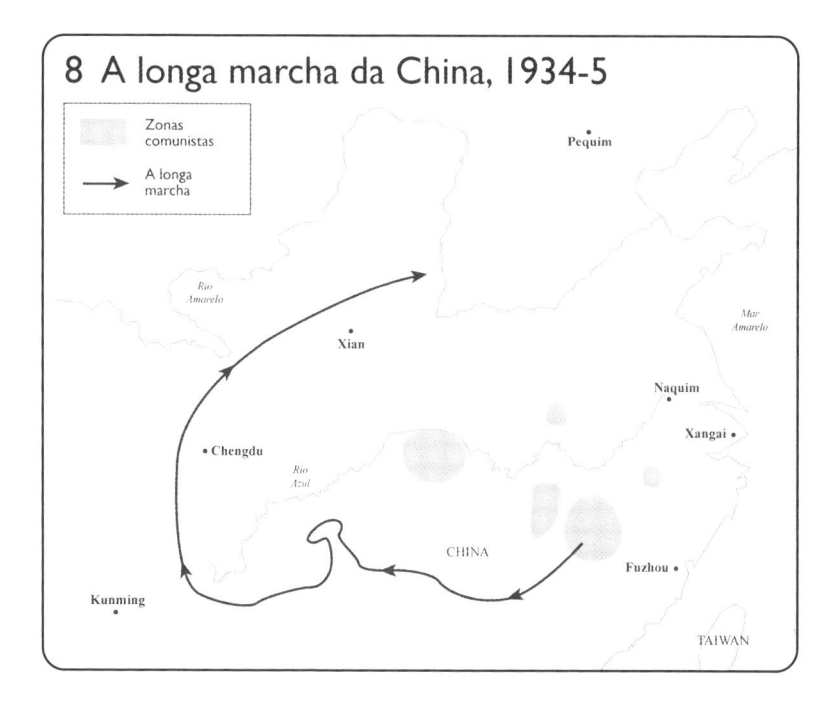

8 A longa marcha da China, 1934-5

além de parecerem um tanto indiferentes em relação ao invasor. No fim, o governo nacionalista fugiu para a isolada cidade de Chungking, no oeste, deixando que os japoneses assumissem o controle da metade leste do país.

Naquele território tumultuado pela guerra, o comunismo espalhava sua mensagem. "Pode-se avistar a nova China surgindo no horizonte", Mao proclamou em 1942. Ele era o líder vigoroso pelo qual ansiava uma nação desejosa de se ver livre de influências estrangeiras e de seu passado. Mao levava as grandiosas teorias marxistas para o nível realista dos campos de arroz. Poeta, possuía talento para criar slogans e frases de efeito. *Tigre de papel* era uma das suas expressões favoritas: certa vez, declarou com desdém que a bomba atômica era um tigre de papel usado pelos americanos para amedrontar os pobres chineses – embora tenha mudado um pouco esse discurso quando a China desenvolveu uma arma atômica, em 1964.

No fim da Segunda Guerra Mundial, os invasores japoneses retornaram para casa. Nacionalistas e comunistas, após uma difícil trégua, estavam prontos para retomar sua contenda. Em outubro de 1949, para desgosto dos norte-americanos, os comunistas venceram. Mao finalmente se estabeleceu no poder em Pequim, cidade na qual, trinta anos antes, havia sido um humilde arrumador de livros. Seu inimigo mortal, o general Chiang Kai-shek, instituiu uma república chinesa própria na ilha de Taiwan.

A vitória do comunismo na China provocou calafrios em vários líderes ocidentais. Um pedaço do território comunista estendia-se desde o Mediterrâneo e o Mar Negro até as costas do Oceano Pacífico, passando pelo Mar Cáspio, pelas estepes siberianas, pelo Deserto da Mongólia e pelas montanhas tibetanas, as quais se tornaram a primeira conquista de território estrangeiro de Mao Tsé-tung após sua vitória total em casa. Nessa área vermelha, distribuída pela Ásia e pela Europa, vivia aproximadamente um terço da população mundial. Seria esse território o trampolim para uma expansão ainda maior? Tal medo – ou esperança – se espalhava por muitas partes do mundo, e não menos na Coreia.

A GUERRA DA COREIA

A Coreia é parecida com a Itália, comprida e estreita, cercada pelo mar em três de seus quatro lados. Ao norte estão as montanhas, cobertas de neve no inverno, enquanto a leste se estende uma cordilheira escarpada, de onde brotam rios curtos e caudalosos. No oeste, de frente para o Mar Amarelo e a costa da China, existem enseadas frequentemente envoltas em neblina, cuja variação no nível das águas faz os barcos amarrados nos ancoradouros encalharem na lama durante a maré baixa.

Os coreanos haviam recebido dos vitoriosos aliados a promessa de independência durante a Segunda Guerra Mundial. Não foi fácil cumprir o prometido. Forças russas invadiram a Coreia do Norte nos últimos dias da guerra e a mantiveram sob seu domínio após a rendição japonesa. A assembleia das Nações Unidas determinou a realização de eleições livres em todo o território coreano, a fim de escolher um governo único, mas os norte-coreanos – com a bênção soviética – se recusaram a obedecer. Assim, outra cortina de ferro surgiu: uma democracia ao sul e um estado comunista fortemente armado ao norte.

A Coreia do Norte planejava aproveitar-se de uma grande fatia das ricas terras do sul. Ao amanhecer do dia 25 de junho de 1950, seus soldados e um grande contingente de tanques soviéticos invadiram a Coreia do Sul, tomando rapidamente a capital, Seul, perto da cortina de ferro. Os invasores ocuparam uma grande parte do país antes que o exército norte-americano, então no Japão, pudesse levar socorro.

Seria aquele o prelúdio de outras invasões comunistas em territórios vulneráveis que se estendiam da Grécia até Hong Kong? A invasão da Coreia provocou uma intensa angústia nas nações ocidentais. O Conselho de Segurança fez uma reunião de emergência em Nova York. O representante russo havia abandonado a organização alguns meses antes, em protesto, e continuava ausente. Assim, a União Soviética não pôde exercer seu direito de veto contra a enfática resolução que planejava restituir o legítimo governo de Seul. A velha Liga das Nações nunca havia empreendido ação que envolvesse forças armadas. As Nações Unidas, porém, diante da crise na Coreia, acabaram optando por uma operação militar.

As forças das Nações Unidas, compostas por 16 países e lideradas pelo general Douglas MacArthur, logo dominaram o espaço aéreo. Em terra, entretanto, o inimigo era forte. Os exércitos da ONU eram visivelmente menos numerosos, em especial após a chegada, em novembro de 1950, de tropas chinesas em auxílio dos invasores norte-coreanos. No fim, a participação de forças chinesas era tamanha – suas perdas chegaram a um total de 900 mil homens – que a condição da Coreia do Sul se tornou desesperadora. Após três anos, um armistício foi assinado. Coube uma região aos coreanos do norte e outra aos coreanos do sul. Uma nova cortina de ferro separou a península e, até o fim do século, essa cortina continuava firme em seu lugar.

UMA MUDANÇA NO MAPA

Nos dez anos após o fim da Segunda Guerra Mundial, muitos dos eventos mais importantes do mundo aconteceram na Ásia, entre eles o lançamento das primeiras bombas atômicas, a vitória do comunismo na China e o conflito na Coreia, onde, pela última vez naquele século, duas grandes potências – China e Estados Unidos – se enfrentaram. Durante o século 19, ao contrário, talvez nenhum acontecimento político de importância global tenha ocorrido na Ásia.

Os fatos relevantes que se passaram no leste da Ásia, no espaço de poucos anos, refletiram uma drástica mudança na geografia política. O Oceano Pacífico, com o Japão, a China e uma parte afastada da União Soviética de um lado e os Estados Unidos de outro, começava a desafiar o Atlântico como centro do poder internacional. Ao mesmo tempo, outro evento refletiu o renascimento da Ásia: a independência da Índia. O longo reinado dos impérios ultramarinos da Europa Ocidental estava muito perto do fim.

CAPÍTULO 16
A FLECHA FLAMEJANTE E OS VENTOS DA MUDANÇA

A população dos grandes países europeus se orgulhava de suas colônias. Era algo que lhes conferia prestígio, principalmente no início do século 20. Apareciam, pela primeira vez, os mapas coloridos nas salas de aula, e as crianças britânicas se alegravam ao ver boa parte do mundo pintada com o vermelho de seu país. Alemanha e Itália, que se juntaram tardiamente à corrida da colonização, sentiam-se ludibriadas de alguma forma por não participar da divisão de terras estrangeiras. Por outro lado, alguns estadistas – uma minoria eloquente – consideravam as colônias mais um problema do que um prêmio. Richard Cobden, um defensor britânico do livre-comércio, uma vez perguntou o que aconteceria "se a França tomasse o controle completo da África". Ele mesmo respondeu que isso não prejudicaria ninguém, "a não ser a própria França". Certamente algumas colônias representavam vantagem econômica, mas muitas eram uma perda total.

Algo que atesta isso é o fato de, às vésperas da Segunda Guerra Mundial, a Alemanha ter estado em vantagem militar por não possuir nenhuma colônia, enquanto Grã-Bretanha e França ficavam imobilizadas graças às tantas que controlavam. Uma potência colonialista requer uma grande marinha, o que consome recursos financeiros. A manutenção do poder nos mares devorou o dinheiro que poderia ter sido empregado em aeronaves. A estratégia de defender as colônias ao sul e ao norte do Equador também levou a uma dispersão de forças: algumas tropas permaneciam na Europa, embora fossem necessárias em outros lugares, e vice-versa. Grã-Bretanha e França haviam enfrentado crises em 1940 em parte porque ambas tentavam estender seus recursos militares a todo o mundo colonial. O violento ataque de Hitler provou quão perigosamente esses recursos estavam dispersos.

Em 1945, a opinião pública começou a pender contra a necessidade de existirem impérios ultramarinos. Dois grandes centros vitoriosos da guerra, Moscou e Washington, opunham-se a esses impérios, embora não por completo. Se houvesse possibilidade de uma colônia se tornar independente e cair na órbita de influência da União Soviética, os norte-americanos não se mostravam tão dispostos a ajudar tal processo de independência. Os soviéticos tinham um ponto de vista parecido. Ao mesmo tempo, três países colonialistas – Grã-Bretanha, França e Holanda – estavam esgotados pela guerra e incapazes de defender militarmente qualquer uma de suas colônias. Além disso, os britânicos já haviam prometido independência à Índia. A questão difícil era: quando e em que termos?

UMA BÚSSOLA PARA A ÍNDIA

De todos os homens e mulheres que se posicionaram contra o imperialismo, Mahatma Gandhi foi o mais memorável e influente. Seu país, a Índia, era a nação mais populosa sob domínio europeu. Sua campanha para libertá-la foi conduzida com paciência e inteligência raramente igualadas por outro político ao longo do século.

Estudioso e praticante do vegetarianismo, criado em uma família de comerciantes nas proximidades de Bombaim, Gandhi foi estudar em Londres. Exerceu advocacia com sucesso no porto sul-africano de Durban e em Johannesburgo, a cidade do ouro. Envolvido em protestos políticos, passou oito meses na cadeia por atividades em favor de seus compatriotas indianos, tratados na África como cidadãos de segunda classe.

As opiniões políticas de Gandhi eram uma espécie de colcha de retalhos em que se misturavam ideologias do Oriente e do Ocidente. Sua moderação quase santa era atribuída à espiritualidade e ao misticismo orientais, mas foi moldada, até certo ponto, pela leitura de pensadores ocidentais. Admirava Henry Thoreau, o jovem da Nova Inglaterra que vivera humildemente em uma floresta, perto de um lago, numa cabana feita de toras; John Ruskin, o crítico de arte e filósofo inglês; e o romancista russo Leon Tolstoi.

Filho do Império Britânico, Gandhi assumiu tal condição e ao mesmo tempo lutou contra ela. Durante a Primeira Guerra Mundial, de volta à Índia, ofereceu-se como chefe de recrutamento entre a população indiana. Mais tarde, devolveria suas medalhas de guerra britânicas.

A Grã-Bretanha queria garantir certa autonomia à Índia, mas sem se retirar completamente. Gandhi procurou estimular a saída definitiva dos colonizadores. O Congresso Nacional Indiano, principal fórum de protesto, pretendia firmar um compromisso com os líderes ingleses, mas Gandhi agiu de outra maneira: pediu aos britânicos que abandonassem a Índia calma e rapidamente.

> FILHO DO IMPÉRIO BRITÂNICO, GANDHI ASSUMIU TAL CONDIÇÃO E AO MESMO TEMPO LUTOU CONTRA ELA.

Suas armas eram a resistência passiva e o convencimento moral. Ao ser detido por suas atividades pacíficas, mas subversivas, foi tranquilamente para a prisão.

A Marcha do Sal, em 1930, configurou-se como uma reveladora aventura espiritual e política. Gandhi liderou uma procissão através do país em direção ao litoral, com o objetivo de expor a taxa que o governo arrecadava, tanto dos ricos quantos dos pobres, com a venda de sal. A escolha foi inteligente e criou um grande impacto na Inglaterra, onde não havia cobrança de imposto sobre o produto. Alguns jornais britânicos consideraram tremendamente injusto taxar um artigo de primeira necessidade. Mas tal imposto também era cobrado em outros países, como a China.

Uma vez que a marcha deveria durar mais de três semanas, Gandhi cuidou para que o trecho de cada dia fosse percorrido nas horas mais frescas da manhã e do anoitecer. Ele queria o máximo de publicidade, portanto cuidou também para que três empresas de Bombaim filmassem sua caminhada e suas preces. Chegando ao ponto final, o litoral salino do Golfo de Cambay, Gandhi caminhou até a praia e, vestindo apenas uma espécie de tanga, apanhou um pouco de sal. Oferecendo o produto em leilão, em um claro desafio à lei, anunciou: "Estou abalando as estruturas do Império Britânico."

A resistência passiva somente é possível diante de um governo que possua certo nível de paciência e tolerância. Gandhi pouco teria conseguido se um frio ditador estivesse no comando da Índia. Stalin e Hitler teriam ordenado sua prisão ou execução. Aquela face risonha e a tranquila voz da razão não mais apareceriam nos jornais nem nos noticiários.

O governo britânico desejava fazer concessões à Índia muito antes de tê-las feito a outras colônias, tanto asiáticas quanto africanas. O país era muito grande e importante e o futuro do Império Britânico poderia ser ameaçado se os indianos iniciassem, como em 1857, um motim. Em 1917, as revoluções russas despertaram temores de que a Índia também pudesse se rebelar e a Grã-Bretanha começou a apoiar a criação de instituições independentes em solo indiano. Dois anos mais tarde, uma delegação indiana oficial votou na Conferência de Paz em Paris. Um segundo e decisivo passo, em 1935, foi dividir a maior parte da Índia em 11 províncias autônomas, cada uma com seu parlamento. A política externa continuou em grande parte nas mãos dos britânicos, enquanto os assuntos domésticos ficaram por conta dos indianos. Tal concessão, embora insuficiente para a maioria dos hindus, era excessiva para os muçulmanos, uma minoria na maior parte das 11 províncias. Eles acreditavam cada vez mais que seu futuro não estava em uma Índia unida, mas na nova nação do Paquistão, formada pela junção das poucas regiões em que eram maioria.

A Segunda Guerra Mundial deu à Índia e à vizinha Birmânia um grande poder de barganha, uma vez que os britânicos precisavam de sua lealdade. No perigoso ano de 1940, o Partido Trabalhista Britânico afirmou que "os povos colonizados de todo o mundo devem estabelecer o mais rapidamente possível um governo próprio". Essa atitude foi reforçada um ano mais tarde, quando os Estados Unidos entraram na guerra. Sua hostilidade em relação ao conceito de colônia europeia – algo que eles próprios haviam sido – aumentava a probabilidade de a Índia se tornar independente ao fim do conflito mundial. Roosevelt afirmou, em conversas privadas, que queria uma Índia livre. Churchill discordou.

A DIVISÃO DA ÍNDIA

A maioria dos líderes indianos queria uma nação livre que unisse hindus, muçulmanos, siques, parses e todos os outros grupos. Por outro lado, Muhammad Ali Jinnah, líder muçulmano, acreditava que uma nação unida seria impraticável. Sua conclusão fora endossada após a eclosão de conflitos religiosos. Em uma semana de agosto de 1946, cerca de 5 mil pessoas foram mortas e 11 mil ficaram feridas em lutas e tumultos envolvendo muçulmanos e hindus em Calcutá. Machados, lanças, adagas, varas de bambu, pedras e tijolos causaram muitas mortes. A violência se espalhou por partes longínquas da Índia, ameaçando destruir o país. "Faltam-me palavras", disse Gandhi ao tomar conhecimento desses fatos.

A Índia se tornou independente em 15 de agosto de 1947, separando-se em duas nações distintas. A República da Índia ocupava o coração do subcontinente, concentrava a maioria da população e tinha, de longe, a maior parte do território. A nova república muçulmana do Paquistão foi dividida em dois lados – o Ocidental e o Oriental. A oeste, ficava a vasta planície do Rio Indo; a leste, o delta (propenso a inundações), onde mais tarde surgiria a nação de Bangladesh. Inevitavelmente, grandes grupos de muçulmanos ficaram na Índia hindu e grandes grupos de hindus permaneceram no Paquistão muçulmano.

Quinze dias após a proclamação da independência, Gandhi, já envelhecido, começou um jejum na esperança de alcançar o entendimento entre os dois povos e suas nações. Ele, que sempre declarara querer viver até os 125 anos, já não tinha esse desejo. Um ano mais tarde, morreu nas mãos de um assassino pertencente a um grupo radical hindu. O tributo público a ele prestado foi ao mesmo tempo majestoso e humilde, tendo ocorrido no parlamento de Nova Délhi, em 2 de fevereiro de 1948. Jawaharlal Nehru, o primeiro-ministro da nova Índia, declarou: "Uma glória partiu. O sol que aquecia e iluminava nossas vidas se pôs. Agora, trememos de frio e de medo. Contudo, ele não permitiria que nos sentíssemos dessa maneira." Segundo Nehru, Gandhi foi "um homem de Deus".

> A CRIAÇÃO DE DUAS NAÇÕES SEPARADAS NA ANTIGA ÍNDIA BRITÂNICA FOI UM PONTO DECISIVO NA HISTÓRIA DA ÁSIA.

A transformação da antiga Índia britânica em duas nações separadas foi um ponto decisivo na história da Ásia. Um de seus efeitos é pouco comentado mesmo hoje em dia. A potencial influência da Índia subcontinental foi drasticamente reduzida pela divisão. Se houvesse uma só Índia que congregasse tanto hindus quanto muçulmanos, então, no fim do século, sua população se aproximaria da casa de 1,3 bilhão de pessoas – maior até do que a da China.

A nova Índia foi governada durante dezessete anos por um político que se sentiria em casa na Câmara dos Comuns. De família instruída, originária da Caxemira, Jawaharlal Nehru havia frequentado a Harrow School, em Londres, como Churchill, e a Cambridge University, antes de mergulhar na política indiana. Como líder da mais populosa democracia do mundo, inicialmente tentou seguir o caminho pacífico de Gandhi, instaurando negociações e convocando conferências. Por fim, decidiu-se por outro modo de ação. A Índia teve uma breve contenda com a China ao longo da fronteira em comum. As rivalidades que haviam atormentado a Europa tornavam-se visíveis na Ásia.

O MÁGICO DA INDONÉSIA

A bandeira holandesa estivera hasteada sobre as Índias Orientais por três séculos. Como o arquipélago indonésio era rico em petróleo e borracha, tinha importância vital para a economia holandesa. Terminada a guerra, o governo da Holanda pretendia seriamente resgatar aquele território assim que os japoneses se retirassem. A dúvida era se disporia de força militar suficiente para derrotar os indonésios e sua crescente resistência.

O líder dos indonésios, o enérgico presidente Sukarno, estava decidido. Para os milhares de indivíduos que ouviam seus discursos, ele parecia um mágico. Tal como Gandhi, era um tanto teatral, mas nada tinha de contemplativo ou melancólico. Sem abrir mão dos prazeres, era capaz de trabalhar duro e de cuidar dos detalhes, desde que os considerasse importantes. Dominava vários idiomas, inclusive três nativos da Indonésia: javanês, sundanês e balinês – sua mãe era de Bali. Graduado em Engenharia Civil, criou a reputação de agitador político contra os holandeses, e sua bravura o levou à prisão e ao exílio em um porto isolado. Quando os japoneses tomaram as Índias Orientais Neerlandesas, em 1942, ele se tornou o braço direito dos invasores, mas não um servo obediente. Após o súbito fim da ocupação, em agosto de 1945, Sukarno declarou o surgimento da nova nação da Indonésia. Sua base estava na sagrada cidade javanesa de Jogiakarta, perto do antigo templo de Borobodur. Nos três anos seguintes, o território sob seu controle se estenderia por metade da ilha de Java e a maior parte de Sumatra. Outros arquipélagos holandeses ficaram fora de seu controle direto. Em dezembro de 1949, a Indonésia se tornou uma nação.

No início, o mágico Sukarno, um mestre no uso das palavras, governou seus 90 milhões de compatriotas com sucesso. Sob seu encanto, um discreto sentimento de patriotismo começou a unir o país, formado por numerosos grupos étnicos. Ele liderou campanhas para diminuir as doenças tropicais, especialmente a bouba e a malária.

9 O analfabetismo em 1950

50 - 80%   80 - 100%   Nas Américas, pelo menos duas nações – Brasil e Peru – tinham taxas de analfabetismo de no mínimo 50%.

Administrando uma das muitas nações jovens onde mais de 80% da população não sabiam ler nem escrever, iniciou decididamente a luta para aumentar os índices de alfabetização.

Sukarno convocou as primeiras eleições do país em 1955. Como os quatro partidos concorrentes – entre eles o comunista e o muçulmano – receberam um expressivo número de votos, ele percebeu que a democracia não lhe daria o resultado de que seu partido necessitava. Então, dispensou-a – ele sabia o que o povo queria. Quando a população e os ministros corruptos do governo pediam mais dinheiro, Sukarno mandava imprimir mais para eles. Como resultado, os preços aumentavam semana após semana e, em poucos anos, tinham sido multiplicados centenas de vezes. O presidente contraiu empréstimos, primeiro dos Estados Unidos, depois da Rússia e da China.

No estrangeiro, Sukarno começou a fazer não apenas amigos, mas também inimigos. No início da década de 1960, suas tropas tiveram uma rápida escaramuça com a vizinha Malásia (federação de ex-colônias britânicas) e seus soldados e burocratas tomaram o lado oeste da Nova Guiné das mãos do antigo inimigo, a Holanda. Na capital da Indonésia, Jacarta, os círculos mais próximos do poder começaram a conspirar uns contra os outros. Seis generais foram torturados e assassinados, e várias centenas de milhares de civis, muitos dos quais chineses, foram massacrados. O glorioso reinado de Sukarno – fundador do que hoje é a quarta nação mais populosa do mundo – praticamente havia acabado. Em 1965, as forças armadas tomaram o poder.

Muitas vezes chamado de "revolta contra o Ocidente", o movimento pela emancipação das colônias foi também uma revolta dentro do Ocidente, onde as opiniões a respeito destas divergiam bastante. Milhões de famílias britânicas, portuguesas, francesas, espanholas e holandesas – especialmente aquelas cujos parentes e amigos haviam morado nas colônias – queriam que o império colonial continuasse. Os grupos e partidos políticos que clamavam pelo fim do império também eram fortes. Seu apoio ajudou muitos dos líderes coloniais que, quando jovens, haviam estudado na Grã-Bretanha, na França, em Praga ou mesmo em Moscou. Alguns desses estudantes, ao viverem em capitais de potências imperialistas, tinham sido auxiliados por cristãos, marxistas ou outros grupos.

John Kenneth Galbraith escreveu: "Todos os grandes líderes têm demonstrado uma característica em comum: a disposição de enfrentar sem rodeios a maior preocupação de seu povo. Isso representa quase toda a essência da liderança." Na África, surgiram líderes extraordinários com tal característica: Gamal Adbel Nasser, do Egito; Jomo ("Flecha Flamejante") Kenyatta, do Quênia; dr. Hastings Banda, de Niassalândia e Malawi; Kwame Nkrumah, de Gana; Patrice Lumumba, do Congo; e Leopold Senghor, o socialista da África oriental e ex-seminarista que se tornou o primeiro presidente do Senegal. Muitos estavam de tal maneira obcecados pela conquista da independência que quase nada além disso importava. Eles pouco pensavam no que fariam caso essa independência chegasse.

OS VENTOS DA MUDANÇA

O território da África do Sul era vasto e disputado. Abrangia 1,6 mil quilômetros entre o Oceano Atlântico e o Oceano Índico. Estendia-se por cerca de 960 quilômetros desde a ponta sul, no Cabo das Agulhas, até o ponto mais próximo da fronteira norte e do Deserto de Kalahari, além de cobrir centenas de quilômetros mais a nordeste, até a fronteira com o Zimbábue. Havia diferentes climas no país, tanto amenos quanto severos. O território também comportava montanhas íngremes e a Grande Escarpada, extensões de vales e planícies, uma rica faixa coberta de cana-de-açúcar em Natal, vinhedos e pomares nas terras sombreadas da Montanha Table, além dos ricos minérios, incluindo as maiores minas de ouro do mundo em Johannesburgo, a cidade interiorana situada no planalto.

A África do Sul se assemelhava ao Quênia na mistura de europeus e africanos – brancos abastados e negros pobres – e no notável grupo de cidadãos asiáticos bem-sucedidos. Sua história colonial era mais longa, uma vez que o país resultava da afluência de colonizadores brancos, já antiga, originalmente da Holanda. Esses colonizadores viveram por tanto tempo na África do Sul que a mistura de idiomas deu origem a uma nova língua, chamada de africâner. Mais tarde, correntes de colonizadores chegaram da França, em pequenos grupos, e da Grã-Bretanha, em grande número, além de judeus, que se tornaram poderosos em Johannesburgo na época em que a cidade administrou uma das mais movimentadas bolsas de valores do mundo. Durante os últimos duzentos anos, nenhum outro país em todo o continente recebeu mais imigrantes europeus do que a África do Sul.

A minoria branca, que compunha um quinto da população total em meados do século, dominava a nação, conduzindo a mais bem-sucedida economia do continente, da Cidade do Cabo até Durban. Os africanos negros e os chamados mestiços do Cabo formavam 80% da população e serviam como mineiros, trabalhadores rurais, reparadores de estradas, varredores de ruas, garçons e empregados domésticos.

Eram mal remunerados, pelos padrões do país, mas bem pagos em comparação com a maioria das nações africanas.

A ideia da supremacia branca permeou a política nacional, especialmente depois de 1948. Sob as novas leis, os brancos só podiam casar-se com outros brancos. Contavam-se entre seus privilégios frequentar as boas universidades, como Witwatersrand, Stellenbosch e Cape Town; exercer a maior parte das profissões especializadas; adquirir propriedades e administrar negócios, bem como residir em determinados bairros e cidades. Aos sul-africanos não brancos cabia uma pequena representação no parlamento, que se reunia na Cidade do Cabo, e mesmo tal representação era cada vez menor. Em 1960, o primeiro-ministro britânico Harold Macmillan advertiu os líderes sul-africanos quanto ao fortalecimento da consciência daquela nação e quanto aos "ventos da mudança" que sopravam através do continente – mas o alerta não foi registrado.

O Congresso Nacional Africano negro foi abolido. Um dos líderes africanos, o advogado Nelson Mandela, respondeu por tentativa de sabotagem e ataque armado. Em Johannesburgo, o braço militar secreto de seu partido político, Lança da Nação, adquiria mais armamentos. Mandela foi preso, julgado e, em junho de 1964, condenado à prisão perpétua. Mais tarde, acabou sendo libertado e veio a se tornar líder do país.

> A IDEIA DA SUPREMACIA BRANCA PERMEOU A POLÍTICA NACIONAL AFRICANA, ESPECIALMENTE DEPOIS DE 1948.

O DECLÍNIO DO IMPÉRIO

A França sofria constante pressão para libertar suas colônias e, ao contrário da Grã-Bretanha, não estava preparada para resistir. O general De Gaulle mal acabara de assumir a presidência em Paris, após quatro anos de exílio em Londres durante a guerra, e já tinha de lidar com o futuro das colônias. Espalhadas em ambos os hemisférios, algumas permaneceram leais ao governo de Vichy, enquanto outras apoiavam a França livre liderada por De Gaulle.

O novo governo francês, mais do que o britânico, estava ansioso por manter as colônias. Elas traziam prestígio, algo urgentemente necessário após o abatimento da rendição e da derrota. Em 1945, a França mantinha uma série de colônias que se estendia desde a Nova Caledônia até a Indochina e da ilha de Madagáscar até a Guiana Francesa. Dominava uma série de cidades elegantes, de Beirute a Saigon. Isso dava à língua francesa – cada vez mais cercada pelo inglês –, bem como à história, à cultura e aos produtos comerciais do país, um lugar de destaque no cenário mundial. As colônias poderiam desempenhar um papel importante na recuperação psicológica da França, mas para isso precisavam ser mantidas.

A população da Indochina, por sua vez, insatisfeita com a ocupação japonesa, tentou obter o controle de seu país. As tropas britânicas impediram temporariamente que isso acontecesse, permitindo que a França retomasse o domínio. A Guerra do Vietnã, na qual o exército francês e depois o norte-americano lutaram durante um quarto de século, surgiu como consequência da determinação da França em permanecer como governante de suas colônias. O país abandonou a Indochina em 1954, após uma guerra em que morriam mais oficiais do exército a cada ano do que o número de formados pelas academias militares francesas em igual período.

O conjunto de colônias na África era valorizado pelos líderes franceses também por causa de sua enorme extensão – ia desde o extremo do Mediterrâneo até o Saara, cruzando o Equador e chegando à costa do Atlântico, abrangendo uma área quase igual à da China. Mesmo os espaços desabitados significavam uma vantagem na era do átomo – os franceses viriam a testar sua primeira bomba nuclear no deserto, em 1960. Outras partes do território eram muito valorizadas por oferecerem um amplo destino que podia ser ocupado por cidadãos franceses. A Argélia, que ficava de frente para a costa sul da França, abrigava mais franceses do que qualquer outra colônia.

A Argélia era tratada como uma colônia especial, e alguns políticos da França desejavam que se tornasse parte permanente do país. Nos dois grandes portos argelinos, Algiers e Oran, a maioria dos habitantes possuía ascendência francesa. De acordo com um escritor da década de 1920, a parte mais nova de Algiers "pode fazer os viajantes acreditarem que ainda estão na Europa, a não ser pela multidão de rostos escuros". Após a Segunda Guerra Mundial, a população da Argélia estava dividida: alguns queriam permanecer com a França; outros desejavam a independência.

Houve luta. A disputa dividiu a nação francesa, fazendo o general De Gaulle voltar ao poder. Em 1962, a questão sobre a independência da Argélia foi resolvida por um referendo votado na França e em todas as suas colônias. Por 18 milhões contra 2 milhões, a Argélia passou a ser livre. A França tentou continuar a ser uma potência global, oferecendo a suas colônias um bom lugar em uma federação ou comunidade francesa. Em 1960, o número de pessoas que formavam essa comunidade quase igualava o número de habitantes da França.

A Grã-Bretanha teria conseguido manter muito de seu império, ao menos em tese, se houvesse pensado em uma solução parecida com a francesa; mas os britânicos não queriam isso. Algumas de suas colônias foram mantidas pela força; outras foram liberadas tão logo a oportunidade surgiu. Em Westminster, cada governo que sucedia o anterior tinha as próprias prioridades. Houve quem simplesmente observasse a lenta morte do império colonial; houve quem colaborasse para que isso acontecesse.

O Império Britânico durara quatro séculos. A rapidez com que se dissolvia parecia incrível para quem acompanhava o processo de fora, embora não fosse esse o pensamento de africanos, asiáticos e outros que apreciavam a perspectiva de independência nacional. Durante tal declínio, em pontos específicos do globo, os eventos marítimos muitas vezes foram mais influentes do que aqueles acontecidos em grandes extensões de terra. A perda do Canal de Suez, em 1956, foi devastado-

> A RUPTURA COM A EUROPA CRIOU UM SENTIMENTO DE TRIUNFO NAS TERRAS LIBERTAS DA ÁFRICA E DA ÁSIA, MAS FOI COMUM QUE TAL ALEGRIA DURASSE POUCO.

ra. A decisão, em 1971, de retirar as forças navais de Cingapura foi muito mais importante do que a perda de grandes territórios na África.

A Grã-Bretanha e a França mantiveram poucas possessões ultramarinas, algumas bastante longínquas, como as Ilhas Falkland, Hong Kong e o Taiti. Quase todas as colônias holandesas e espanholas já se haviam emancipado, e a Bélgica tinha perdido a única que possuía. Portugal, ao contrário das outras potências coloniais, mantinha praticamente todos os domínios desde o início do século. Tinha Macau, uma pequena porta de entrada para o sul da China; continuava a dominar metade do Timor, não muito distante da costa da Austrália; e controlava grandes regiões do oeste e leste africanos, por conta dos milhares de combatentes que lá estavam. Uma nação democrática tinha mais possibilidade de libertar suas colônias do que outra sob regime autoritário, e Portugal, que acabou experimentando uma revolução democrática em meados da década de 1970, rapidamente perdeu seu império.

O afastamento da Europa provocou um profundo sentimento de triunfo nas terras libertas, mas, em muitos casos, tal alegria durou pouco. Antes do fim do século, vários analistas concluíram que muitos povos africanos e alguns povos asiáticos eram mais maltratados por seus novos líderes do que pelos antigos.

CAPÍTULO 17
ISRAEL E EGITO

Em 1896, um jornalista de Viena, Theodor Herzl, evocou pela primeira vez o movimento sionista e, com ele, a esperança de uma pátria para os judeus. Esse sonho começou a incendiar a imaginação de muita gente. Uma chama se acendeu na maior parte dos corações, embora alguns judeus não demonstrassem grande interesse pela ideia.

Muitos círculos ocidentais também achavam que o povo judeu merecia seu próprio Sião, seu lugar ao sol. A questão era: qual nação se disporia a ceder-lhes um território?

BALFOUR E A MEDALHA POR BOM COMPORTAMENTO

Arthur James Balfour, um político britânico conservador, já chegando ao fim de sua carreira, anunciou o longamente aguardado plano para os judeus. De bagagem aristocrática, com uma mente brilhante e curiosa, entrou ainda jovem para a política. Como legislador, escreveu *A Defense of Philosophic Doubt* (Uma Defesa da Dúvida Filosófica, em tradução literal) – certamente não o tipo de livro que seus colegas correriam para comprar. Foi primeiro-ministro britânico entre os anos de 1902 e 1905 e continuou poderoso durante muito tempo depois. Não tinha ideia de que um dia seria conhecido principalmente por causa da Declaração Balfour – um de seus empreendimentos secundários e, talvez, apenas resultado do interesse filosófico pela chamada questão sionista, que lhe fora apresentada, indiretamente, por um filósofo de Manchester.

Seu plano era, em parte, uma tentativa de convencer os judeus russos, especialmente os que apoiavam a Revolução de 1917, a fazer o possível para evitar que seu país abandonasse a Primeira Guerra Mundial. Um lar judaico permanente na Palestina seria, então, uma espécie de medalha por bom comportamento. Os franceses também gostavam da ideia. Balfour acreditava que os judeus, com seu forte sentimento de identidade, mereciam ter uma pátria. Em 2 de novembro de 1917, como ministro das Relações Exteriores da Grã-Bretanha, enviou ao lorde Rothschild, financiador de projetos judaicos na Palestina, uma carta em que apoiava a criação, naquele país, de uma pátria para o povo judeu. Até então, a Grã-Bretanha não tinha poderes sobre a Palestina, mas esse pequeno obstáculo poderia ser vencido.

Antes da guerra, a Palestina fazia parte da província da Síria, com cidades insalubres, fazendas miseráveis, portos subdesenvolvidos, algumas linhas férreas e, em 1914, apenas um automóvel. Após a guerra, de acordo com a promessa de Balfour, a Palestina se tornou um território sob o mandato da Grã-Bretanha – um novo tipo de colônia, em que o governo era primeiramente exercido a favor de seus habitantes. Sob a lei britânica, as línguas árabe, inglesa e hebraica receberam reconhecimento oficial; formou-se uma força policial e o número de escolas aumentou. Mais judeus chegavam, e a Palestina crescia. O porto de Haifa foi construído, a cidade de Telavive foi edificada sobre dunas de areia, e a cerimoniosa inauguração da universidade contou com a presença do próprio Balfour.

A experiência daqueles que imigraram para a Palestina durante a década de 1920 foi uma mistura de júbilo e desilusão. Golda Meir, que havia se mudado ainda criança da Rússia para Milwaukee, nos Estados Unidos, foi levada a amar Israel anos antes de avistar o país pela primeira vez e meio século antes de tornar-se sua primeira-ministra. Quando finalmente se instalou com os filhos na nova nação, queria simplesmente trabalhar em uma fazenda coletiva judaica. A Palestina britânica, como um todo, não era território judeu – mesmo depois do primeiro fluxo de imigrantes, após a guerra, encontrava-se apenas um judeu para cada três muçulmanos.

No plano de Balfour, havia pelo menos uma falha. Em sua declaração de 1917, ele admitira que os islâmicos e outros povos da Palestina tinham direitos civis e religiosos que deviam ser respeitados. Mas na verdade considerava que os árabes aceitariam passivamente os judeus. Ao mesmo tempo, estava disposto a ajudar os árabes de outros lugares. Após a guerra, os britânicos apoiaram uma província inteiramente árabe, chamada Transjordânia.

Os judeus chegavam à Palestina em quantidade cada vez maior – sem que houvesse igual fluxo de árabes – e, aos poucos, alteravam o antigo estilo de vida da região. Muitos árabes se posicionaram contra esse movimento e pegaram em armas. Além disso, as nações vizinhas, que eram islâmicas, não queriam ver os palestinos em segundo plano. O governo britânico, então, tentou restringir a afluência de judeus e assim obter um "equilíbrio".

> O PLANO DE BALFOUR TINHA PELO MENOS UMA FALHA: ELE CONSIDERAVA QUE OS ÁRABES ACEITARIAM PASSIVAMENTE OS JUDEUS.

Uma terra para os judeus tornou-se alta prioridade após 1945, quando o Congresso Sionista Mundial pediu que 1 milhão deles, sem lar nem recursos, na Europa e em todo o mundo, fossem acolhidos na Palestina. A noção de tal país como pátria judaica conquistou milhões de novos adeptos, em especial depois de virem à tona os sombrios detalhes do Holocausto. Os britânicos, que ainda detinham formalmente o controle da Palestina, começavam a encará-la como um problema insolúvel. Se a ONU quisesse provar seu valor, teria de achar uma solução – algo quase impossível.

Muitos judeus se armaram na clandestinidade. Em 1946, Chaim Weizmann, que logo seria o primeiro presidente do estado independente de Israel, alertou o Congresso Sionista quanto aos perigos do terrorismo judaico: "O terrorismo é um insulto à nossa história; escarnece dos ideais pelos quais uma sociedade judaica deve se guiar; contamina nossa bandeira." Mas os terroristas judeus, muitos dos quais eram abertamente aplaudidos por simpatizantes em Nova York, não se deixaram impressionar.

Um em cada dez membros das forças armadas do Império Britânico arriscava a vida em uma área não maior que a do País de Gales. Além disso, a economia britânica, por volta da segunda metade de 1947, enfrentava dificuldades: havia pouca circulação de dinheiro, os combustíveis eram escassos e a comida e o vestuário ainda estavam sendo racionados. As responsabilidades financeiras do império e as dívidas por conta da Segunda Guerra Mundial eram muito pesadas. Já que a Grã-Bretanha estava rompendo seus antigos e estreitos laços com a Índia, por que deveria permanecer na Palestina, onde seus interesses eram poucos e os riscos altos?

Em maio de 1947, as Nações Unidas instituíram um comitê para determinar quanto espaço caberia a cada um dos dois povos no pequeno território palestino. Os membros desse comitê tão importante não conseguiram chegar a um acordo. O bem-intencionado relatório da maioria recomendou a criação de duas nações independentes, uma árabe e outra judaica, além de um mercado comum. Em resumo, haveria uma união econômica, mas não política nem cultural. O relatório também recomendou que os lugares sagrados na Palestina fossem considerados neutros e mantidos sob a guarda das Nações Unidas.

A assembleia da ONU, em novembro de 1947, votou o projeto, cuja aprovação foi obtida por estreita margem. A ideia parecia prática, mas os árabes a desaprovaram, tal como haviam feito com outro programa anos antes. Seu argumento era o de que detinham todo o território, portanto não lhes interessava ficar com apenas menos da metade dele. Os judeus responderam dizendo que, em épocas mais remotas, seus ancestrais eram donos de toda a Palestina.

À medida que os britânicos se preparavam para deixar a região, seu controle sobre o território se enfraquecia ainda mais. O vilarejo árabe de Deir Yassin, a oeste de Jerusalém, foi atacado em 9 de abril de 1948 por um grupo não oficial de soldados judeus. Ao todo, 240 árabes foram mortos, sendo que a metade era formada por mulheres e crianças. Nenhum outro acontecimento contribuiu tanto para convencer os árabes de que não teriam futuro na Palestina.

Um mês depois, nascia a república de Israel. David Ben-Gurion, que havia emigrado da Polônia mais de quarenta anos antes, tornou-se o primeiro-ministro. As tropas britânicas retiraram-se – seu mandato acabara. Um exército árabe cruzou a fronteira, vindo da Transjordânia, e soldados egípcios avançaram pelo sul. Esperava-se que as forças israelenses fossem derrotadas, uma vez que as cinco nações vizinhas haviam disponibilizado plenamente suas tropas para apoiar os árabes palestinos. Mas os judeus, com o auxílio de aviões e tanques recebidos da Tchecoslováquia e de outros países comunistas, saíram vitoriosos.

Em alguns meses de conflito, Israel ampliou seu território para além das fronteiras recomendadas pelas Nações Unidas, sem a intenção de retirar as tropas dali. Os vizinhos, por sua vez, não queriam aceitar o resultado da batalha. A maioria dos líderes e partidários palestinos acreditava que um dia – não no próximo ano ou no seguinte, mas algum dia – os judeus seriam expulsos por eles em direção ao mar.

O que fora em grande parte uma terra árabe, em especial no que diz respeito à população, tornava-se rapidamente território judaico. Grupos de árabes fugiam, expulsos pela guerra ou pelo medo. Em abril de 1949, 726 mil palestinos – que antes formavam a maior parte da população – viviam em campos de refugiados situados bem perto das fronteiras com Israel. Para preencher o espaço que deixavam, mais judeus chegavam, a maioria levando consigo apenas alguns pacotes e malas. A Lei do Retorno garantia a todos os judeus, não importando onde vivessem anteriormente, o direito de estabelecer-se em Israel. É difícil achar outro país, no século 20, onde a composição racial e étnica tenha sido tão rapidamente invertida. Em 1956, apenas um em cada nove habitantes de Israel era árabe.

A nova nação inspirava cada vez mais admiração, mas também temor. As colinas e dunas de areia, os desertos, as fazendas coletivas irrigadas e as cidades, especialmente Telavive e Jaffa, expandiam-se de uma maneira que seria impensável na época em que os árabes dominavam a área. Embora materialmente mais bem-sucedida do que as regiões além das fronteiras, Israel não era exatamente a nação que os visitantes esperavam encontrar. Com uma inesperada disposição para a guerra, cuidava para que todos os jovens, tanto homens quanto mulheres, cumprissem algum tipo de serviço militar. Cercada pelos povos árabes, rapidamente os derrotou em guerras regulares e irregulares.

Ainda que Israel não tivesse surgido, era provável que o Oriente Médio enfrentasse outras tensões. Maior produtora de petróleo quando este disputava com o carvão o posto de principal combustível do mundo, a região também foi palco de rivalidades crescentes entre as superpotências. Uma vez que seu principal aliado e parceiro financeiro após 1948 eram os Estados Unidos – que abrigavam mais judeus do que qualquer outra nação –, os países islâmicos começaram a aceitar a União Soviética como protetora.

Quando Balfour idealizou seu plano, a Palestina parecia um local apropriado para concretizá-lo, pois grande parte do território era formada por desertos e leitos de rios. Mas o processo todo, que deveria ter corrido suavemente como um pequeno riacho, acabou se transformando em uma violenta torrente.

A LUTA POR SUEZ

O Egito, ao longo de séculos, teve maior importância estratégica do que a Palestina. O país possuía um estreito corredor costeiro, ligando a África à Ásia. Ali também ficava um canal artificial, o Canal de Suez, uma rota marítima tão importante quanto o Canal da Mancha, o Estreito de Gibraltar, o Estreito de Dardanelos, o Estreito de Malaca e o Canal do Panamá. O Canal de Suez, construído pela França, abria um atalho pelo mar entre a Europa e a Ásia, sendo guardado pela Grã-Bretanha. O Egito, rico produtor de algodão e alimentos, era também, através do Rio Nilo, a porta para o Sudão e para as populosas regiões do nordeste da África.

Quando Israel surgiu, o Egito foi um de seus furiosos oponentes. Tornara-se o mais formidável inimigo em potencial do estado judaico, uma vez que possuía a mais numerosa população entre as nações adjacentes e recrutas suficientes para a formação de um exército bem maior do que o israelense. Exerceu papel importante, ao lado de Jordânia, Síria e Iraque, no rápido e malsucedido primeiro ataque contra Israel, mas careceu de empenho, o que levou à deposição do rei em 1952 pelos próprios oficiais de seu exército. Tais oficiais nacionalistas, liderados pelo coronel Gamal Abdel Nasser, logo provocariam calafrios nos líderes israelenses.

Surgindo como o mais vigoroso líder do mundo árabe, Nasser insistiu na independência do país em relação à Grã-Bretanha, que finalmente concordou em retirar suas tropas do Canal de Suez. Mostrou hostilidade contra Israel ao encorajar os ataques guerrilheiros de refu-

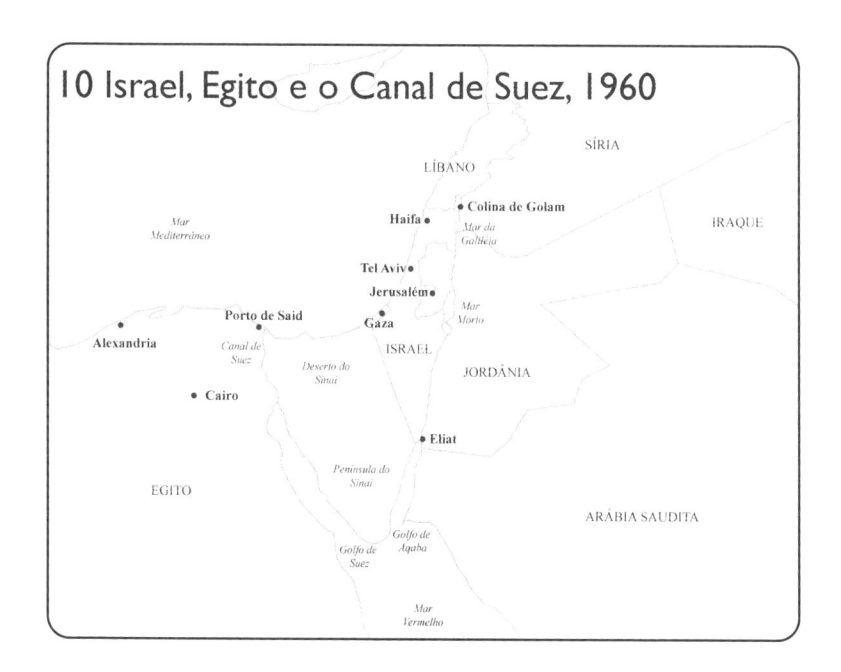

10 Israel, Egito e o Canal de Suez, 1960

giados palestinos acampados na Faixa de Gaza, tomada do Egito. Por fim, em 1955, ao conseguir comprar armamentos e matéria-prima da Tchecoslováquia e de todo o bloco comunista, Nasser colocou o Egito ainda mais firmemente nesse lado da Guerra Fria.

Os Estados Unidos e a Grã-Bretanha tomaram distância de Nasser, recuando em relação à promessa de financiar em Assuã, no Nilo, a primeira fase de uma grande represa que praticamente resolveria o problema de irrigação para os fazendeiros egípcios. Mas Nasser era determinado e não aceitou a mudança de planos. Respondeu anunciando a nacionalização da Companhia do Canal de Suez, que, de seus escritórios na França, administrava o canal e ficava com a maior parte do lucro anual. Como se tratava de um dos dois pontos de maior importância para o comércio europeu, a pretensão era audaciosa. Pela maneira como agia, alguns analistas viam semelhanças entre o líder egípcio e Hitler – analogia por demais enfática.

A Grã-Bretanha e a França prontamente se queixaram ao Conselho de Segurança da ONU e conseguiram apoio. A União Soviética exerceu seu direito de veto: a Guerra Fria chegava ao canal. As duas nações queixosas – bem como Israel – tomaram medidas militares. Em 29 de outubro de 1956, tropas israelenses invadiram o Egito e avançaram em direção ao canal. Uma semana depois, Grã-Bretanha e França lançaram ataques contra campos de aviação egípcios e também se aproximaram do canal. Uma vez que a União Soviética era o patrocinador do Egito, esse conflito tinha chances de tornar-se uma guerra nuclear.

Enquanto as atenções da maior parte do mundo estavam fixadas na crise do Egito, Moscou aproveitou para aumentar seu controle sobre a Europa Central e, mesmo com a alta tensão no Egito, resolveu invadir a rebelde Hungria. Em 4 de novembro, mobilizou tanques e soldados, conseguindo rapidamente o controle da situação.

Voltando sua atenção novamente para a zona do canal, Moscou ameaçou iniciar uma guerra se Grã-Bretanha e França não aceitassem um cessar-fogo e alertou os Estados Unidos, às vésperas de uma eleição presidencial, para não intervir no Egito. Esses eventos importantes, cujo desfecho era impossível prever, ocorreram menos de três semanas antes do início dos Jogos Olímpicos de Melbourne – a disputa entre atletas soviéticos e norte-americanos começava a fazer parte da Guerra Fria. Nove dias antes da abertura das Olimpíadas, a União Soviética recebeu um aviso dizendo que, se fossem disparados "foguetes" perto de Suez, foguetes norte-americanos seriam disparados em resposta.

Por incrível que pareça, a crise passou. Os Estados Unidos, que se sentiriam atingidos se o Canal do Panamá, situado em seu hemisfério, sofresse semelhante perigo, recusaram apoio à Grã-Bretanha e à França e até pressionaram os dois países economicamente. As últimas forças de invasão anglo-francesas deixaram a enseada egípcia de Port Said, no extremo sul do canal, três dias antes do Natal.

Foi um episódio humilhante para as duas nações que, governando tantas partes do mundo colonial, haviam construído e vigiado o Canal de Suez. Durante as duas guerras mundiais, a Grã-Bretanha havia sacrificado numerosos marinheiros e embarcações para manter o controle do canal. Nasser, ao contrário, encontrava-se em posição invejável graças ao apoio da União Soviética. Embora os destroços de sua força aérea e de seus tanques de fabricação russa se espalhassem pelo deserto, ele podia comemorar. O canal era dele.

CAPÍTULO 18
AS NAVES DA VINGANÇA

Em 1903 – ano do primeiro voo de avião –, um professor russo chamado Konstantin Tsiolkovsky terminou de escrever um livro bastante perspicaz, cujo título era *A Exploração do Espaço Cósmico*. De acordo com seus cálculos, um foguete que usasse combustível líquido poderia subir alto o bastante para entrar em órbita ao redor da Terra. Durante os vinte anos que separaram as duas guerras mundiais, cientistas amadores e profissionais de vários países lançaram foguetes, muitos dos quais podiam ser facilmente carregados até os locais de lançamento. Alguns explodiram antes de decolar, outros não conseguiram subir, mas houve os que atingiram alturas consideráveis.

Hitler incentivava esse tipo de teste, sob o comando de Walter R. Dornberger, em Peenemünde, uma aldeia costeira alemã no litoral do Báltico. Lá, foguetes cada vez maiores eram construídos no final da década de 1930. Em alguns testes, um míssil balístico de longo alcance era lançado de uma estrutura alta, parecida com os trampolins de piscina daquela época. Por volta de 1942, os veículos espaciais mais avançados viajavam a mais de 5 mil quilômetros por hora, uma velocidade supersônica que fazia o mais rápido dos aviões parecer uma tartaruga. Tratava-se de uma arma nova, capaz talvez de assegurar a vitória a Hitler, enquanto o exército alemão continuava a avançar em território russo e os japoneses estendiam seu império militar quase até a costa australiana.

UMA REGATA DE FOGUETES

O dia 3 de outubro de 1942 foi uma data de triunfo para a Alemanha – um de seus foguetes alcançou mais de 96 quilômetros de altura. Após o lançamento, Dornberger anunciou que algum dia haveria uma era de viagens pelo espaço. Após mais alguns testes, ele comunicou pessoalmente as boas notícias a Hitler, que assistiu aos filmes dos lançamentos e viu os modelos dos foguetes.

Quando a guerra se virou contra a Alemanha, a nova arma ofereceu ao país a chance de retomar a iniciativa. Após o bombardeio da fábrica e da estação experimental costeira em Peenemünde pelos aliados em 1943, uma fábrica mais segura foi construída no subsolo dos lindos vales rodeados pelas montanhas Hartz, no norte do país. Chegava a 10 mil o número de empregados, muitos dos quais eram trazidos de nações sob o domínio nazista e submetidos a trabalho escravo.

Chamados de *armas da vingança* – mais tarde viriam a ser produzidos às centenas –, os foguetes foram transportados para locais de lançamento no Mar do Norte e apontados contra a Grã-Bretanha. Apareceram sobre o sul da Inglaterra à noite, logo depois do Dia D, em 1944. "Posso vê-los claramente, pois são luminosos como pequenos barcos em uma regata", escreveu um espectador em seu diário. Os foguetes do tipo V-1, bastante simples, barulhentos e visíveis do solo, eram impelidos por um mecanismo de pistão que se desligava ao aproximar-se do alvo. Os maiores e revolucionários V-2 levavam uma ogiva que pesava aproximadamente uma tonelada. Paralelamente, os alemães produziam um míssil guiado do tipo ar-ar para ataques-relâmpago contra bombardeiros inimigos. A guerra acabou antes da conclusão desses projetos, que pareciam quase tão sensacionais quanto a secreta arma atômica em produção no outro extremo do Atlântico.

Durante as primeiras semanas de maio de 1945, o exército soviético alcançou a base de foguetes alemã no Mar Báltico, abandonada pouco tempo antes. Muitas das altas torres de teste continuavam em pé. As tropas soviéticas também foram as primeiras a encontrar a fábrica subterrânea do V-2, onde descobriram equipamentos, componentes de foguetes, plantas e esboços. Capturaram trabalhadores habilidosos, mas somente alguns especialistas.

Por outro lado, uma equipe de 116 especialistas alemães, com seus dois líderes, caiu nas mãos dos norte-americanos – de fato, preferiam ser capturados por eles, e não pelos russos. Um dos chefes, Wernher von Braun, de apenas 33 anos de idade, era o cientista de foguetes mais experiente do mundo. Pela fotografia tirada logo após sua captura, via-se que tinha estatura mediana e cara de menino, parecendo um astro de cinema de segunda grandeza. De fato, podia ser chamado de astro, uma vez que sua equipe era considerada por alguns cientistas norte-americanos como um dos principais troféus da vitória na Segunda Guerra Mundial.

A captura de Von Braun, de sua equipe e de seus planos secretos pelos norte-americanos durante os últimos dias da guerra foi um golpe decisivo nas esperanças dos russos, que estavam muito atrás na pesquisa de foguetes. Na verdade, haviam conquistado boa reputação nessa ciência antes da guerra, mas Stalin cancelara os experimentos. No período 1937-38, o expurgo maciço de militares considerados traidores em potencial incluía até mesmo cientistas de foguetes; alguns foram assassinados; outros, deportados para a Sibéria. Enquanto Von Braun rumava para o sucesso no litoral do Báltico, o melhor projetista de foguetes da Rússia, Sergei P. Korolev, trabalhava nas minas de ouro de Kolyma, na Sibéria. Ao ser solto, Korolev recebeu permissão para reintegrar-se ao programa de foguetes, novamente ativado. Ainda que fosse vigiado por guardas durante o trabalho, estava no comando de um importante projeto.

O aprisionamento da maioria dos cientistas alemães por parte dos norte-americanos fez Stalin se apressar. Em segredo, sob a coordenação de Korolev, os soviéticos aperfeiçoaram as mais importantes práticas de engenharia, até que, por fim, surgiu uma versão russa do V-2. Em 1949, os russos realizavam testes de voo com uma tripulação de cães e coelhos, filmados no interior das estreitas cápsulas.

Em 4 de outubro de 1957, uma pequena nave russa sem piloto atingiu uma altura superior a 800 quilômetros. Com o nome de Sputnik I e pesando mais ou menos o mesmo que um homem adulto, completou a órbita ao redor da Terra em noventa e cinco minutos e os sons de seus dois transmissores foram captados por radioamadores. Tais sons foram ouvidos com desânimo em Washington.

Especulava-se se um animal – ou um ser humano – poderia ser enviado em segurança para os céus. O espaço sideral era um ambiente imprevisível para as criaturas vivas. Nos centros de pesquisa espacial da União Soviética, foi recomendado – não de modo completamente imparcial – que os animais resolvessem essa dúvida. Em 3 de novembro de 1957, o bem maior Sputnik II, pesando quase meia tonelada, entrou em órbita. Carregava Laika, uma cadela preta e branca de pedigree duvidoso. Informações muito importantes foram obtidas com esse voo, mas a passageira não voltou à Terra.

O programa norte-americano, mesmo contando com a ajuda de Von Braun, havia ficado para trás. O choque sentido pelos Estados Unidos foi intenso. A nação era o maior poder militar do mundo e tradicionalmente o dínamo da inventividade. Washington sofria uma humilhação justamente no momento em que espalhava pelo mundo a ideia de que o comunismo, por cercear a liberdade do indivíduo, bloqueava a criação e a inventividade. Em 1958, em compensação, Wernher von Braun ajudou a lançar o primeiro satélite de comunicações, o primitivo Explorer I, logo seguido por outro.

As tensões entre Moscou e Washington aumentavam e diminuíam. Havia calmarias agradáveis seguidas por semanas de ansiedade, quando um conflito nuclear parecia prestes a irromper. As naves espaciais eram nervosamente consideradas uma vantagem no caso de uma guerra atômica. Europeus, russos e norte-americanos sabiam que seriam os primeiros alvos desse tipo de arma, mas mesmo povos distantes, que provavelmente não estariam na mira, compartilhavam da mesma tensão. Kwame Nkrumah, líder da jovem nação de Gana, reclamou, em 1958, que a África independente poderia ter seu brilhante futuro destruído por uma guerra termonuclear entre superpotências. "A maior questão dos nossos dias é saber com certeza se haverá um amanhã", declarou.

VIAGEM AO ESPAÇO

A União Soviética liderava as primeiras tentativas de alcançar a Lua. Em janeiro de 1959, seu veículo não tripulado, o Luna I, chegou perto. Seu irmão mais novo, no final daquele mesmo ano, conseguiu atingir o satélite e lá se despedaçou. Um terceiro veículo da mesma linhagem foi até a órbita lunar e fotografou o lado que sempre estivera oculto para os observadores da Terra.

> EM MEADOS DO SÉCULO 20, A AMBIÇÃO DE ENVIAR UMA PESSOA PARA O ESPAÇO SIDERAL ERA COMPARTILHADA POR RUSSOS E NORTE-
-AMERICANOS.

Eram triunfos celebrados por toda a União Soviética. Os jornais os noticiavam; programas de rádio os comentavam até o limite do que era seguro revelar; professores em milhares de salas de aula explicavam algumas das teorias relacionadas às pesquisas espaciais. Tudo isso promovia ainda mais as glórias do comunismo. Com baixa taxa de alfabetização na época da revolução bolchevique de 1917, a Rússia agora contava com uma rede de escolas de educação infantil, ensino fundamental, médio e técnico, além de diversas universidades, espalhadas por seu vasto território e habilitadas – com um pouco de ajuda externa – a preparar o caminho científico para a incrível jornada espacial.

A ambição de enviar uma pessoa para o espaço sideral fascinava russos e norte-americanos. Os perigos eram evidentes. Se a nave não conseguisse uma tremenda aceleração para atingir a velocidade necessária – dez vezes maior do que a do futuro avião Concorde –, a gravidade terrestre agiria, privando-a do impulso e fazendo seus passageiros se precipitarem para a morte certa. Uma vez no ar, o veículo enfrentaria outro perigo: temperaturas extremamente altas e extremamente baixas. Um lado seria aquecido pelos raios do Sol até a temperatura de 120ºC, enquanto o outro seria resfriado até muito abaixo de zero.

Mesmo quando o astronauta – a palavra era nova – estivesse a meros 80 quilômetros acima do globo, sobreviveria somente graças a um complicado traje espacial. As chances de que durante o voo ele sofresse uma versão aérea do enjoo marítimo eram altas. Além disso, o coração e os músculos corriam o risco de ficar um pouco menores por causa da pressão, e os ossos, de perderem cálcio e se tornarem quebradiços. Por causa da falta de peso, seria necessário amarrá-lo, de modo que tivesse estabilidade suficiente para comer e dormir. E mais: a comida não ficaria no prato, nem a bebida no copo. Além disso, se migalhas e restos de comida ficassem flutuando na cabine, poderiam – sob determinadas circunstâncias – penetrar nos delicados instrumentos. Uma das principais providências era preparar todos os alimentos em pequenos cubos e cobri-los com gelatina.

Em ambas as nações, os cientistas lutavam contra centenas de dúvidas e desafios, mas os soviéticos permaneciam na dianteira, além de serem os mais ousados. No início de 1961, vários astronautas russos, treinados em completo segredo, estavam prontos para dar uma volta em torno da Terra. O escolhido, Yury Gagarin, de 27 anos de idade, filho de um carpinteiro, havia sido criado em uma fazenda coletiva. Sua nave espacial, um veículo complexo, era bastante leve. Chamado de Vostok I, foi lançado em 12 de abril de 1961, às 9h07, horário de Moscou.

A viagem de Gagarin, um dos mais surpreendentes eventos de todos os tempos, animou os povos de todas as nações, impressionando-os muito mais do que aos cientistas que entendiam aquela jornada em todos os pormenores. Por um breve período, o astronauta foi o homem mais famoso do mundo. Declarado herói na União Soviética, recebeu a Ordem de Lenin. Morreu sete anos mais tarde, não no espaço sideral, mas em um acidente de avião.

Um mês após a viagem espacial de Gagarin, os Estados Unidos anunciaram que, até o fim da década, enviariam um homem à Lua com segurança e o trariam de volta. A Rússia não fez nenhuma promessa parecida. Nem precisava. Estava à frente na corrida espacial e muitos observadores neutros esperavam que fosse a primeira a chegar à Lua, se esse fosse seu objetivo.

Um foguete que servisse de propulsor para uma nave espacial poderia fazer o mesmo com um míssil carregando uma ogiva nuclear. A ciência dos foguetes, bem como a precisão e a velocidade dos mísseis, havia avançado muito desde o fim das experiências na Alemanha hitlerista. Em 1960, mais e mais locais de lançamento de mísseis norte-americanos, situados não muito distantes da União Soviética, estavam prontos para empreender um ataque nuclear, se necessário. Alguns desses locais tinham como alvo as grandes cidades russas. A União Soviética ainda não podia lançar um míssil que chegasse ao distante país norte-americano, mas seus alvos eram Paris, Londres, Munique e outras importantes localidades de países aliados dos Estados Unidos. Washington e São Francisco, por sua vez, podiam ser atingidas pelos mísseis lançados por submarinos.

> UM FOGUETE QUE SERVISSE DE PROPULSOR PARA UMA NAVE ESPACIAL TAMBÉM PODERIA FAZER O MESMO COM UM MÍSSIL CARREGANDO UMA OGIVA NUCLEAR.

As duas superpotências eram impérios armados, conscientes de que seus vastos territórios vinham se tornando vulneráveis. Gastavam muito em armamentos. Formavam e deixavam de prontidão suas tropas em partes cada vez mais numerosas do mundo. E organizavam batalhões de espiões. Estavam envolvidas em sérias e contínuas disputas: uma corrida armamentista nuclear, uma guerra de propaganda para conquistar as mentes e os corações dos povos do mundo, uma luta para atrair os votos das nações independentes nas Nações Unidas e uma espetacular competição pelo espaço sideral.

O surgimento de um novo líder foi o bastante para modificar o panorama. O último sucessor de Stalin, Nikita Khrushchov, era filho de um camponês. Quando caminhava pela neve, com casacos pesados e de chapéu, parecia um grande urso e, quando se encontrava com uma delegação de estrangeiros era capaz de distribuir abraços carinhosos e de responder perguntas com uma risada sonora. Além de sua cordialidade pessoal, podia, em algumas ocasiões, mostrar uma franqueza inédita, como denunciar em público os terríveis expurgos que Stalin havia realizado em nome do comunismo. O fato de que o próprio Khrushchov havia tomado parte em várias dessas ações, assegurando-se de que o assassinato de prisioneiros russos fosse de fato eficiente, ainda não era de conhecimento do público.

Ao contrário de Stalin, ele desejava ir além do bloco comunista para provar os prazeres e examinar as ameaças do mundo exterior. Visitou a Inglaterra em 1956 – nenhum líder soviético tinha ido tão longe no Ocidente – e, mais tarde, acompanhado da mulher, Nina Petrovna, foi aos Estados Unidos. Por outro lado, até a década de 1970, nenhum presidente norte-americano havia aceitado o convite para uma visita a Moscou.

O medo da espionagem era um dos fatores que impediam essas visitas. Após viajar oficialmente para a União Soviética durante o rigoroso inverno de fevereiro de 1959, Harold Macmillan, primeiro-ministro britânico, concluiu que era arriscado conversar até mesmo com o embaixador de seu país em Moscou. Uma tenda de proteção foi erguida dentro da embaixada britânica na esperança de que pelo menos os microfones russos escondidos fossem despistados. Macmillan foi alertado para o fato de que, em limusines russas oficiais, poderia ser vigiado por uma escuta.

Uma nova era de espionagem teve início quando satélites, sobrevoando a Terra a grandes alturas, começaram a fotografar bases e territórios inimigos. Gary Powers, a serviço da Central Intelligence Agency, a CIA, decolou secretamente do Paquistão para fazer um longo voo sobre a União Soviética em direção a um campo de aviação aliado na Noruega. Seu jato sobrevoava os Urais em 1º de maio de 1960, quando foi detectado pelos russos e abatido. Ele saltou de paraquedas em segurança e, ao ser capturado, não teve como negar seu envolvimento em uma missão secreta com a qual Washington dizia não ter nenhuma ligação. O piloto foi sentenciado a dez anos de prisão, mas ganhou a liberdade mais cedo – foi trocado por um agente soviético.

O AMEAÇADOR MURO DE BERLIM

As tensões entre as superpotências não diminuíram no ano seguinte, após a eleição de John F. Kennedy para o cargo de presidente dos Estados Unidos. Kennedy pediu várias vezes permissão ao Congresso para aumentar os gastos com armamentos numa época em que sua nação era claramente superior no tocante a armas nucleares. Ele apoiou um plano precipitado para a invasão de Cuba, mas aceitou prontamente conversar com Khrushchov. Encontraram-se pela primeira vez em Viena, em meados de 1961, e o russo dominou mental e emocionalmente as discussões. Debatedor direto e experiente, pediu que os norte-americanos e seus aliados abandonassem completamente Berlim Ocidental.

Khrushchov pressionava ainda mais os Estados Unidos e sua fiel aliada, a Grã-Bretanha. Em Moscou, ao comparecer a uma apresentação de balé estrelada por Margot Fonteyn no Teatro Bolshoi, chamou o embaixador britânico até seu camarote particular durante o intervalo e advertiu-o de que, se fossem enviados reforços para a Alemanha Ocidental, na perspectiva de uma crise na parte ocidental de Berlim, a União Soviética adotaria retaliações. Especificou que seis bombas de hidrogênio soviéticas destruiriam a Grã-Bretanha e nove fariam o mesmo com a França. "Por que 200 milhões de habitantes da Europa deveriam morrer em nome da independência de 2 milhões de berlinenses?", argumentou.

Como um oásis cercado por territórios comunistas, Berlim Ocidental era cada vez mais o destino de alemães do leste em busca de melhores níveis de vida, das luzes da cidade grande e de liberdades individuais. O número de fugitivos chegava a 10 mil por mês. Como a Alemanha Oriental havia perdido 2 milhões de habitantes em uma década, seu parlamento (o Volkskammer) encontrou uma solução. Resolveu, com o consentimento de Khrushchov, colocar guardas em torno de toda a circunferência da área de Berlim Ocidental. Na madrugada do dia 13 de agosto de 1961, sem qualquer aviso, os comunistas começaram a construir uma larga proteção de arame farpado em torno de Berlim Ocidental.

Mais tarde, essa proteção foi substituída por um muro alto, feito de tijolos e concreto, com muitas partes cobertas de arame e outras eletrificadas e guardadas por oficiais armados. Era, literalmente, uma cortina de ferro. Os alemães orientais que tentavam atravessá-la e se recusavam a parar eram alvejados. Durante os vinte e oito anos seguintes, portões, vias férreas, canais, estradas e outras ligações entre as duas zonas de Berlim foram intensamente vigiados.

CAPÍTULO 19
A ILHA EXPLOSIVA E O NAVIO FANTASMA

Nenhuma outra grande nação era tão segura quanto os Estados Unidos. O país desfrutava da proteção proporcionada pelos dois vastos oceanos, o Atlântico e o Pacífico. Além disso, tinha somente três vizinhos de peso, que perdiam em qualquer comparação, em termos populacionais ou econômicos: o Canadá, com o qual sempre manteve boas relações; o México, com o qual às vezes tinha algumas disputas; e a fértil ilha produtora de açúcar, Cuba, tão pequena que pouco representava.

A população de Cuba era de apenas 7 milhões de pessoas, a maioria descendente de espanhóis. A instável tradição democrática era respeitada pelos líderes nacionais somente quando servia para mantê-los no poder. Fulgêncio Batista seguiu tal tradição. Engajou-se no exército como taquígrafo e tornou-se o líder da vitoriosa revolução de 1933. Sete anos mais tarde – quando estava no comando das forças armadas –, foi eleito presidente. Aos olhos de muitos, Batista era um governante hábil, mas também capaz de encher os próprios bolsos – ficou rico o bastante para, aos 40 anos de idade, aposentar-se e ir para a Flórida, onde seu dinheiro recém-conquistado ficaria em segurança. Retornou a Cuba em 1952, tornando-se ditador e novamente aumentando o próprio saldo bancário.

Foi Fidel Castro, um adversário do general Batista, quem conseguiu a notável proeza de levar a Guerra Fria para o Caribe. Fidel era um dos cinco filhos ilegítimos de um imigrante espanhol que trabalhava em uma plantação de cana-de-açúcar localizada na parte escarpada da ilha. Após frequentar uma escola jesuíta e cursar Direito na faculdade – além de ter passado por um ardente aprendizado na política –, Fidel refugiou-se no México. Chegando a Cuba com um pequeno exército, aproveitou a segurança das densas matas da ilha para fustigar as tropas do ditador. Em 1º de janeiro de 1959, conseguiu derrubá-lo. Dezenas de milhares de pessoas fugiram para a Flórida enquanto ainda tinham chance.

De certo modo, Cuba era uma colônia comercial dos Estados Unidos, tal como havia sido província da Espanha. Castro confiscou ou expulsou os maiores empreendimentos norte-americanos. Mais nacionalista do que marxista, desbaratou a máfia que controlava o jogo e as drogas, acabou com as grandes propriedades, passando vastas extensões de terra para os colonos, e nacionalizou os grandes engenhos de açúcar, a maioria dos bancos e muitas propriedades de norte-americanos nas cidades do país. Os Estados Unidos reagiram, cancelando a valiosa preferência que permitia ao açúcar cubano estar presente em muitos lares norte-americanos. Economicamente, essa decisão jogou Cuba nos braços da União Soviética. O que havia sido uma esfera de interesse norte-americano tornava-se, no final de 1960, parte do domínio soviético.

> O PODER DE FIDEL CASTRO SOBRE CUBA FOI ASSEGURADO PELA PALAVRA – ELE ERA UM ORADOR HIPNOTIZANTE.

Ao menos inicialmente, Fidel Castro usou a palavra – ele era um orador hipnotizante – para assegurar o controle sobre Cuba. Sua propaganda, irradiada pela estação de rádio e pela emissora de televisão estatais, tinha uma grande audiência, uma vez que em Cuba havia mais aparelhos de rádio e TV do que na maioria dos países europeus – imagens em cores foram transmitidas primeiro ali e depois no Velho Mundo. Embora se vestisse como um velho mecânico, com roupas de operário e boné de pala, Fidel conseguia reunir autoridade e determinação.

OS APERTADOS MARES CUBANOS

Os estreitos marítimos, tão importantes em tempos passados, continuavam vitais. A batalha naval entre Japão e Rússia, em 1905, fora travada em um estreito marítimo; o desembarque em Gallipoli, em 1915, fizera parte de uma luta pela passagem do Mar Negro; e a grande disputa naval da Primeira Guerra Mundial, a Batalha da Jutlândia, acontecera nas proximidades do estreito que servia de entrada para o Báltico. Novamente, durante a Segunda Guerra Mundial, o Canal da Mancha, o Estreito de Gibraltar, o Estreito de Cingapura, o Mar Vermelho e outros canais pequenos foram cruciais para o desfecho do conflito. No início da época do poderio aéreo, muitos argumentavam que os estreitos perderiam a relevância; mas a posição de Cuba, tão perto dos Estados Unidos, continuou tendo importância decisiva.

Os Estados Unidos, por meio da CIA, deram treinamento militar a 1,5 mil exilados cubanos para que invadissem a ilha. O porto escolhido para o desembarque, em abril de 1961, a Baía dos Porcos (Bahia de los Cochinos), ficava no litoral sudoeste. O pequeno exército desembarcou logo após os aviões norte-americanos camuflados terem bombardeado a força aérea cubana. Estranhou-se o apoio do presidente Kennedy a uma tropa tão embaraçosamente pequena, uma vez que a perspectiva de sucesso era mínima. Em dois dias, a maioria dos invasores havia sido capturada. Para libertá-los, Fidel exigiu o pagamento de um caro resgate na forma de alimentos e remédios.

Khrushchov, que não possuía nenhuma base de mísseis perto do território norte-americano, percebeu o aliado valioso que tinha encontrado em Cuba. Três anos antes, Washington o havia provocado ao instalar mísseis Júpiter na Turquia, perto da fronteira russa.

Tinha chegado a vez de Khrushchov responder, estabelecendo uma base em Cuba, de onde poderia atacar os Estados Unidos e destruir o Cabo Canaveral.

A ameaça de um ataque contra a capital do país era uma experiência incomum para os líderes dos Estados Unidos. A última investida contra uma área importante do território norte-americano tinha

11 A crise dos mísseis de 1962

E.U.A.
• Miami
Nassau
Ilhas Bahamas
(Grã-Bretanha)
Key West
Estreito da
Flórida
OCEANO
ATLÂNTICO
Havana
Ilhas Caicos
(Federação das Índias Ocidentais)
Ilha dos
Pinos
Baía dos
Porcos
Ilhas Turks
(Federação das Índias Ocidentais)
Guantánamo
Canal de
Barlavento
HAITI REPÚBLICA
JAMAICA DOMINICANA

acontecido em 1814, quando os ingleses atacaram Washington, e a Casa Branca acabou incendiada. Naquele momento, porém, havia a possibilidade de um ataque mais mortífero contra uma dúzia de cidades do sul do país.

Um avião de espionagem norte-americano detectou atividade em um canteiro de construção em Cuba, no dia 10 de outubro de 1962. Quatro dias mais tarde, o presidente Kennedy soube que dez mísseis soviéticos, capazes de atingir Washington, tinham sido instalados no local. Era impossível afirmar se tais mísseis estavam ou não equipados com ogivas nucleares. O líder norte-americano decidiu então cercar Cuba com uma grande força naval capaz de deter e inspecionar a chegada de carregamentos soviéticos de materiais bélicos. Em 22 de outubro, falando em cadeia de rádio e televisão, Kennedy deu a notícia ao povo de seu país. Em um tenso discurso, anunciou que os russos estavam transformando Cuba em uma plataforma de lançamento de mísseis.

Naquela noite, 20 navios soviéticos foram avistados aproximando-se do bloqueio naval norte-americano, estabelecido a cerca de 800 quilômetros de Cuba. Uma embarcação russa, a Poltava, carregava ogivas nucleares. Outros dois navios soviéticos, protegidos por um submarino, pareciam prestes a atravessar o limite do bloqueio, situação que faria a armada norte-americana, de acordo com rigorosas instruções, forçar o submarino a emergir. Kennedy previa as terríveis implicações desse ato. Mesmo que a guerra em torno de Cuba fosse adiada, ele imaginava que a União Soviética atacaria ou bloquearia Berlim Ocidental. Jamais os Estados Unidos e a União Soviética haviam estado tão próximos de uma guerra.

> "As perspectivas de sobrevivência da raça humana eram consideravelmente maiores quando estávamos indefesos contra tigres do que hoje, quando nos tornamos indefesos contra nós mesmos."

Então, notícias animadoras surgiram, vindas do local do bloqueio. As embarcações russas que navegavam rumo a Cuba haviam retornado – seguindo ordens de Moscou. Em 26 de outubro, após dias de grande tensão, Kennedy propôs acabar com o bloqueio contra a ilha e dar garantias de não invadi--la, desde que todos os mísseis fossem retirados de lá. Dois dias depois, Khrushchov prometeu fazer isso.

A crise cubana jamais teve paralelo. Os dois poderes em conflito, em sua capacidade de destruir um ao outro, superavam o de quaisquer outras nações. O conceituado historiador Arnold Toynbee tentou resumir o perigo incessante: "As perspectivas de sobrevivência da raça humana eram consideravelmente maiores quando estávamos indefesos contra tigres do que hoje, quando nos tornamos indefesos contra nós mesmos." Um ataque nuclear lançado contra Moscou ou Washington provavelmente não levaria à vitória, mas à mútua destruição.

Um ano depois do fim da crise cubana, um acontecimento na cidade texana de Dallas reavivou as tensões. Em 22 de novembro de 1963, o presidente Kennedy foi assassinado. Em Moscou, temeu-se que a Rússia fosse acusada pela morte. Em Havana, a ansiedade era de que a culpa recaísse sobre Fidel. No entanto, os líderes russos e cubanos não ousariam autorizar algo como um assassinato, pois sabiam que isso tornaria a situação incontrolável.

A ameaça de uma guerra nuclear persistia. Antes, os temores eram de que as duas superpotências atacassem uma à outra, mas a essa altura a Grã-Bretanha e a França também haviam desenvolvido armas atômicas. Quanto mais os segredos dessa tecnologia eram conhecidos, mais outras nações se muniam de tal tipo de arma. A China desenvolveu sua primeira bomba atômica em 1964, o que aumentou as chances de a Índia fazer o mesmo: os dois países haviam lutado pouco tempo antes nas montanhas que faziam divisa entre seus territórios. Os indianos de fato vieram a desenvolver armas nucleares, aumentando o risco de o Paquistão precisar das suas também. Isso viria a acontecer décadas mais tarde.

UMA CRISE AO LONGO DO CANAL

Os estreitos marítimos, pivôs da crise entre Estados Unidos e Cuba em 1962, intensificaram outro conflito, quatro anos mais tarde. O Canal de Suez e o Mar Vermelho tornaram-se o centro de uma disputa que ameaçou a estabilidade econômica do mundo.

Durante a paz tumultuada que tomou conta do Oriente Médio após o conflito de Suez em 1956, Nasser havia fortalecido, com o apoio da União Soviética, o poderio bélico do Egito e o moral do país.

A grande represa junto do Nilo estava em construção. Os comboios diários de cargueiros, navios-tanques e de passageiros novamente passavam pelo Canal de Suez. Os egípcios cobravam pedágio e controlavam os pilotos. Tudo corria bem no mundo de Nasser.

Ao procurar aumentar sua influência, o líder egípcio não apresentou nenhum sinal do radicalismo islâmico que iria borbulhar uma geração mais tarde. Seus principais discursos de 1958 possuíam um caráter mais secular do que religioso. Somente quando falava perante um público árabe ele concluía com uma mensagem religiosa, que costumava ser apenas a frase: "Que Deus esteja sempre conosco!" Ao mesmo tempo, continuava sua oposição a Israel, acusando o país de "ambições expansionistas". Entretanto, ao ouvir uma pergunta direta sobre a possibilidade de o Egito tentar destruir Israel, ele não respondia.

Durante os dez anos após a crise de Suez, a autoconfiança de Nasser e de seus aliados só fez crescer. A Síria e a Jordânia se uniram a eles, embora a Organização para a Libertação da Palestina estivesse concentrada na guerrilha. Por outro lado, Israel havia se rearmado, adquirindo os mais modernos mísseis antiaéreos dos Estados Unidos. Na Faixa de Gaza, à vista da fronteira israelense, mais de 3 mil soldados das Nações Unidas tentaram manter a paz até maio de 1967, quando Nasser mandou-os embora. Em seguida, impediu os cargueiros israelenses de entrar no porto de Eilat ou sair dele – o único porto de Israel no Mar Vermelho. "Nosso objetivo fundamental é destruir Israel", anunciou.

Israel, que não tinha a menor intenção de tornar-se uma nação destruída, respondeu com um dos mais devastadores ataques empreendidos por um pequeno país. Em 5 de junho de 1967, em plena luz do dia, sua força aérea se precipitou sobre numerosos campos de aviação militares do Egito. Boa parte da força aérea egípcia foi destruída. A guerra tinha praticamente acabado. O mundo militar havia se admirado com um conflito que durara apenas sete semanas, entre Prússia e Áustria, em 1866, mas esse ataque israelense durou somente seis dias. Nesse período, Israel tomou uma grande extensão de terras inimigas, o que aumentou enormemente seu diminuto território. Depois de tal resultado, seus oponentes com certeza desejariam vingança.

Nasser pediu ajuda a Moscou, mas era tarde demais. Os líderes norte-americanos e russos haviam conversado por meio de uma linha telefônica secreta, implantada para uso em situações de emergência, e decidido não intervir. Era um bom sinal de que a Guerra Fria poderia esmaecer.

A breve contenda fechou o Canal de Suez, com destroços de navios espalhados por toda parte. As embarcações que transportavam petróleo do Mar Vermelho e do Golfo Pérsico até a Europa e a América do Norte – principais mercados mundiais do combustível – passaram a fazer uma longa e cara rota de desvio: cruzar a linha do Equador, navegar as fortes ondas do Cabo da Boa Esperança e depois seguir em direção ao norte do Atlântico para cruzar novamente o Equador. Essa rota marítima alternativa exigiu a construção de navios grandes – grandes demais para o Canal de Suez. Quando a passagem foi reaberta após oito anos fora de uso, já não tinha a mesma importância.

MARTE E LUA

Khrushchov anunciou que não tomaria parte na disputa para chegar à Lua, mas seu país continuava na frente. Os russos enviaram a primeira mulher ao espaço – Valentina Tereshkova – e conseguiram que um de seus astronautas saísse da nave e passeasse no cosmos. Além disso, apenas um astronauta soviético perdeu a vida durante a primeira década de viagens espaciais.

Para milhões de pessoas, a corrida espacial tornava-se fascinante quando tinha como destino pontos familiares do céu. O planeta Marte foi um dos primeiros. Com um décimo da massa da Terra,

Marte supostamente abrigava organismos vivos. Foi Giovanni Schiaparelli, em seu observatório nos arredores de Milão, quem examinou Marte em 5 de setembro de 1877, dia em que o planeta estava próximo da Terra e a atmosfera sobre aquela cidade industrial estava limpa. Focalizando o distante astro com seu telescópio, acreditou ter avistado o contorno de 41 longos canais ou leitos de rio. Se fossem canais, argumentou, deveriam ser "obra de seres inteligentes".

A tão aguardada oportunidade de inspecionar os misteriosos canais chegou em 1965, quando uma nave norte-americana não tripulada, a Mariner 4, voou perto de Marte. Seus instrumentos não detectaram sinal de vida. Tal resultado foi confirmado onze anos mais tarde, quando dois robôs desceram até a superfície do planeta. Milhares de fotografias e outras imagens transmitidas para a Terra revelaram um terreno frio e avermelhado, coberto de pedras e assolado por fortes ventos.

> DEPOIS DO PASSEIO TRIUNFAL NA LUA, RESTOU NA TERRA UMA CERTA SENSAÇÃO DE PESAR E MESMO DE DESAPONTAMENTO.

Os preparativos para o pouso na Lua continuaram à custa de muito dinheiro. Por fim, em 16 de julho de 1969, na Flórida, um grande foguete, o Saturno V, foi lançado, levando uma espaçonave tripulada por três norte-americanos. Cinco dias mais tarde, Neil Armstrong pisou na superfície da Lua, tendo seus vagarosos passos observados por milhões de pessoas pela televisão.

A exploração de destinos distantes – fosse a descoberta da América, em 1492, ou da Nova Zelândia, em 1642 – geralmente deixava os descobridores em uma relativa solidão, tendo por testemunha apenas um pequeno público. Muito tempo se passava antes que as notícias de suas aventuras finalmente chegassem ao local de onde haviam partido. Mas não em 1969. Neil Armstrong era visto pelo mundo inteiro quando repetiu as palavras que havia decorado: "É um pequeno passo para um homem, mas um grande salto para a humanidade."

Depois desse passeio triunfal na Lua, restou na Terra uma sensação de pesar e mesmo de desapontamento. Desde o início da evolução da espécie humana, poucos sinais eram mais tranquilizadores, assustadores ou misteriosos do que o brilho das estrelas no escuro do céu ou a luz da Lua sobre o mar. A Bíblia e o Alcorão descrevem a majestade de tais cenas. O poeta romano Virgílio observava as estrelas vespertinas "acendendo suas últimas luzes". Menos de um século antes do primeiro Sputnik, Alfred Noyes imaginava a Lua como "um navio fantasma que se agitava sobre um mar de nuvens". Entretanto, no decurso das longas viagens para o espaço sideral, a Lua e a escuridão do céus eram subjugadas por invasores. E jamais voltariam a ter o mesmo mistério.

CAPÍTULO 20
ESCALANDO O EVEREST

As décadas de 1950 e 1960 foram uma mistura de excitação e sobriedade no mundo ocidental. Para milhões de pessoas, a vida voltava a entrar nos eixos após duas décadas de anormalidade: a depressão mundial, uma guerra e, por fim, um pós-guerra de escassez e fome em muitos países. O medo de um conflito entre superpotências era compensado pelo sentimento de bem-estar presente nas cozinhas das famílias e nas ruas das cidades.

Uma faceta da vida cotidiana parecia totalmente inesperada: quase todas as pessoas conseguiam achar trabalho. Embora logo após a Primeira Guerra Mundial muitas cidades europeias contabilizassem uma taxa de desemprego de 12% a 15%, o período seguinte à Segunda Guerra Mundial trouxe muitos empregos. Os governos, temerosos quanto à possível atração exercida pelo comunismo, acreditavam que a primeira providência era garantir que houvesse trabalho, e assim o fizeram. O último período próspero nesse sentido havia ocorrido cerca de cem anos antes.

Foi uma era de ressurgimento do capitalismo e da democracia nos dois lados do Atlântico Norte. Esse sistema econômico, humilhado no início da década de 1930 e obscurecido pela Rússia comunista, tornou-se grandemente produtivo durante as primeiras décadas do pós-guerra. Com o fim da Guerra Fria, a iniciativa e a inventividade das democracias capitalistas se destacaram. Ao mesmo tempo, o comunismo, ao lançar um desafio e provocar um choque, havia feito sua parte, enfatizando que a previdência social tinha de ser garantida pelos países que pudessem pagar por isso – e o mundo ocidental aprendeu tal lição.

Tal era a escassez de mão de obra depois da guerra que alguns governos europeus permitiram a chegada de trabalhadores estrangeiros. Da Federação das Índias Ocidentais, chegaram à Europa os primeiros, de navio, inicialmente para trabalhar nas linhas de ônibus e de trem de Londres. Mais tarde, foram recebidos também paquistaneses e indianos. Antigas cidades industriais, como Birmingham e Bradford, acabaram ganhando grandes subúrbios negros. Conhecidos clubes de futebol, nos quais não se avistavam rostos negros – nem mesmo entre a torcida –, começaram a ter times em que muitos jogadores, quase sempre os melhores, pertenciam a essa etnia.

Os turcos se mudavam para a Alemanha Ocidental em busca de trabalho em fábricas de carros ou onde houvesse necessidade. A Holanda recebeu uma população de imigrantes vindos da Indonésia e de outras colônias. Paris ganhou grandes populações de muçulmanos que vinham do norte da África. Esse lento processo de migração e mistura de culturas começou na época do pleno emprego e perdurou muito após tal era acabar. Em nenhum lugar, o processo ficou mais evidente do que nos Estados Unidos, cujas portas foram oficialmente abertas para refugiados de países comunistas e migrantes de praticamente todo o mundo. Enquanto isso, os mexicanos entravam pela porta dos fundos.

O IMPULSO DE VIAJAR

Na tradicional vida no campo, poucas pessoas viajavam para longe de casa. Mesmo em 1939, provavelmente metade da população mundial nunca se distanciara muito de seu local de nascimento. Na Europa, onde as estradas de ferro impulsionavam o turismo, a maioria dos adultos não conhecia outro país que não o seu de origem, e dezenas de milhares jamais haviam visto o mar.

A aviação aumentava a oferta de viagens para o exterior, mas inicialmente apenas aqueles com boas condições financeiras podiam pagar por uma passagem. Quando a Pan American Airways realizou o primeiro voo sobre o Atlântico, em junho de 1939, o hidroavião de quatro motores tinha capacidade para 22 passageiros. Voar à noite não era considerado seguro. Ninguém imaginava que, no espaço de uma geração, o turismo internacional se tornaria um dos maiores negócios do mundo.

Ao fim da Segunda Guerra Mundial, ainda era mais barato viajar de navio. Toda semana, imponentes barcos a vapor de companhias como Orient, P & O, Cunard, Lloyd Triestino e outras deixavam a Europa rumo a portos distantes, como Buenos Aires, Cidade do Cabo, Cingapura e Auckland. Dez anos após o fim da guerra, as viagens aéreas estavam se popularizando. Os aviões, com seus motores poderosos, podiam ser ouvidos sobrevoando Londres e Paris a todas as horas do dia – e alguns se incomodavam com o barulho. Os jatos, dos quais o primeiro foi o Comet, da Grã-Bretanha, em 1949, começaram a expulsar dos mares todos os grandes navios de passageiros – que renasceram na forma de navios de cruzeiro.

Em outros tempos, os turistas que queriam visitar Paris, Berlim ou Moscou tinham de passar pelas centrais de trem – templos gigantescos onde os funcionários mais antigos se vestiam como oficiais de navios, conjuntos de relógios marcavam os horários de partida dos principais trens e carregadores se ofereciam aos gritos para levar as bagagens dos passageiros. Nos primeiros anos do pós-guerra, as estações começaram a sofrer a concorrência dos grandes aeroportos, situados nos limites das cidades. Inicialmente, apenas galpões feitos de madeira ou latão, os terminais aéreos acabaram se tornando palácios de compras livres de impostos. Os salões de espera transpiravam elegância, pois as pessoas tinham por hábito vestir-se bem para viagens aéreas. No início da década de 1960, Chicago passou a se orgulhar por administrar o terminal aéreo mais movimentado do mundo, depois de concluída a rodovia que ligava a cidade ao aeroporto O'Hare. Uma década mais tarde, as multidões transportadas por jatos do tipo jumbo tornariam os amplos corredores dos aeroportos tão congestionados quanto as calçadas das grandes cidades.

CHRISTIAN DIOR E LOGIE BAIRD

Invenções, modas e produtos interessantes apareceram sem parar ao longo dos quinze anos que se seguiram à guerra. Ideias que nem sequer podiam ser testadas na sóbria década de 1930 e na belicosa década de 1940 de repente pareciam plausíveis. Raramente a história do mundo viu surgirem tantas inovações ou promessas de novidades.

O lazer e a vida cotidiana foram sacudidos e mudaram. O gramofone se transformou no toca-discos. A gravação por meio magnético, tão importante para a televisão e os computadores, surgiu a partir de uma antiga invenção dinamarquesa. A grande tela de projeção, chamada de cinemascope, foi instalada em vários cinemas no início da década de 1950. Filmes coloridos se tornaram comuns.

As lojas de roupas renasceram quando o parisiense Christian Dior, durante o gélido mês de fevereiro de 1947, introduziu seu New Look. As roupas econômicas e limitadas do tempo da guerra – desenhadas de modo que se utilizasse o mínimo de tecido possível – foram desafiadas pelos vestidos longos, fluidos e vincados, bem como pelos casacos de cintura marcada do estilista que devolveu a elegância ao vestuário feminino. Era uma moda ousada, que deixava à mostra braços e ombros. O Vaticano reagiu por meio de um decreto, em 1960, que proibia mulheres em tais trajes de receber sacramentos na igreja.

A imagem dos televisores, embora melhorasse a cada dia, ainda não havia conquistado o mundo inteiro. Sua chegada foi vagarosa e deveu muito a Paul Nipkow, um alemão de 24 anos de idade que criou um "disco em espiral que girava" e era capaz de captar e reproduzir imagens – a essência da televisão. O inventor britânico J. Logie Baird usou o disco de Nipkow para produzir as imagens retorcidas e cheias de fantasmas em sua experiência inicial, anos antes da primeira transmissão pública em Londres, ocorrida no ano de 1936. Nipkow morreu aos 80 anos de idade, em Berlim, no ano de 1940, quando as técnicas de transmissão televisiva se tornavam mais práticas.

Depois da guerra, a prosperidade norte-americana aumentou a demanda pela televisão. Embora em 1949 houvesse apenas 1 milhão de televisores nos lares dos Estados Unidos, em 1959 esse número chegou à marca dos 50 milhões – mais do que a soma de todos os aparelhos do resto do mundo. A maior parte transmitia imagens em preto e branco, visíveis graças a uma procissão de torres de transmissão que, de 40 em 40 quilômetros, espalhavam-se por todo o continente. Em 1960, dois em cada três lares da Grã-Bretanha tinham um aparelho de TV. Os ingleses haviam até mesmo aderido à radical ideia de jantar enquanto assistiam à televisão, desafiando todas as antigas regras familiares.

> NOS ANOS 1960, OS SATÉLITES, LANÇADOS POR FOGUETES, POSSIBILITARAM TRANSMISSÕES TELEVISIVAS AO VIVO PARA O OUTRO LADO DO PLANETA.

Inicialmente, as grandes distâncias eram uma barreira para a televisão. As imagens não conseguiam atravessar um vasto oceano. Um rolo de filme mostrando as tensões nas ruas de Berlim precisava ir de avião até o aeroporto de Nova York e de lá ser transportado o mais rápido possível até o estúdio, para então ser transmitido ao público norte-americano.

Um satélite, lançado por foguete, representava a possibilidade de transmissões ao vivo para o outro lado do planeta. Um importante satélite foi lançado em 10 de julho de 1962. Movendo-se rapidamente em volta da Terra, transmitia a programação da TV ao vivo de um lado do Atlântico para o outro durante os breves períodos do dia em que as condições eram favoráveis. Sentar-se em frente a um televisor em Paris e assistir ao lançamento de um foguete na Flórida foi uma experiência fascinante para a primeira geração de espectadores.

Os satélites eram cada vez melhores e mais numerosos. A cerimônia de abertura das Olimpíadas de Tóquio, em 1964, foi transmitida ao vivo para a Europa e a América do Norte. No ano seguinte, o incrível satélite Early Bird enviou sua primeira mensagem e, pouco tempo depois, passou a transmitir imagens de uma guerra da qual participavam muitas tropas dos Estados Unidos. Os episódios diários das batalhas na selva, filmados no Vietnã e vistos na noite seguinte em milhões de lares norte-americanos, impulsionaram o movimento pacifista. Em Nova York, um crítico de TV rotulou o conflito no Vietnã de "guerra da sala de estar". A força da televisão aumentou graças às imagens em cores, primeiramente veiculadas nos Estados Unidos e no Japão.

A televisão invadiu países inteiros e foi bem recebida, enriquecendo ou alterando quase todas as facetas da vida cotidiana: lazer, esportes, música, religião, política, notícias, culinária, publicidade, educação, brincadeiras de criança e até mesmo o modo de falar e a gramática. Sir David Frost observou: "A televisão permite que você se divirta, na sua sala de estar, com pessoas que jamais receberia em casa."

Tão logo a TV passou a ser apreciada nas grandes cidades, os cinemas dos bairros começaram a fechar, os jornais vespertinos perderam leitores e as estações de rádio lamentaram a diminuição de seu público noturno. Chegou-se até a dizer que o futuro do livro estava em perigo, mas não era verdade. As grandes manifestações políticas que antes aconteciam na prefeitura ou na praça deram lugar aos debates televisivos, e a importância de políticos de renome nacional aumentou. A TV também transformou debates políticos em falas de meio minuto, em que eram ditas meias verdades.

Foi nessa década que o rádio portátil conquistou ruas, transportes públicos e praias durante o verão. Os primeiros aparelhos eram móveis pesados e ficavam sempre no mesmo cômodo, mas os novos rádios transistorizados eram leves e baratos. Todos os adolescentes mais afortunados tinham os seus, o que tornava perturbador o falatório vindo de tantos aparelhos ligados ao mesmo tempo. Uma solução adotada na ilha italiana de Capri, em 1963, foi abolir o uso do rádio em lugares públicos.

Nada fez mais pela difusão da cultura pop e de suas canções voltadas diretamente para os jovens do que o rádio transistorizado. O produto veio do Japão, de uma cultura que teoricamente desaprovava equipamentos que diminuíssem a autoridade e a unidade da família. O primeiro rádio pequeno, ou *trannie* – modelo portátil de seis transistores, de 1958 –, não era muito maior do que dois maços de cigarro e podia ser colocado junto do ouvido. Essa atração, a princípio estranha, tomou conta dos grandes estádios esportivos, onde as pessoas assistiam ao jogo e, ao mesmo tempo, ouviam os comentários dos locutores sobre aquilo que estavam vendo. No ano 2000, outro pequeno aparelho estaria em voga: o telefone celular.

A ASCENSÃO DO COMPUTADOR

Em torno de 1560, um artesão anônimo fez, na Alemanha, um fascinante boneco de madeira que atualmente pode ser visto no Deutches Museum de Munique. Com o nome de Monge Pregador, chamava a atenção pela barba e pelas sandálias. Para disfarçar o mecanismo simples que o fazia funcionar, localizado nos pés, o boneco vestia um grande e comprido capote. As pernas duras se mexiam, os braços balançavam e a cabeça girava de um lado para o outro. Uma sequência programada de passos controlava o boneco, portanto é possível afirmar que ele foi um precursor do computador.

Era uma novidade que o boneco conseguisse caminhar. E se também conseguisse fazer contas? Quase três séculos mais tarde, Charles Babbage, um matemático talentoso e um tanto rabugento, desenvolveu uma máquina capaz de calcular em alta velocidade. Chamou o equipamento de máquina diferencial. Pesando cerca de 3 toneladas, o aparelho tinha certa semelhança com um piano mecânico. Não chegou a ser terminado. Um século e meio mais tarde, em 1991, um modelo dessa máquina foi completado pelo Science Museum de Londres, em comemoração ao bicentenário do nascimento de Babbage. Ele não se surpreenderia ao saber que sua invenção funcionou.

Além de imitar as habilidades mentais humanas, a máquina de Babbage também inspirava imitadores. Um pouco antes da Segunda Guerra Mundial, foi aperfeiçoada por jovens cientistas, entre os quais Zuse, um engenheiro berlinense, e Turing, um jovem matemático britânico. Concebido nas Índias Britânicas e nascido em Londres, Alan Turing era excêntrico, não ligava para roupas, corria longas distâncias e acreditava veementemente em suas brilhantes ideias. Aos 25 anos, publicou a descrição de uma máquina automática que, esperava, poderia computar todos os números "naturalmente considerados computáveis". Alguns anos mais tarde, durante a guerra, seu talento foi aproveitado pela Inglaterra, onde a partir de 1939 ele trabalhou em segredo para a Code and Cypher School, em Bletchley, na linha férrea entre Oxford e Cambridge.

A missão do pessoal de Bletchley era decifrar os códigos secretos usados pela Alemanha nazista na comunicação com seus comandantes navais e militares e seus aliados. Alan Turing esperava descobrir o código alemão chamado Enigma, por meio de um mecanismo de listagem que selecionasse e classificasse combinações de palavras-chave. A fórmula para descobrir o código tinha de ser preparada antecipadamente, uma vez que o tempo disponível para decifrar uma mensagem de rádio interceptada era curto, e os alemães mudavam constantemente de código. Durante o tempo necessário para se decifrar uma mensagem secreta, um submarino ou navio de guerra alemão poderia ter completado sua tarefa de destruição. Para que tais códigos fossem decifrados, era necessário ter conhecimento de pelo menos um deles. Então, uma das traineiras armadas da Alemanha foi abordada nas proximidades das ilhas norueguesas do Círculo Polar Ártico, em fevereiro de 1941. Isso aconteceu tão rapidamente que o capitão foi morto antes que conseguisse destruir documentos secretos.

O colega de Alan Turing, um jovem matemático chamado Max Newman, ajudou, em absoluto segredo, a construir um computador digital eletrônico que classificava informações de modo relativamente rápido. Com 1,5 mil válvulas eletrônicas, era tão grande que fez jus ao nome que recebeu: Colossus. Podia analisar 25 mil caracteres por segundo, velocidade que permitia aos britânicos decifrar as mensagens alemãs e assim descobrir os paradeiros e planos de ataque dos submarinos que dominavam o Oceano Atlântico. Esse computador foi parte essencial do projeto secreto de quebra de códigos, a ponto de aumentar as chances de vitória da Grã-Bretanha e dos Estados Unidos.

Os Estados Unidos estavam prestes a abocanhar a liderança dessa rápida e adiantada indústria. Seu primeiro computador digital eletrônico automático havia sido construído na Universidade da Pensilvânia, em 1946, a pedido das forças armadas do país, que haviam percebido como os cálculos rápidos poderiam ajudar a guiar os disparos de sua artilharia. A máquina norte-americana, superando o antigo equipamento usado em Bletchley, possuía uma memória poderosa, inventada por Johann von Neumann, matemático nascido na Hungria. As necessidades da Guerra Fria, entre elas a capacidade de interceptar ataques aéreos inimigos, pediam computadores infinitamente mais rápidos. A maioria foi fabricada nos Estados Unidos.

> AS NECESSIDADES DA GUERRA FRIA PEDIAM COMPUTADORES RÁPIDOS. A MAIORIA ERA FABRICADA NOS ESTADOS UNIDOS.

Em 1955, funcionavam cerca de 250 grandes computadores em todo o mundo, alguns dos quais ocupavam a área de uma ampla sala de estar. Feito de meio milhão de conexões soldadas à mão e necessitando de pelo menos 18 mil tubos de vácuo, esse tipo de computador estava no mesmo estágio do motor a vapor de Boulton e Watt, no século 18: desajeitado, caro e subaproveitado. Seu tamanho precisava ser reduzido. Os transistores ou semicondutores, fabricados pela primeira vez pela Bell Telephone Laboratory, em 1947, foram a solução. Tais peças possibilitaram não apenas a criação do rádio portátil, mas também de computadores menores e mais rápidos.

MONTANHAS, OCEANOS E CONQUISTADORES

Os computadores davam asas à imaginação, mas a conquista das mais altas montanhas do mundo também despertava admiração. Na exploração do planeta, empreendida ao longo de milhares de anos, as escaladas eram consideradas por alguns geógrafos como os últimos triunfos espetaculares.

Após a conquista de praticamente todos os grandes picos da Europa e das Américas, montanhistas ambiciosos se voltaram para a Ásia Central. Situadas sobre a fronteira entre o Nepal e o Tibete, as geladas escarpas do Himalaia eram um desafio, especialmente pela escassez de oxigênio. O Everest, montanha mais alta do mundo, com seus mais de 8,8 mil metros de altitude, era o maior desafio. Nas décadas de 1920 e 1930, diversas equipes de alpinistas – franceses, suíços, alemães, britânicos, poloneses e italianos – haviam nele se aventurado. Os alemães se destacavam na exploração de cumes nunca atingidos – 16 deles morreram em uma avalanche no ano de 1937.

A Segunda Guerra Mundial produziu, para soldados em missões nas montanhas e aviadores ousados, uma série de novos itens que os montanhistas se apressaram em adotar: tanques de oxigênio, fogareiros portáteis, walkie-talkies, roupas leves confortáveis e até mesmo um tipo de morteiro capaz de abrir caminho no gelo e na neve. O coronel John Hunt comandou a mais bem-equipada de todas as expedições britânicas ao Monte Everest. Dois de seus alpinistas – Edmund Hillary, da Nova Zelândia, e Tenzing Norgay, um experiente guia da etnia sherpa, nativo do Nepal – foram enviados à frente. Em 29 de maio de 1953, chegaram ao topo. A vitória do grupo de Hunt coincidiu com a ascensão da jovem rainha Elizabeth II ao trono, fazendo crer que aquele era o ano da juventude em uma Inglaterra que, de acordo com alguns críticos, sentia o peso da idade.

O oceano também teve seus conquistadores. Amantes de barcos notaram, no final da década de 1950, uma transformação inesperada. Os navios mais novos estavam mudando de formato: no início da Segunda Guerra Mundial, um grande navio-tanque de petróleo pesava mais ou menos 15 mil toneladas, mas por volta de 1960 esse peso chegava a 100 mil toneladas – um monstro longo e grande demais para deslizar pelo Canal de Suez transportando petróleo do Oriente Médio. Logo haveria navios de 200 mil toneladas para carregar minério de ferro ou carvão.

Outra novidade e solução para um problema antigo eram os cargueiros com o convés aberto, para transporte de contêineres. Durante gerações, a tarefa de carregar mercadorias do cais para o navio – e do navio para o cais, ao fim da viagem – absorvera um exército de homens fortes. Era preciso encontrar maneiras mais fáceis de lidar com a carga. Talvez as mercadorias pudessem ser reunidas em grandes contêineres, diminuindo o manuseio. Esses, por sua vez, poderiam ser colocados em vagonetes para seguir da fábrica até o porto mais próximo, embarcados no navio, levados até um destino distante e então descarregados em um caminhão ou vagão de trem. A ideia foi testada nos Estados Unidos em 1960, quando um navio da Matson Line, com 436 grandes contêineres, navegou de São Francisco até o Havaí. Com o uso de guindastes específicos, uma equipe especializada podia reduzir de cinco (ou mais) horas para poucos minutos a tarefa de carga ou descarga.

Os grandes navios-tanque, graneleiros e porta-contêineres diminuíram os custos do transporte de matéria-prima pelo mundo. Compradores lucraram com preços mais baixos. Em alguns países, os efeitos foram quase tão revolucionários quanto a substituição dos navios a vela pelos movidos a vapor no século anterior.

A ASCENSÃO DO JAPÃO

Na Grã-Bretanha, os antigos trabalhadores ainda se lembravam da época em que seu país dominava os mares do planeta. Em 1900, tanto sua marinha de guerra quanto a mercante eram as maiores do mundo e a bandeira britânica tremulava em portos de todos os continentes. Navios britânicos transportando carvão eram vistos em centenas de portos. A Grã-Bretanha era também o maior construtor de embarcações que havia: o enorme navio de passageiros Titanic foi construído em Belfast.

No intervalo entre as duas guerras mundiais, a Grã-Bretanha perdeu um pouco da supremacia em atividades de navegação, mas em 1950 o país construía 40% dos navios do mundo. Sua liderança, entretanto, foi rapidamente tomada pelo Japão, que aperfeiçoou as técnicas de linha de montagem que os norte-americanos haviam inventado durante a guerra, o que lhes permitiria fabricar a incrível marca de 2,6 mil navios Liberty. Em 1956, o Japão ultrapassou a Grã-Bretanha e se tornou o maior construtor de navios; dez anos mais tarde estava muito à frente. Pouquíssimas vezes, em uma grande indústria mundial, uma nação suplantou tão rapidamente outra que estivera na liderança por tanto tempo.

Outras indústrias nipônicas seguiam na mesma direção. A Guerra da Coreia, no início da década de 1950, deu ao Japão a oportunidade de suprir muitas das necessidades dos norte-americanos na zona de guerra. Os japoneses se lançaram no ramo de produtos eletrônicos, espalhando-se pelo mercado exterior. De 1966 até 1970, a taxa de crescimento econômico do país chegou à marca de 12% ao ano, o que, de maneira geral, é mais impressionante do que o incrível índice de crescimento atingido pela China no fim do século.

Parecia improvável, entretanto, que os japoneses – líderes na fabricação de caminhões – pudessem um dia produzir carros de primeira linha, capazes de abalar as estruturas dos Estados Unidos, paraíso do automóvel popular. Quando, na década de 1930, a Nissan começou a fabricar um grande carro de seis cilindros, seu design foi muito inspirado nos carros de Detroit. A Toyota, que originalmente fabricava máquinas para a indústria têxtil, entrou no ramo de automóveis com um modelo inaugural que lembrava outro carro norte-americano, o Chrysler Airflow. O sr. Honda fornecia pistões para a Toyota antes de começar a fabricar sua motocicleta de motor pequeno, que em 1960 tornou-se a mais popular do mundo. Esses veículos eram, inicialmente, cópias do que havia de melhor em países estrangeiros, o que levou os japoneses a serem rotulados de imitadores. Mas logo seriam eles os imitados.

O ramo automobilístico do Japão ultrapassava barreiras. Mas os grandes mercados de carros da América do Norte e da Europa estavam praticamente fora de seu alcance. Eram protegidos por tarifas, pela preferência nacionalista dos italianos em relação à Fiat e dos franceses em relação à Peugeot ou à Renault, bem como pela enorme produção de carros norte-americanos. Os japoneses reagiram. Começaram a saturar o próprio mercado – somente alguns ricos da geração anterior tinham carro – e a exportar por um preço competitivo. O Honda Civic, de motor pequeno e eficiente, causou sensação nos Estados Unidos no início da década de 1970, quando o alto preço do petróleo e a ascensão das mulheres como compradoras de automóveis agiram em favor do Japão, que já era, na época, o segundo maior fabricante de carros do mundo.

> O ÊXITO ECONÔMICO JAPONÊS FOI O PRECURSOR DO SUCESSO QUE SERIA ALCANÇADO POR OUTROS PAÍSES ASIÁTICOS.

O êxito japonês foi visto inicialmente como resultado de causas peculiares, mas, na realidade, foi o precursor do sucesso econômico que seria alcançado por outros, como Coreia do Sul, Taiwan, Hong Kong, Cingapura, Malásia, Tailândia e, mais tarde, China e Índia. Desde a revolução industrial, a fabricação havia sido a atividade econômica na qual os povos nativos da Europa e seus descendentes haviam se especializado. Foi a fonte de seu sucesso durante a guerra e empregou a maior parte de sua força de trabalho. Em 2000, era como se o Vale do Ruhr tivesse se mudado para a China, Birmingham estivesse na Índia, e Pittsburg, na Coreia do Sul. Muitos dos maiores estaleiros, siderúrgicas e fábricas de automóveis, bem como indústrias têxteis, estavam sobre o solo que, no início do século, servira quase sempre para o cultivo de arroz.

CAPÍTULO 21
O *CHEF* E O MÉDICO

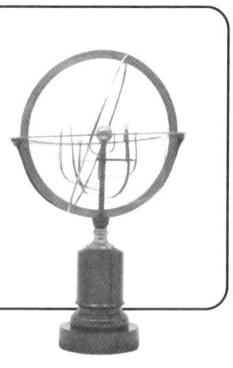

O rápido aumento das viagens para o exterior, impulsionado por tarifas aéreas baratas e férias anuais mais longas, estimulou o apetite pelo exótico. Em Bonn, Toronto e outras 50 cidades ocidentais, o número de restaurantes finos cresceu – na França e na Itália, já havia vários. O banqueiro e a mulher, o advogado e a família, a diretora de escola e o marido, bem como todas as pessoas do mesmo estrato social, que na década de 1930 entravam em restaurantes somente para festas de casamento, passaram a sair para comer fora com estilo. Os almoços de negócios tornavam-se mais frequentes e mais longos.

A moda de comer fora se popularizou graças à prosperidade crescente e às famílias menores, auxiliada também pelo enfraquecimento dos movimentos pela austeridade e abstinência, vigorosos até mesmo durante a década de 1930 em países como Estados Unidos, Canadá, Austrália, Nova Zelândia e em alguns outros. No ápice da cruzada pela moderação, grupos de protestantes evitavam entrar em restaurantes ou hotéis que servissem refeições, para não verem sobre a mesa a imagem da tentação em forma de uma garrafa de vinho alemão ou francês.

No fim do século, essa mudança profunda na maneira de as pessoas cozinharem e comerem, bem como em outros aspectos do dia a dia, encontrava-se em estágio avançado. No início do século, a cozinha era o centro de uma casa típica. Farinha, açúcar e alimentos básicos ficavam guardados em latas e tigelas, e das vigas pendiam réstias de cebola, ervas e carne defumada. Em fogões a lenha ou a carvão, praticamente todas as refeições eram preparadas e também se fervia a água para beber e lavar roupas. Grande parte da vida das mulheres se passava na cozinha, onde preparavam comida e faziam inúmeras outras tarefas. Em 2001, esse modo de vida tornava-se raro na Europa e em boa parte das Américas. A comida pronta, enlatada e congelada tomava conta das despensas. Fogões a gás ou elétricos e fornos de micro-ondas substituíam os antigos fogões e os estoques de carvão ou lenha. Vários equipamentos, como torradeiras, cafeteiras e lavadoras de louça, confinavam-se em espaços minúsculos, chamados de quitinetes. Como resultado, o tempo gasto todos os dias no preparo das refeições foi drasticamente reduzido.

As fábricas de enlatados e de alimentos processados alteraram a importância da cozinha dos velhos tempos. Foram mudanças extraordinárias, ocorridas rapidamente e experimentadas por cerca de metade dos lares em todo o mundo.

OS CAMPOS DE BATALHA DA MEDICINA

A Segunda Guerra Mundial foi um grande estímulo para as descobertas médicas. A atmosfera de urgência parecia incentivar as pesquisas. A capacidade de salvar vidas humanas nas décadas de 1940 e 1950 superou a de todas as décadas anteriores. O número de mortes durante a Segunda Guerra foi significativo, porém baixo em comparação com o aumento das técnicas de salvamento.

A habilidade em combater a malária nos trópicos aumentou graças à guerra. Os pântanos de onde vinham os mosquitos portadores da doença foram tratados com um novo produto químico suíço chamado DDT.

> A SEGUNDA GUERRA MUNDIAL FOI UM GRANDE ESTÍMULO PARA AS DESCOBERTAS MÉDICAS.

Uma das razões para o sucesso da invasão da Birmânia (ocupada por japoneses) durante a última fase da guerra foi o fato de as tropas conseguirem finalmente enfrentar a malária.

A descoberta da penicilina deveu muito a experiências anteriores, sendo fruto de uma longa pesquisa em busca de um medicamento capaz de combater uma doença específica, sem afetar o organismo todo. Em 1910 o alemão Paul Ehrlich, sabendo que as bactérias causavam doenças, inventou uma dose de preparado de arsênico que atacava a sífilis sem diminuir a resistência do corpo. Outra nova substância combatia a doença do sono, uma maldição na África Central. Em 1932, os laboratórios alemães da gigante química IG Farben desenvolveram os primeiros tipos de droga à base de sulfonamida que, nos dez anos posteriores, começariam a combater a pneumonia e a disenteria.

Uma descoberta ainda mais importante, na mesma linha de pesquisa, foi feita durante a Segunda Guerra Mundial. Howard Florey, um jovem estudante, tinha viajado da Austrália para Oxford à procura de um modo de combater as infecções microbianas. Lá, fez experiências com um intrigante fungo que inibia o desenvolvimento de bactéria resistente, já observado por Alexander Fleming, bacteriologista londrino que, no entanto, não deu continuidade às pesquisas. Auxiliado pelo dr. Ernst Chain, um químico que havia fugido de Berlim, Florey obteve resultados animadores relacionados a um tipo de droga, a qual chamou de penicilina. Experiências com ratos em maio de 1940 – exatamente quando as tropas de Hitler avançavam em direção ao Canal da Mancha – indicaram que a penicilina tinha potencial para salvar vidas. Após testes clínicos efetivos, o novo antibiótico foi produzido em massa na América, dada a urgência com que era necessário.

Levado para os hospitais de campanha, o medicamento começou a operar milagres, sobretudo em pacientes que haviam sido submetidos a cirurgias graves ou que estivessem sofrendo de doenças venéreas. A penicilina salvou dezenas de milhões de vidas durante os primeiros cinquenta anos de uso e seu sucesso possibilitou a descoberta de drogas contra outras doenças infecciosas.

A tuberculose era bastante comum. Transmitida por tosse e saliva e também pela ingestão de leite contaminado, foi alvo de investigações médicas. Em 1921, a França adotou uma vacina – não tão efetiva quanto se esperava – contra a doença. A Alemanha obrigou seus soldados a fazerem exames de raios X na década de 1930. Em 1944, na Rutgers University, perto de Nova York, um cientista nascido na Ucrânia, cuja especialidade era microbiologia do solo, fez importantes descobertas. Analisando os micróbios que surgiam nos solos, o professor Selman Waksman e seu auxiliar identificaram um inimigo dessas criaturas: a estreptomicina, que se tornou a base do novo remédio. Após descobertas na Suécia, na Alemanha e nos Estados Unidos ao longo dos dez anos seguintes, a campanha contra a tuberculose parecia encaminhar-se para a vitória. Como tantas outras conquistas, entretanto, dependeria muito de melhorias nas questões de higiene e nutrição.

As doenças infantis eram minimizadas e curadas graças à pesquisa diligente, muitas vezes realizada por cientistas de pouco renome, cujos méritos nem sempre eram facilmente reconhecidos.

> POR VOLTA DA DÉCADA DE 1950, MUITAS DOENÇAS INFANTIS COMEÇARAM A SER CURADAS GRAÇAS A PESQUISAS DILIGENTES.

Entre os anos de 1930 e 1950, muitas crianças foram vítimas de epidemias severas de poliomielite. Mantidas em um "pulmão de ferro" ou deitadas imóveis em camas onde suas pernas ficavam presas por talas, compunham um cenário triste. Depois que Jonas Salk, de Pittsburgh, desenvolveu, em 1955, uma vacina injetável segura, a poliomielite recuou. A febre reumática, diagnosticada com frequência na primeira metade do século, também perdia força, mas não tão rapidamente.

Os cirurgiões realizavam experiências corajosas, fazendo surgir esperanças, por exemplo, para problemas cardíacos tidos como insolúveis até então. Os que sofriam de certas incapacidades podiam ser curados graças a um aparelho chamado marca-passo. Uma vez que tal instrumento ainda não tinha uma forma miniaturizada, após o procedimento cirúrgico os pacientes tinham de carregar os equipamentos eletrônicos necessários em uma maleta ou no bolso. Para crianças vítimas de males cardíacos congênitos – então a maior causa de mortes de bebês norte-americanos –, a cirurgia do coração era arriscada e precisava ser feita de modo cauteloso, mas logo a taxa de intervenções bem-sucedidas cresceria. Para o público em geral, um dos assombrosos eventos da história da Medicina foi o transplante de coração, feito pela primeira vez pelo dr. Christian Barnard, na Cidade do Cabo.

Outra descoberta avançada das pesquisas médicas, uma minúscula unidade chamada gene, despertou pouco interesse no início da década de 1950. Semelhante a um grão de areia microscópico, foi considerado a menor parte do bloco de construção da vida. O gene é capaz de se reproduzir e carregar informações que são transmitidas de pais para filhos e codificadas em moléculas de DNA, abreviação de *deoxyribonucleic acid* (ácido desoxirribonucleico).

O DNA foi descoberto por dois pesquisadores que não possuíam muita experiência: Francis Crick, um inglês na casa dos 30 anos, e James Watson, um norte-americano ainda mais jovem. Como Watson declarou mais tarde, o caminho mais simples para as descobertas científicas é "permanecer distanciado das teses por demais discutidas", o que se provou uma vantagem. Eles começaram a trabalhar juntos em 1951 na Cambridge University, no laboratório que uma geração antes servira como local para o surgimento do inovador processo chamado de cristalografia de raios X. Com poucos equipamentos e recursos financeiros, ambos foram abençoados com intuição e olho clínico para as pistas oferecidas pelos que ocupavam a vanguarda da teoria química e de cristalografia. Entre eles, estava a cientista Rosalind Franklin, que generosamente compartilhou suas descobertas, estimulando a teoria experimental então desenvolvida por Crick e Watson. Ela morreu de câncer no ovário antes que o valor de suas pesquisas pudesse ser totalmente apreciado.

O sucesso de Crick e Watson chegou em 1953, apenas dezoito meses depois do início de seu trabalho em equipe. A teoria que desenvolveram sobre o DNA, exposta de maneira resumida na revista *Nature*, não produziu inicialmente nenhuma grande comoção. Meio século mais tarde, perguntaram a James Watson que reação sua descoberta tinha causado. "Silêncio quase absoluto", ele respondeu. Foi somente a partir da década de 1960 que as revistas especializadas passaram a discutir a sério a teoria dele. Uma grande quantidade de investigações e cálculos foi necessária para que a teoria se tornasse uma ferramenta prática.

Nos últimos vinte anos do século, o estudo dos genes se tornou uma chave para várias portas. Descobriu-se que um defeito genético causa a diabete, que determinado gene está ligado ao retardo mental e que outro pode ser a causa da surdez hereditária. A genética se tornou uma aliada das autoridades. Em tribunais, amostras de sêmen, pele ou cabelo colhidas de prisioneiros são cada vez mais consideradas como equivalentes a impressões digitais. A partir de exames semelhantes, descobriu-se, em 1985, que uma campeã espanhola de corrida com obstáculos era na verdade um homem, o que resultou em desqualificação. Boa parte da compreensão sobre plantas, animais e seres humanos vem das teorias de Crick e Watson e das pesquisas subsequentes.

> Nos últimos vinte anos do século, o estudo dos genes se tornou uma chave para várias portas.

Durante a década de 1950, alguns pesquisadores começaram a questionar hábitos tradicionais. O tabaco, geralmente fumado em cachimbos de madeira ou argila, era um enorme prazer para os homens do século 19; porém os salários baixos e o preço alto do tabaco restringiam o hábito de fumar. No final do século 19, o cigarro se tornou popular – era possível acendê-lo facilmente com o auxílio de novos e seguros fósforos –, mas também ficou mais nocivo à saúde.

A guerra, com a tensão e o enfado que trazia, impulsionou o fumo. Durante a Primeira Guerra Mundial, os Estados Unidos observaram o incrível crescimento de dois hábitos: mascar chicletes e fumar cigarros. O consumo de tabaco aumentou quatro vezes no espaço de seis anos.

Durante a outra grande guerra, o exército de fumantes continuou a se multiplicar. Homens, tanto jovens quanto velhos, eram inicialmente os mais ávidos, mas as mulheres compartilhavam cada vez mais do hábito. Em muitas festas realizadas nos lares dos anos 1950, quase todos fumavam à mesa, antes mesmo que o primeiro prato fosse servido.

Quanto mais numerosos os fumantes, maior a quantidade de pessoas que morriam de câncer no pulmão. Na década de 1930, na Alemanha, surgiram fortes suspeitas quanto à ligação entre a fumaça do cigarro e o aumento do câncer pulmonar. Em 1952, na Inglaterra, Richard Doll confirmou essa suspeita, mas foi somente no fim de 1963, quando os indícios se tornaram por demais evidentes, que o Ministério da Saúde dos Estados Unidos fez soar o alarme.

Outras facetas do conhecimento médico e das técnicas de cirurgia consideradas triviais hoje em dia tiveram sua origem ou atingiram seu auge durante esse espantoso período de vitalidade científica. Uma pílula de controle da natalidade foi desenvolvida. A palavra *colesterol* passou a fazer parte do vocabulário dos bem-informados. O laser, uma invenção de 1960, começou a modificar alguns tipos de cirurgia.

Um editor britânico publicou uma coleção de livros que, logo nos títulos, declarava a enorme confiança que impregnava tantos estudos no campo médico na década de 1950. Um deles era *Conquest of Cancer* (A Conquista do Câncer); o outro, *Conquest of Pain* (A Conquista da Dor). Seu otimismo era prematuro, mas refletia a exuberância de uma época incomparável.

CAPÍTULO 22
O VAIVÉM DA GANGORRA

Em 1960, o clima intelectual e emocional que permearia o fim dessa década ainda não era percebido. Esse clima foi moldado pela exaltação da juventude, pela luta a favor dos direitos dos negros, pelo nascimento do movimento ecológico, por uma nova onda feminista, pela invenção da pílula anticoncepcional, pela música alta e rebelde e pelas drogas. Foi temperado pela Guerra do Vietnã e influenciado por cidades como Liverpool, São Francisco, Hanói, Paris e Congo, bem como pelos ares da prosperidade ocidental.

"EU TENHO UM SONHO"

À medida que mais e mais colônias africanas se tornavam nações independentes, um curioso fato ficava evidente. Para essas pessoas, parecia existir mais esperança de igualdade do que para os afro-americanos, cujos ancestrais viviam nos Estados Unidos havia gerações.

Os negros se libertaram da escravidão nos Estados Unidos em 1865 e, cinco anos mais tarde, tiveram assegurado pela constituição o direito ao voto. Mas ainda tinham uma participação pequena nos parlamentos. Poucos alcançavam o nível universitário e se tornavam advogados, banqueiros ou médicos. A maior contribuição dos negros para a vida pública se fazia notar nas igrejas do sul do país, nas quais demonstravam toda a sua fascinante eloquência – mas poucos brancos ouviam o que eles diziam.

No início do século, a maioria dos afro-americanos era composta por trabalhadores rurais assalariados do sul do país. Após décadas na base da pirâmide salarial, eles receberam a chance de sair dessa posição graças à Primeira Guerra Mundial. Com o declínio da migração da Europa para os Estados Unidos, representantes de empresas passaram a percorrer a parte rural do sul com ofertas de passagens e altos salários para homens negros que desejassem trabalhar em ferrovias, fábricas, usinas siderúrgicas e hotéis em Chicago, Detroit, Pittsburgh, Boston, Nova York e outras cidades do norte. Em 1917, os Estados Unidos entraram na guerra, o que fez aumentar a escassez de mão de obra nas fábricas – no início, eram aceitos apenas recrutas brancos no exército.

> Nos Estados Unidos, a partir do final da década de 1950, ordens judiciais e novas leis puseram fim a muitas das restrições aos afro-americanos.

A sede da Ford, em River Rouge, foi uma ativa contratadora de negros, selecionados cuidadosamente, com o auxílio de pastores afro-americanos locais. Na década de 1920, esses trabalhadores desfrutavam de um padrão de vida mais alto que o de qualquer operário europeu.

Não havia um clamor por maior participação dos afro-americanos na vida pública. Em 1928, Oscar de Priest se tornou o primeiro negro eleito para o congresso em trinta anos, mas sua vitória significou apenas um pequeno avanço. Somente a Segunda Guerra Mundial e suas consequências viriam a proporcionar indiretamente outra forma de ascensão. Como Washington podia pregar princípios de igualdade política pelo planeta se ignorava a desigualdade que havia em um simples passeio de ônibus pelos arredores da Casa Branca? Como podia denunciar a falta de liberdades civis na república da Geórgia, na União Soviética, quando o seu estado da Geórgia também não era perfeito? As pessoas estavam cada vez mais relutantes em fechar os olhos para algo que era normal no sul – salas de aula, paradas de ônibus, cafeterias: umas para brancos e outras para negros. Washington interveio, reforçando os direitos civis em 1957 e 1960.

Ano após ano, protestos, ordens judiciais e novas leis acabavam com muitas das restrições aos afro-americanos. Quando, em 1964, o texano Lyndon Johnson venceu a eleição para presidente com ampla maioria e se preparou para construir o que chamava de A Grande Sociedade, era a comunidade negra que ele tinha em mente.

Compreensivelmente, muitos norte-americanos brancos, que acreditavam em vencer por si mesmos e na ética do trabalho, relutavam em contribuir para a vida de pessoas que, conforme a crença generalizada, careciam desses princípios. Também era compreensível que norte-americanos negros, os quais, como os avós, eram marginalizados havia muito tempo, não se satisfizessem imediatamente com uma pequena melhora em sua condição de vida. Em algumas regiões, as tensões aumentaram. Nos verões de 1966 e 1967, ondas de violência surgiram em cidades do norte e, ao longo de um mês, 43 pessoas foram mortas em Detroit. Uma nova confiança passou a fazer parte da postura dos negros – *black is beautiful* (negro é lindo) tornou-se um slogan popular. Um jovem pastor persistiu fielmente em sua estratégia de resistência pacífica e tornou-se o líder da América do Norte negra: Martin Luther King Jr. Discípulo de Gandhi e de Cristo, ficou conhecido nacionalmente quando tentou promover, em 1955, um boicote aos ônibus que segregavam negros e brancos em Montgomery, no Alabama, onde atuava como pastor da Igreja Batista. Oito anos mais tarde, reuniu uma grande quantidade de pessoas aos pés do Lincoln Memorial, em Washington, e suas palavras alcançaram o mundo inteiro através da televisão, do rádio e dos jornais: "Eu tenho um sonho", declarou para a multidão à sua frente.

King viveu por apenas mais alguns anos, os quais passou em companhia da esposa e dos quatro filhos. Acabou assassinado em Memphis, no Tenessee, em 4 de abril de 1968.

Havia, nessa época, a esperança de uma nova era de liberdade para os africanos, tanto para aqueles que ainda se encontravam no continente de origem quanto para os que viviam nos Estados Unidos. Na África, entretanto, tais esperanças logo diminuíram. Muitas das novas nações não elegiam seus líderes. Mudanças no governo eram determinadas mais à força do que pelo voto popular. Em 1955, uma revolta armada no Sudão – o país africano de maior extensão territorial – foi o prenúncio de como o poder poderia ser facilmente tomado e manipulado. Nos vinte e cinco anos seguintes, foi comum que países africanos passassem por um ou dois golpes de estado, uma rebelião, uma guerra civil ou um assassinato, emergindo em seguida um novo governo. Algumas nações experimentaram todo o tipo de transformação, exceto aquela trazida tranquilamente pelas urnas. O lamento eloquente de Martin Luther King dirigia-se com mais propriedade a esses países do que ao Alabama e ao Tenessee.

MÚSICA ALTA

Aqueles que ouviam os Beatles não imaginavam as mudanças que os rapazes de Liverpool anunciavam. Seu primeiro álbum, de 1964, não parecia revolucionário, embora fosse irreverente. A música do grupo fazia as pessoas se reunirem de maneira alegre e aparentemente inofensiva. Um pouco infantis, os quatro tinham apelo tanto entre mães quanto entre filhos, vendendo mais discos em um curto espaço de tempo do que quaisquer outros músicos na história, o que ajudou a popularizar o rock na Inglaterra. Nos seis anos que se passaram desde sua primeira apresentação juntos até sua separação em 1970, os integrantes da banda fizeram os adolescentes se sentirem participantes de uma comunidade ampla e especial, à qual seus pais, e talvez até seus professores, não pertenciam verdadeiramente.

Aquela foi a primeira geração de adolescentes com dinheiro para gastar. Nas décadas anteriores, ao terminar os estudos, os jovens começavam imediatamente a trabalhar e os parcos salários semanais eram entregues aos pais, com quem continuavam a morar. Em 1900, na França e na Grã-Bretanha, o trabalho juvenil contribuía muito mais do que o das mães para a renda total da família; portanto, era vital que os filhos continuassem em casa. Mas agora os jovens colocavam a si mesmos e a suas preferências no alto da lista de prioridades. Deixavam a casa da família mais cedo. Tinham menos, ou nenhuma, consideração pela opinião dos pais. Foi uma espécie de meia declaração de independência. Em meados da década de 1960, somente uma minoria de jovens norte-americanos a proclamou, mas foi uma minoria considerável, suficiente para influenciar o ânimo da década, especialmente na Califórnia.

Beatles, Rolling Stones e a guitarra de Bob Dylan foram os pioneiros dos palcos. Os sinais de diferenças de opinião acentuaram-se. Os hippies apareceram. O álcool e outras drogas, inclusive a heroína, invadiram a atmosfera. A contracultura ficava cada vez mais contra. O envolvimento dos Estados Unidos na Guerra do Vietnã crescia e muitos jovens diziam não ao recrutamento.

A Guerra do Vietnã tinha certa semelhança com a Guerra da Coreia. Os dois países haviam sido divididos em um norte comunista e em um sul antidemocrático, e o norte disciplinado havia atacado, inicialmente com sucesso, o sul. Os norte-americanos e seus aliados ajudavam o Vietnã do Sul, enquanto os russos e os chineses enviavam armas e munição – mas não soldados – em auxílio ao Vietnã do Norte. Diferentemente da paisagem e do clima da Coreia, o Vietnã causou perplexidade nos norte-americanos: era um país tropical, com selvas e campos de plantação de arroz. A superioridade aérea norte-americana era incontestável, mas adequada principalmente para bombardear gigantescas rodovias ou ferrovias, e não trilhas no meio do mato. Assim, o país militarmente mais avançado do mundo não podia usar sua tecnologia. Mísseis nucleares estavam fora de cogitação. Tais armas provocariam retaliações por parte de chineses e russos, além de inflamar a opinião pública mundial. Cada vez mais, os norte-americanos precisavam de seus homens em terra – o total chegou, por fim, à casa do meio milhão.

Uma guerra que inicialmente parecera fácil de ser vencida tornava-se, aos poucos, perdida. No final da década de 1960, o barulho causado pelos protestos nos Estados Unidos ficou ensurdecedor. As alternativas radicais ganhavam a preferência – não tinham necessariamente o apoio da maioria do povo norte-americano, mas contavam com uma minoria numerosa o suficiente para abalar os círculos políticos.

Com a divisão interna que causou nos Estados Unidos, a Guerra do Vietnã misturou vários ingredientes na mesma panela. Os jovens se opunham ao conflito e aos valores dominantes dos políticos e cidadãos que o apoiavam, começando a perceber as virtudes dos camponeses asiáticos e os defeitos dos moradores das cidades norte-americanas. A ideia de os Estados Unidos entrarem na guerra para defender as liberdades pessoais dos vietnamitas parecia realmente estranha quando tantos negros norte-americanos tinham muito menos liberdade do que os brancos do país. Argumentos como esse inspiraram centenas de milhares de comícios contra a guerra. No entanto, embora houvesse liberdade para protestar em Washington, o mesmo não acontecia em Hanói.

A CRUZADA ECOLÓGICA

Os méritos inconfundíveis dos Estados Unidos transformavam-se em defeitos. A nação que outrora fora elogiada por domar a natureza, conquistar o oeste e utilizar a tecnologia para resolver inúmeros problemas enfrentava o escárnio e a pressão por conta da poluição ambiental. A Guerra do Vietnã impulsionou o movimento ecológico.

Tal movimento tinha raízes superficiais e também profundas. Das principais religiões, o hinduísmo, o islamismo e o budismo pareciam ser as mais simpáticas à natureza, mas o cristianismo também possuía tradição ecológica – acredita-se que São Francisco de Assis, na Itália medieval, tenha conseguido apaziguar lobos que rondavam as colinas da cidade montanhosa de Assis. No século 19, um dos mais populares hinos protestantes foi escrito por Reginald Heber, o primeiro bispo anglicano da Índia. A canção exultava as terras tropicais, onde "a água das fontes ensolaradas jorra pela areia dourada e sopram as agradáveis brisas", e dizia que a natureza é bela, "somente o homem é vil".

Na década de 1960, grupos seculares também passaram a se interessar mais pela natureza. Alguns observadores começaram a notar os efeitos visíveis e invisíveis das novas máquinas e dos novos produtos químicos. Os pesticidas que combatiam o mosquito transmissor da malária eram então suspeitos de serem extremamente nocivos, como Rachel Carson defendeu em seu livro, publicado em 1962, *Primavera Silenciosa*. Por toda parte, fazendeiros usavam fertilizantes e sprays químicos em demasia, madeireiros destruíam florestas rapidamente, bem como pescadores e caçadores de baleia infestavam os mares com redes, fazendo milhares de espécies, antes abundantes, entrarem em perigo de extinção.

Ao mesmo tempo, um pequeno grupo de cientistas começou a pedir a conservação do que consideravam um pedaço especial do planeta: a pouco explorada Antártica, maior do que a Austrália e Indonésia juntas. A região já havia testemunhado heroicas aventuras, especialmente nos dias de Scott, Amundsen e Shackleton, mas grande parte de seu território ainda não tinha sido visitada nem explorada. A partir de 1º de julho de 1957, em uma tentativa mútua de assinalar o Ano Internacional da Geofísica, uma dúzia de nações instalou bases no continente a fim de estudá-lo e avaliá-lo como jamais havia sido feito. Foi firmado o Tratado da Antártica, primeiro pacto importante em que nações do Hemisfério Sul – como Argentina, Chile, Austrália, Nova Zelândia e África do Sul – tinham quase a mesma representação que as do Hemisfério Norte. Memorável foi o fato de o acordo ter sido assinado tanto pela União Soviética quanto pelos Estados Unidos, durante uma fase tensa da Guerra Fria. As duas superpotências resolveram que o lixo nuclear não seria estocado na Antártica e que lá não haveria testes de bombas atômicas. Os países determinaram que o continente antártico e seus oceanos seriam uma zona para pesquisa livre, em detrimento de experimentos secretos, e que cada nação poderia verificar os resultados das pesquisas das outras. O tratado, um marco na história da conservação ambiental, entrou em vigor em 23 de junho de 1961.

O movimento ecológico ganhava força e aumentava suas perspectivas, lamentando o crescimento populacional na Ásia, na África e nas Américas. Preocupados com as novas pressões que cada bilhão de pessoas a mais poderia impor sobre montanhas, praias, rios e pântanos, os ativistas se perguntavam: como os limitados recursos mundiais seriam capazes de alimentar todas essas pessoas, assegurar-lhes abrigo, lenha e eletricidade, além de garantir o aço, o plástico, o alumínio e o petróleo dos quais a vida na sociedade industrial dependia? Em 1969, uma comissão das Nações Unidas descobriu que o crescimento da população mundial havia sido bem maior do que se esperava e que os estoques de alimentos poderiam ser tremendamente insuficientes.

> O MOVIMENTO ECOLOGISTA SE FORTALECEU NAS ÚLTIMAS DÉCADAS DO SÉCULO E PROVOCOU UM QUESTIONAMENTO SOBRE O MODO DE VIDA DESENVOLVIDO DESDE A REVOLUÇÃO INDUSTRIAL.

Algumas avaliações a respeito dos suprimentos de gêneros alimentícios, minerais, fertilizantes e combustíveis foram feitas com atraso; outras, a tempo. Previsões sobre a escassez de minerais – minério de ferro, cobre, carvão, entre outros – apoiavam-se em estatísticas que pareciam confiáveis, feitas por cientistas capacitados. No entanto, a quantidade disponível de alguns desses materiais veio a aumentar de modo surpreendente, justamente durante os anos em que a escassez era prevista. O exagero deu o tom à cruzada ecológica em seus anos mais ardorosos.

Ao questionarem a ciência e a tecnologia, os "verdes" confrontavam todo o modo de vida desenvolvido desde a Revolução Industrial.

Era um ataque à sociedade individualista, à obsessão pelo progresso material e por novas máquinas e ao menosprezo pela natureza. Como contraponto, as tribos simples do passado remoto eram tidas como satisfeitas, saudáveis e virtuosas. Essa opinião – valiosa, porém exagerada – conquistava cada vez mais seguidores.

A natureza, tradicionalmente considerada isolada e perigosa, passou a ser aclamada como um paraíso de majestade, harmonia e diversidade ecológica. As tentativas de preservá-la para as futuras gerações começaram a ter uma urgência raramente vista desde o último terço do século 19, quando o Yellowstone National Park na América do Norte, os cumes de três vulcões na Nova Zelândia, a zona de arenito no sul de Sydney e a primeira parte do Kruger National Park na África do Sul tiveram seus territórios demarcados e preservados. Da década de 1970 em diante, lugares protegidos, como parques nacionais e reservas ambientais, multiplicaram-se. As espécies ameaçadas tornaram-se o centro das atenções. Grandes animais marítimos e terrestres – os elefantes africanos, caçados por seu marfim, e as baleias, perseguidas por seu óleo – transformaram-se em uma grande preocupação.

Vários novos grupos ecológicos concentravam suas atenções no risco de uma guerra nuclear, e a expressão *inverno nuclear* entrou em voga. O Greenpeace surgiu em 1971, no Canadá, na esperança de interromper os testes atômicos em uma ilha do Alasca. O influente Partido Verde alemão foi fundado em 1979, buscando, em parte, a criação de um território na Europa Central livre de armas nucleares e outros armamentos. Nessa época, a União Soviética e o Terceiro Mundo demonstravam pouco interesse por tais assuntos.

Os líderes ecológicos agiam com ardor. Na década de 1970, não era ainda claro o que mais tarde se tornaria transparente: havia no Ocidente dois tipos diferentes, e às vezes conflitantes, de verdes: os ambientalistas radicais – barulhentos, mas pouco numerosos, crentes de que o mundo estava em um estado permanente de crise ecológica – e os ambientalistas moderados – compunham a maioria e desejavam que o crescimento econômico fosse compatível com a preservação das espécies raras e dos locais singulares. Os verdes moderados, menos militantes, foram de importância vital.

Esses grupos propagaram o conceito de "um só mundo", transformando de maneira espetacular a mentalidade das pessoas. O que acontecia com a camada de ozônio sobre a Antártica se tornou preocupação em Praga; o que poderia acontecer com as florestas tropicais do Brasil era assunto discutido em Hiroshima. Esses interesses globais apareciam graças à rapidez e ao alcance das viagens internacionais, aos satélites, que recolhiam informações de todos os lugares, e aos computadores, que organizavam todas essas informações.

A complexa questão do aquecimento global surgiu na década de 1980, causando preocupação. Não há dúvida de que a civilização industrial é imprevidente e poluidora, bem como não há como negar que a temperatura do planeta estava mais elevada no fim do que no início do século 20, como atestam alguns anos – os mais quentes de todos os tempos – do final da década de 1990. Mas a temperatura europeia se comportou de maneira irregular, apresentando um breve período de aquecimento que acabou em 1942 e um leve resfriamento que durou até 1977, seguido de um novo aquecimento. Curiosamente, o aquecimento "global" deu-se muito mais rapidamente no Hemisfério Norte do que no Sul. As intrincadas causas e as possíveis soluções para tais mudanças climáticas ainda não foram desvendadas. As questões científicas e políticas sobre o aquecimento global são um capítulo obrigatório da história do século 21, mas continuamos tateando no escuro.

A respeito dos conceitos proeminentes na década de 1960, um fato é curioso: a maioria deles havia estado em evidência na década de 1890 e no início do século 20. Houve um movimento ecológico incipiente, bem como um princípio de feminismo. Também surgiu uma reação, por parte de uma poderosa minoria de pensadores, contra a ideia de progresso e os méritos da tecnologia, enquanto, ao mesmo tempo, as sociedades não urbanas e a natureza intocada eram igualmente valorizadas em alguns círculos intelectuais da Europa Ocidental. O movimento dessa gangorra de ideias foi revertido antes da Primeira Guerra Mundial, mas elas ressurgiram revigoradas nos anos 1960.

MULHERES: "É SÓ ISSO?"

As cruzadas pelos direitos das mulheres, dos negros, dos jovens e até mesmo da flora e da fauna ameaçadas estavam discretamente interligadas. Eram todos movimentos a favor de minorias negligenciadas. Entretanto, a campanha para aumentar os direitos femininos foi levemente diferente – elas já podiam votar, mas ainda faltava alguma coisa.

Após receber estímulo na Nova Zelândia e na Austrália, o apoio ao sufrágio feminino varreu o mundo ocidental – em 1950, Grécia e Suíça estavam entre os poucos países democráticos que não permitiam às mulheres votar. Mesmo assim, a esperança, tão intensa no início do século, de que elas pudessem se tornar líderes em parlamentos, tribunais e no mercado de trabalho raramente se concretizava. A maioria, após o casamento, mergulhava nos assuntos caseiros e familiares. O movimento feminista, como se observava com frequência, tinha perdido a força.

Betty Friedan era uma talentosa aluna formada pelo Smith College que trabalhava como psicóloga antes de aceitar parcialmente sua nova vida como mãe de três filhos em Grandsview, Nova York. Na década de 1950, ela começou a perceber que as suas alternativas eram menos diversificadas que aquelas de que dispunham as mulheres soviéticas de sua idade. Uma norte-americana casada devia ser, acima de tudo, mãe e esposa; se desejasse seguir uma carreira, seria como se estivesse optando por um celibato vitalício. Friedan descobriu que o aproveitamento dos talentos femininos havia diminuído a partir de 1920 nos Estados Unidos – durante os trinta e cinco anos seguintes, a proporção de títulos de doutorado obtidos por mulheres entrou em declínio, bem como a quantidade daquelas que frequentavam faculdades e universidades.

Ela notou um vazio na vida cotidiana de muitas mulheres de sua geração: "Depois de arrumar as camas, ir ao armazém, comer sanduíches de pasta de amendoim com os filhos e levá-los de um lugar a outro, ela deita ao lado do marido à noite, temerosa de perguntar até para si mesma: 'É só isso?'" Em seu eloquente lamento, publicado em 1963 com o título de *A Mística Feminina*, Friedan aconselhou as mulheres casadas a trabalhar fora e seguir uma carreira. O livro seguia a linha autoajuda, muito forte nos Estados Unidos, e deu destaque à inquietação que a autora percebeu no ar.

A invenção da pílula não foi o início da revolução sexual. Foi, na verdade, muito mais efeito do que causa. Os debates públicos sobre sexo passavam por mudanças. A televisão, que então entrava em milhões de lares, não era tão cautelosa quanto o rádio ao veicular conteúdos de cunho sexual. Na segunda metade da década de 1950, best-sellers como *A Caldeira do Diabo*, *Lolita* e uma edição livre de censura de *O Amante de Lady Chatterley* eram sexualmente mais explícitos do que os campeões de vendas da década anterior.

A pílula de controle de natalidade emergiu como substituta dos preservativos de borracha e diafragmas. Foi um processo lento, fruto de vários experimentos. Uma versão foi desenvolvida na década de 1940 pelo jovem biólogo Gregory Pincus, enquanto outra, baseada nas propriedades do inhame mexicano, foi patenteada por Carl Djerassi, em 1951. Uma das entusiastas de tais experiências era Margaret Sanger, cuja clínica em Nova York ajudava mulheres casadas a diminuir a quantidade de vezes em que ficavam grávidas. Preocupada com os prognósticos de superpopulação, especialmente no Terceiro Mundo, Sanger conseguiu para a pesquisa de Pincus o apoio da filantropa Katherine McCormick, de quase 80 anos, cuja família do marido havia feito fortuna com máquinas colheitadeiras de trigo.

Pincus obteve sucesso nas experiências com coelhas, mas uma lei de Massachusetts o proibia de experimentar a novidade em mulheres. O dinheiro de McCormick permitiu que os testes fossem feitos em Porto Rico, em meados de 1950. Poucas foram as mulheres do país que, convidadas a participar da experiência, mostraram-se dispostas a usar a pílula por um ano, não porque tivessem restrições morais ou espirituais, mas porque achavam um incômodo ter de tomar a pílula todos os dias. No total, 123 mulheres porto-riquenhas seguiram a prescrição durante o tempo determinado. Os efeitos colaterais não puderam ser adequadamente monitorados, mas o objetivo principal foi atingido.

A popularização desse método como um meio simples de evitar a gravidez foi considerado um perigoso incentivo à imoralidade, em especial entre os jovens. A pílula foi inicialmente prescrita apenas para mulheres casadas e maduras. Somente após 1962, os Estados Unidos e a Grã-Bretanha obtiveram licença para vender o medicamento. O anticoncepcional era poderoso, mas tal poder estava intimamente relacionado a mudanças nas atitudes sociais em relação ao casamento, ao divórcio, à sexualidade e ao papel da mulher na força de trabalho. Essas mudanças costumavam ser mais lentas em países mais devotadamente católicos, como a Irlanda, a Itália e a Argentina – o divórcio na Itália foi legalizado somente em 1974.

Os efeitos combinados da pílula e das novas posições sociais serão por muito tempo debatidos. A taxa de natalidade caiu rapidamente no Velho Mundo e em outros países de predominante colonização europeia. Em 1950, a Europa tinha uma população muito maior do que a da África ou a das Américas. No fim do século, essa situação estava invertida. A Europa se tornara o continente das pessoas idosas e de meia-idade.

A GOVERNANTE DA ÍNDIA

O mundo branco estava inclinado a considerar-se o líder de todos os assuntos tidos como progressistas. Nos movimentos feministas, isso parecia ser verdade, mas o prêmio mais cobiçado foi conquistado na Índia. O primeiro-ministro, Lal Shastri, morreu subitamente em janeiro de 1966 e o candidato escolhido para sua sucessão foi uma mulher. Até então, apenas homens – com exceção de uma rainha – haviam sido líderes de grandes nações.

Indira Gandhi praticamente havia nascido para o cargo, uma vez que seu pai era Jawaharlal Nehru, o primeiro a assumir o posto de primeiro-ministro após a independência da Índia. Por muito tempo, ele preparou a filha única para o exercício da função. Aos 9 anos de idade, ela viajou com a família para a Suíça, onde passou a estudar, enquanto a mãe, sofrendo de tuberculose, tentava recuperar a saúde nas montanhas da redondeza. A jovem Indira sonhava em transformar-se na Joana d'Arc da Índia e expulsar os britânicos de sua terra.

Em 1942, a senhorita Nehru se tornou a senhora Gandhi. O fato de ela trazer os sobrenomes dos dois políticos nacionais mais célebres do país era curioso. Seu marido, Feroze Gandhi, sem parentesco com o célebre Mahatma Gandhi, era membro da pequena e abastada seita parse, influente em Bombaim. A união causou controvérsias, uma vez que nem os parses nem os hindus tinham por costume o casamento com membros de outras seitas. No início de sua carreira, a líder parecia capaz, tanto quanto seu pai, de construir pontes entre culturas rivais e talvez estreitar os laços de compreensão no bojo da própria cultura.

O prestígio de Indira Gandhi aumentou rapidamente durante os últimos anos de vida de Jawaharlal Nehru. Em 1959, ela era presidente do Partido do Congresso Nacional Indiano, tornando-se, cinco anos mais tarde, ministra da Informação e Comunicações. Indira possuía um pouco da autoridade moral de seu pai. Em 1966, no primeiro dos seus quinze anos como primeira-ministra, estabeleceu o padrão de preencher toda a sua vida diária com tarefas. Levantando-se às 6 horas, lia trechos de seis jornais – e evitava o sétimo. Às 8h30, recebia os grupos de visitantes que não haviam marcado hora, deixando para mais tarde os que estavam agendados. Costumava alimentar-se somente a partir das 11 horas, quando tomava uma tigela de sopa.

Indira mostrou uma obstinação que muitos observadores não esperavam de uma mulher. Quando os alimentos já não bastavam para a população da Índia, ela apostou na irrigação, nas novas sementes e nos fertilizantes químicos da Revolução Verde. Nacionalizou o maior banco do país, as companhias de seguro e as minas de carvão, centralizando assim o poder. Sua política externa se aproximou de Moscou e se distanciou de Washington. Expulsa do partido, formou outro. Expulsa do parlamento, foi readmitida. Não valorizava a democracia se o resultado obtido não fosse o esperado.

Quando o Paquistão Oriental, hoje conhecido como Bangladesh, rebelou-se contra as leis do Paquistão, Indira Gandhi forneceu armas para os rebeldes, sendo, portanto, a primeira mulher líder de um importante país a declarar guerra – antes disso, apenas Catarina, a Grande, da Rússia, iniciara um conflito contra a Turquia, em 1787. Indira contradisse a esperança moderna de que, se todas as nações fossem conduzidas por mulheres, as guerras chegariam ao fim. Quando a senhora Bandaranaike, do Ceilão, tornou-se a primeira mulher a ocupar o cargo de primeira-ministra do país, as três importantes líderes do mundo – Golda Meir, em Israel, Margaret Thatcher, na Grã-Bretanha, e Indira Gandhi – já lidavam com a responsabilidade de liderar suas nações em caso de guerra.

A ascensão de Indira Gandhi foi incrível, mas as várias vertentes do feminismo, que por muito tempo haviam aguardado tal ocasião, ficaram em silêncio ou inquietas. Indira não tinha absorvido o espírito do movimento. As feministas também reclamavam que ela havia vencido as eleições mais por conta de seu parentesco do que por merecimento – e pareciam esquecer que muitos homens políticos possuíam ligações familiares que os ajudavam a chegar ao poder. Foi a vigorosa democracia da Índia que realmente colocou Indira Gandhi no comando. Infelizmente, a violência acabou com o domínio dela. Em outubro de 1984, ela foi assassinada pelos próprios guarda-costas, da seita sique.

CAPÍTULO 23
RAIOS E TROVÕES EM MOSCOU E VARSÓVIA

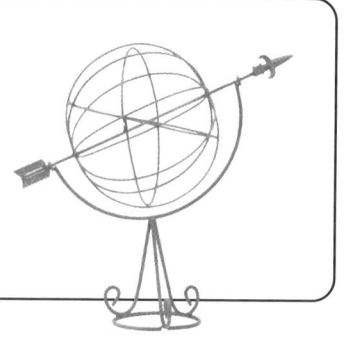

A conquista da Lua foi memorável para os Estados Unidos e para o presidente Richard Nixon. Poucos países haviam experimentado um triunfo tão importante. Mas os norte-americanos estavam espalhados além dos limites de suas capacidades, operando bases, quartéis e campos de aviação em vários países. Os custos da Guerra do Vietnã eram altos demais e a perda de vidas, só de combatentes americanos, chegava a 57 mil. As dispendiosas atividades da nação, fossem no espaço sideral, no Vietnã ou nos limites de suas fronteiras, não poderiam ser sustentadas por muito tempo. Um acordo de paz era a única solução.

Em 1973, os Estados Unidos assinaram um cessar-fogo com o Vietnã do Norte, dispondo-se a retirar as tropas que tinham enviado à região, onde seu prestígio militar havia sofrido um imenso revés. Ao sair daquele país, os norte-americanos libertavam a si mesmos.

O Vietnã foi a última grande vitória dos comunistas ao longo da Guerra Fria. Os líderes russos no Kremlin, assim como os comandantes das forças armadas, os almirantes dos submarinos nucleares e os astronautas soviéticos, nem imaginavam que viriam a sofrer uma imensa derrota em casa. A queda do comunismo era inimaginável para os líderes dos seis países-satélite, os quais, em Varsóvia ou em Praga, em Budapeste ou em Bucareste, em Berlim Oriental ou em Sofia, perfilavam-se quando os tanques imponentes, os pelotões em marcha e os aviões a jato desfilavam pelas bases militares a cada aniversário da Revolução Bolchevique.

PRIVILÉGIOS EM UM PAÍS COMUNISTA

Grupos de turistas chegavam do Ocidente para visitar Moscou. Passeavam de metrô, observavam o tráfego fluir facilmente ao longo das amplas avenidas, avistavam de longe o arranha-céu da Moscow University e chegavam à conclusão de que, em plena década de 1970, o povo russo ainda tinha um padrão de vida defasado.

Algumas centenas de funcionários, porém, estavam confortavelmente instalados bem no topo da escada social. Contavam com limusines elegantes, dirigidas por motoristas sempre a postos, e com guardas que interrompiam o tráfego nos principais cruzamentos para que os compridos veículos negros pudessem passar. Suas mulheres não sabiam o que era ficar na fila para conseguir comida. Seus chalés de férias nos bosques eram mais do que simples cabanas. Embora não fossem tão estupendos quanto os do Ocidente, tais privilégios pareciam estranhos em um país onde se supunha que todos fossem iguais. Um funcionário de segundo escalão do partido podia eventualmente adquirir um carro, embora para o minerador, a professora de educação infantil, o operário, o varredor de ruas, o dentista e a bibliotecária isso fosse apenas um sonho.

Na década de 1970, os cidadãos comuns moravam em apartamentos apertados e abarrotados. Pão e batata formavam boa parte da dieta e nem sempre havia frutas e vegetais frescos, mesmo no verão. Existia uma economia paralela. No início da década, um jornal russo denunciava que um em cada três carros particulares usava gasolina "emprestada" dos tanques e bombas estatais. De cada quatro goles de vodca que se bebia na Rússia, um vinha do mercado negro. As faltas ao trabalho eram frequentes. A apatia estava em alta, e o moral, em baixa. Mesmo assim, o chefe de estado, Leonid Brejnev, não acreditava que seu país estivesse estagnado. A União Soviética ainda disputava com os Estados Unidos o posto de nação mais poderosa do mundo, competia vigorosamente na corrida espacial e, de alguma forma, dava o melhor de si na disputa armamentista.

Brejnev era temível e ficou cada vez mais, já que seu período de permanência no Kremlin foi longo. Esteve no comando pelo segundo maior período entre todos os líderes soviéticos – algo em torno de dezoito anos – e, por vários motivos, podia ser considerado o homem mais poderoso do mundo naquela época. Tal poder vinha, em parte, de sua longevidade. Ele presenciou o mandato de cinco presidentes norte-americanos, a maioria deles sem sequer uma parcela da experiência de Brejnev em lidar com situações delicadas e arriscar-se até o limite.

Durante os primeiros anos de Brejnev no comando, a corrida armamentista tornava-se perigosa para a paz mundial. As duas superpotências aumentavam seu poder de destruição. Os submarinos nucleares podiam ficar escondidos nas profundezas do oceano, sem serem detectados por sonares; capazes de disparar mísseis, ameaçavam as distantes cidades inimigas. Além disso, havia os mísseis intercontinentais, disparados do solo e cuja capacidade de atingir alvos longínquos aumentava ano a ano. No início da década de 1970, podiam viajar mais de 3 mil quilômetros e logo essa distância aumentou para mais de 8 mil quilômetros. Por fim, não haveria cidade nos Estados Unidos ou na União Soviética, por mais remota que fosse sua localização, que estivesse a salvo de um ataque repentino de mísseis carregados de ogivas termonucleares.

O custo da corrida armamentista era uma razão forte o suficiente para refreá-la. Ambos os lados reconheciam isso, mas seria possível que um país pudesse confiar no que o outro faria? Um tratado foi assinado em 26 de maio de 1972, limitando o número de mísseis de cada um dos lados, fossem eles lançados de bases terrestres ou de submarinos. Outro acordo foi estabelecido em Viena, em junho de 1979. Brejnev tinha negociado vigorosamente com quatro presidentes norte-americanos e isso causou uma forte impressão, em alguns círculos de Washington, de que os Estados Unidos estavam perdendo algumas vantagens militares conquistadas graças a enormes gastos e pesquisas.

A União Soviética, atenta à rede de bases militares de Washington pelo mundo, aproveitava as oportunidades de expansão, aumentando seu poderio ao redor das duas principais passagens do Oriente Médio: o Mar Vermelho e o Golfo Pérsico. Com o colapso do Império Português na África, uma vasta área do território de Angola, no sudoeste africano, foi tomada por um governo marxista, com o apoio de soldados de Cuba. Em 1979, na Ásia Central, soldados soviéticos entraram no Afeganistão para ajudar um dos lados da guerra civil.

Durante os últimos anos do governo Brejnev, o comunismo parecia vigoroso. A União Soviética e a China eram seus baluartes e o regime também era forte em Cuba, na Coreia do Norte, na Albânia, na Romênia e nos instáveis postos às margens do Mar Vermelho. Mas havia um ponto negativo muito visível: o Camboja. Situado a oeste do Vietnã, fora governado de forma autoritária pelo príncipe Sihanouk até 1975, quando os comunistas locais tomaram o controle. Liderados por Pol Pot, um ex-professor, e apoiados pela China, livraram a nação de todos aqueles que pareciam indesejáveis. Além disso, um enorme número de pessoas morreu por conta da exaustão, da fome e das doenças. Milhares, incluindo muitos comunistas leais, foram interrogados e executados. No fim do regime, em 1978, o número de mortos chegava perto dos 2 milhões, ou seja, 20% da população do país.

TEMPESTADES NO LESTE EUROPEU

De todos os satélites comunistas do Leste Europeu, a Polônia foi o que obteve a maior autonomia. Sua indústria pesada pertencia ao estado, mas a agricultura estava, em um alto grau, nas mãos da iniciativa privada. Muitos dos intelectuais poloneses faziam a apologia do marxismo, mas apenas da boca para fora; muitos deles nem se davam a esse trabalho. Embora o comunismo não permitisse o funcionamento de templos religiosos, a Igreja Católica continuava forte. O país tinha a mais dinâmica igreja da região, um símbolo de patriotismo que era alvo da mais profunda lealdade por parte da maioria da população.

Em 1978, um cardeal de origem polonesa concorreu ao supremo ofício do papado – o papa anterior, que poderia ter ficado anos no posto, morreu um mês após sua investidura. Todos esperavam que um italiano fosse escolhido como o novo sumo pontífice, uma vez que assim havia sido durante os últimos quatro séculos e meio. Por que então colocar um polonês no cargo? Fontes afirmam que o Colégio dos Cardeais acreditava que, elegendo um europeu do leste, enviariam os soldados de Cristo para o coração do comunismo em um momento crucial.

O novo papa se preocupava com os problemas e descontentamentos de sua terra natal. Durante o primeiro ano de ofício, voltou à Polônia e, ao descer as escadas do avião, fez uma eloquente afirmação: "Beijei o solo da Polônia, onde cresci; terra de onde, de acordo com os insondáveis desígnios da Providência, Deus me chamou para o trono de Pedro em Roma." Uma gigantesca multidão, estimada em 2 milhões de pessoas, reuniu-se ao longo da rota entre o aeroporto e Varsóvia. Ao permitir tais liberdades para dissidentes, a Polônia se diferenciava dos outros países comunistas.

Se havia uma igreja relativamente independente, talvez o país também pudesse criar um sindicato autônomo. Surgiu assim, em 1980, o Movimento Solidariedade. Seu líder era Lech Walesa, um eletricista católico desempregado que antes trabalhava no estaleiro de Gdansk, uma das gigantescas empresas comunistas que surgiram na costa sul do Báltico. O Movimento Solidariedade recrutava milhões de membros e reivindicava o direito à greve – algo que não existia em países comunistas. Durante um breve período, o Solidariedade desafiou a autoridade do regime comunista em Varsóvia e mesmo em Moscou.

Ao tornar-se uma influência decisiva em ambos os lados da cortina de ferro, o papa acabou virando alvo político. Em maio de 1981, no Vaticano, enquanto caminhava em meio à multidão, foi vítima de um atentado malsucedido. Usando uma arma semiautomática, um turco disparou contra o líder religioso. O mais significativo, entretanto, foi o fato de o criminoso ter contado com cúmplices búlgaros, além de ter recebido apoio e dinheiro do governo comunista da Bulgária. Alguns historiadores suspeitam que o ataque também foi apoiado por agências governamentais soviéticas, embora isso nunca tenha sido comprovado.

No fim daquele ano, aconteceu na Polônia uma campanha contra os agitadores. Em uma noite de muita neve, milhares de líderes e simpatizantes do Solidariedade foram presos pelo exército polonês. A lei marcial foi promulgada, passando a valer nas cidades e na zona rural. Estações de rádio e jornais foram censurados. A dissidência no país foi controlada, mas não eliminada.

> Ao se tornar uma influência decisiva em ambos os lados da cortina de ferro, o papa João Paulo II acabou virando alvo político.

Nesse período delicado, o novo presidente norte-americano, Ronald Reagan, começou a testar o relacionamento entre as duas superpotências. Filho de um vendedor de sapatos de Illinois, Reagan era conhecido pelos filmes que havia feito em Hollywood e pelo primeiro casamento, com a atriz Jane Wyman. Ele levou para Washington seu estojo de maquiagem e sua dicção de ator. Protestante de tendência conservadora, Reagan reafirmava os velhos valores norte-americanos no momento em que estes eram corroídos pelos jovens radicais da contracultura. Sua política combinava dois ingredientes que não se misturavam muito bem: impostos mais baixos e maiores investimentos na defesa do país. Propôs gastos pesados no projeto que chamou de Iniciativa Estratégica de Defesa, também conhecido como Guerra nas Estrelas. De acordo com o plano de Reagan, as armas norte-americanas, prontas em solo, no mar e no espaço, poderiam interceptar qualquer ataque de mísseis russos.

Brejnev morreu em novembro de 1982. Sua experiência e determinação fizeram falta. Além disso, seus sucessores imediatos não duraram, permitindo que a iniciativa e o senso de comando passassem para os Estados Unidos

O HOMEM DA *PERESTROIKA*

Mikhail Gorbachev chegou ao poder em março de 1985, após seus três predecessores no Kremlin terem morrido. Filho de camponeses estabelecidos em uma rica região agrícola ao norte das grandes montanhas do Cáucaso, passou lá boa parte do início de sua vida profissional. Tendo se mudado para Moscou para estudar, voltou à região depois de receber o diploma da faculdade de Direito. Destacando-se no ramo da agricultura, Gorbachev atraiu a atenção de vários líderes soviéticos que chegavam a sua cidade natal, Stavropol, para se tratarem no spa local. Gorbachev se destacava pelo raciocínio rápido e pela marca avermelhada de nascença que tinha na testa.

A senhora Gorbachev primava pela delicadeza e pelo estilo – qualidades raramente encontradas nas robustas e modestas esposas dos líderes do passado. Além disso, tinha inclinações intelectuais – filosofia era seu campo de estudo. Embora não fosse costume soviético que as mulheres aparecessem nos palanques durante as grandes ocasiões, a senhora Gorbachev rompeu esse tabu, despertando comentários críticos em todo o país. Ao vê-la na televisão, o presidente Reagan teve a impressão de que Raisa talvez fosse uma pessoa religiosa. Na verdade, ela era, tal como o marido, diferente.

Quando Gorbachev se tornou chefe de estado, sua preocupação era a economia. A taxa de crescimento e o índice de inovações da nação eram insuficientes e muitos empregados preferiam beber uma boa vodca a se esforçar para aprender o que havia de novo em sua profissão. Gorbachev percebeu que uma economia tão morosa dificilmente poderia financiar uma grande empreitada militar – um exército para travar árduos combates no Afeganistão, tropas numerosas dentro das fronteiras, outro exército para manter guarda no Leste Europeu, enormes forças navais e aéreas, bem como todos os gigantescos gastos para tentar fazer frente à Guerra nas Estrelas de Reagan. Após uma excursão pelo país, condenando o alcoolismo e a corrupção, Gorbachev anunciou que havia chegado o tempo da *perestroika*, ou seja, da reestruturação.

Gorbachev via vantagens em reunir-se com Reagan, uma vez que estava ansioso para diminuir os gastos com armamentos, consciente de que o arsenal nuclear já existente tinha o poder de "erradicar toda a vida do planeta". No entanto, providenciar uma reunião de cúpula não era fácil. Havia mais de seis anos que nenhuma acontecia. Gorbachev e Reagan se encontraram em 19 de novembro de 1985, na cidade de Genebra. Reagan acreditava que Gorbachev estava realmente disposto a "reduzir os gastos com a defesa, que estagnavam a economia soviética". Os dois homens – com vinte anos de diferença na idade e ainda mais desiguais quanto à ideologia – tiveram primeiramente uma conversa privada que durou uma hora. Gorbachev considerou Reagan um dinossauro político, uma relíquia de tempos passados, enquanto Reagan viu em Gorbachev um urso russo que rangia os dentes. Ao longo do dia, chegaram a uma harmonia cautelosa. Gorbachev declarou: "Apertamos as mãos como amigos." Foi um dos mais decisivos encontros na história do século 20.

Os dois líderes se encontraram cinco vezes. Um tratado sobre o controle de armamentos não era fácil de ser firmado e requeria concessões de ambas as partes: de Gorbachev, porque sua posição de barganha estava desgastada; de Reagan, porque, com mísseis guiados por computador e ogivas termonucleares em permanente aperfeiçoamento, sua posição de barganha ficava cada vez mais forte. Juntos, eles acabaram com um antigo impasse.

No início de 1989, quando o mandato de Reagan terminou, a Guerra Fria, embora ele não houvesse percebido, aproximava-se do fim. O papel que o presidente norte-americano desempenhou nessa época será sempre motivo de debate, mas provavelmente foi tão importante quanto o de Gorbachev. Entretanto, dois líderes poderosos não eram suficientes para findar tal guerra. Igualmente importantes foram a sucessão de eventos e as mudanças quase imperceptíveis que aconteciam de Riga a Cabul e do Vaticano a Bruxelas.

CAPÍTULO 24
A QUEDA DOS MUROS

Gorbachev enfrentava severas dificuldades. Tanto na corrida espacial quanto na disputa armamentista, a União Soviética se exauria. A população, no campo e na cidade, pagava o preço. Além disso, os valores do Ocidente capitalista, seus bens materiais e a ênfase na liberdade (e mesmo na licenciosidade) infiltravam-se no estilo de vida soviético. Quando o Acordo de Helsinque foi assinado em 1975 pela União Soviética e seus aliados comunistas na Europa – como retribuição ao fato de esses países terem concordado com a delimitação de fronteira naturais em 1945 –, o gesto pareceu um pequeno passo em direção aos direitos humanos. No entanto, tal passo enfraqueceu uma crença dos comunistas: a de que tinham o direito de fazer o que bem entendessem dentro de suas fronteiras.

Durante os primeiros anos do governo de Gorbachev, os dissidentes tiveram mais oportunidade de manifestar-se. O zelo quase religioso pelo comunismo já não era mais o mesmo. A ideia do regime como um guia para a vida ideal e um plano para o futuro do mundo inteiro se apagava. Embora a propaganda oficial afirmasse o princípio da igualdade, muitos líderes não viviam sob tais preceitos. Não havia sentido em ressaltar a abnegação do indivíduo pelo bem de toda a comunidade quando os líderes políticos locais eram corruptos e o mercado negro tomava conta até de atividades cuja competência cabia ao estado.

Boa parte dos intelectuais europeus, outrora entusiastas do marxismo, adotava agora uma atitude de neutralidade ou ceticismo. O admirado poeta russo Yevtushenko dizia, em 1986, que a União Soviética era um fracasso em muitos aspectos. Dentro do próprio país, os russos tinham de portar passaportes e atestados de residência, "indícios vergonhosos de escravidão". Estavam cansados, ele dizia, de formar filas em lojas. A típica família russa sabia que "vivia mal e que havia países onde as pessoas viviam melhor".

Com o aparecimento do movimento ecológico no Ocidente, surgiu uma nova razão para criticar a União Soviética. Embora não possuísse os altos índices de desperdício que existiam nas sociedades consumistas, uma vez que usava poucas embalagens, o país tinha deficiências. O lixo nuclear era despejado nos mares árticos e havia permissão para depósito de resíduos tóxicos em terra. Nas cidades poluídas por indústrias químicas, grandes chaminés lançavam fumaça de carvão saturada de partículas sólidas. Havia vazamentos de petróleo nos oleodutos, sem que fosse providenciado conserto. Constatou-se que mais petróleo era lançado em terras russas em alguns dias do que a quantidade perdida pelo enorme petroleiro Exxon Valdez no desastre ocorrido em 1989 no Alasca.

> A PRODUÇÃO DE ENERGIA NUCLEAR PARA GERAÇÃO DE ELETRICIDADE FOI INICIALMENTE UM TRIUNFO SOVIÉTICO – E LOGO EM SEGUIDA UMA TRAGÉDIA.

Em muitas cidades soviéticas, a água que as pessoas bebiam estava contaminada por metais pesados. No Mar de Aral, situado no interior do país, a água rareava e se tornava muito salgada, e os pescadores profissionais voltavam para casa com as redes vazias. O esturjão, peixe cujas ovas são usadas para fazer caviar, quase desapareceu das águas do extenso Rio Volga. O Baikal, maior lago de água doce do mundo, estava ameaçado pelos resíduos das fábricas de papel que funcionavam nas florestas da Sibéria.

A produção de energia nuclear para geração de eletricidade foi inicialmente um triunfo – e logo em seguida uma tragédia. A usina de

Chernobyl situava-se na Ucrânia, embora ficasse de fato mais perto de Varsóvia do que de Moscou. Nas primeiras horas de 26 de abril de 1986, uma súbita oscilação de energia destruiu a cobertura do reator nuclear e um incêndio teve início. Um acidente nuclear sete anos antes, na estação de Three Mile Island, nos Estados Unidos, fora prontamente controlado, mas os engenheiros de Chernobyl estavam menos preparados. Quando os bombeiros chegaram, inalaram gases, e as botas de alguns ficaram presas no betume derretido. Cerca de 135 mil pessoas foram removidas, mas a evacuação começou tarde demais, trinta e sete horas depois do acidente. Na maior parte da área atingida, viviam milhões de pessoas que acabaram por receber muito tardiamente a medicação necessária.

Enquanto isso, a longa guerra da União Soviética no Afeganistão solapava o moral do país. Um exército nacional que havia lutado de maneira brilhante contra Hitler encontrava-se então cercado nos vales de uma nação considerada inicialmente como de terceira categoria em capacidade militar – embora não em bravura. Os jovens, especialmente os de minorias étnicas, ressentiam-se por terem de servir nas forças armadas soviéticas e lutar pelos princípios de Lenin e Marx em um país estrangeiro. Aquela guerra era para Moscou o que o Vietnã havia sido para Washington. Particularmente irritados ficavam os generais russos, que viam ameaçada sua reputação de líderes das forças terrestres mais eficientes do mundo.

Gorbachev tentava revigorar a economia russa. No dia 1º de maio de 1987, uma nova lei entrou em vigor, autorizando as pessoas a abrirem empresas privadas, embora sem contratar empregados. A propriedade particular de casas se popularizou. As faltas e os métodos inseguros de trabalho nas fábricas foram contidos parcialmente por meio da limitação da quantidade de vodca – o que levou ao crescimento da eficiência, mas também ao aumento das reclamações.

Subitamente a *glasnost* (abertura) entrou em voga, pregando que era melhor divulgar os problemas e debater sobre eles do que fingir que não existiam. Gorbachev até mesmo falava sobre as vantagens da votação secreta para as eleições do Partido Comunista. Por toda parte,

> O COLAPSO DO
> COMUNISMO
> NA EUROPA FOI
> DEFLAGRADO MENOS
> PELA RÚSSIA DO
> QUE POR SEUS
> PAÍSES-SATÉLITE.

as correntes se partiam, mas os escravos libertos, em vez de agradecer, protestavam.

A União Soviética e seus países-satélite se aproximavam de uma crise econômica, mas talvez ela não fosse tão grave assim. Consumidores podiam comprar mais do que nunca, bem como viajar mais livremente do que no passado, embora as nações capitalistas não estivessem ao alcance da maioria dos cidadãos. Os russos ainda continuavam fortes na corrida espacial e um cosmonauta do país, Yury Romanenko, estabeleceu um recorde extraordinário ao permanecer duzentos e trinta e sete dias no espaço. Além disso, os Estados Unidos padeciam das próprias doenças. Durante a década de 1970, sua economia havia passado pela enfermidade chamada estagflação – uma mistura de estagnação econômica e alta inflacionária. Surgiam bolsões de pobreza. O governo norte-americano, ao financiar a aventura do programa Guerra nas Estrelas, acumulava déficits anuais que alarmavam muitos economistas.

UM CALDEIRÃO PRESTES A FERVER

O colapso do comunismo na Europa iniciou-se menos na Rússia do que nos países-satélite. Em 1987, nacionalismo, descontentamento econômico e uma ânsia por liberdade eram visíveis por toda parte, da Estônia à Polônia, da Romênia à Moldávia.

A Alemanha Oriental dispunha do padrão de vida mais alto do bloco comunista. Era um paraíso para os consumidores se comparada à Polônia, onde carne e derivados continuavam racionados para 37 milhões de cidadãos. A Alemanha Oriental havia experimentado um agradável período de crescimento econômico, em comparação com os morosos países do bloco soviético, mas sua população tinha de trabalhar muitas horas para conseguir comprar os mesmos produtos que podiam ser obtidos na Alemanha Ocidental pelo equivalente a poucas horas de trabalho. Tratava-se de um contraste perigoso. Não havia duas Rússias nem duas Polônias, mas havia duas Alemanhas.

O contraste entre os dois países aumentava, impondo pressões sobre o governo do lado oriental. Em 1987, o país abrandou algumas de suas duras leis e permitiu que os trabalhadores requisitassem uma permissão para, mediante comprovação de parentesco, visitar familiares na Alemanha Ocidental por um período de trinta dias. Durante um ano, alemães orientais fizeram breves visitas, retornando pontualmente, porque sabiam que os membros da família que tinham ficado eram praticamente reféns. Outros, claro, voltavam porque preferiam a vida na Alemanha Oriental. Muitos se sentiam orgulhosos dos feitos que o socialismo, em sua opinião, havia realizado, em comparação com a Alemanha nazista, ainda presente na memória.

O número de dissidentes, ajudados pela política de Gorbachev e inflamados pelo nacionalismo, aumentava na Europa Oriental. A Polônia, em meio ao caos econômico, permitiu-se uma versão raquítica de eleições livres. O desafiador sindicato Solidariedade conquistou, com larga vantagem, todos os cargos a que concorreu. Em agosto de 1989, o Solidariedade foi convidado pelo partido comunista a tomar parte no governo. Outros governos do Leste Europeu não podiam mais contar, como no passado, com a ajuda da força bruta de Moscou. Gorbachev havia deixado tal disposição clara durante seus primeiros anos, ao retirar as tropas soviéticas da Tchecoslováquia e da Hungria: a fronteira entre os países comunistas e a Áustria estava praticamente desguarnecida.

Em todo grande império, saudável ou enfraquecido, existem forças desagregadoras. Os chefes de estado de duas grandes repúblicas soviéticas – Cazaquistão e Ucrânia – resistiam às reformas de Gorbachev. Dois outros centros de poder, as cidades de Leningrado e Moscou, disputavam um cabo de guerra com ele. A capacidade que a União Soviética tinha de intervir nos assuntos internos de outras nações do

12 O muro de Berlim

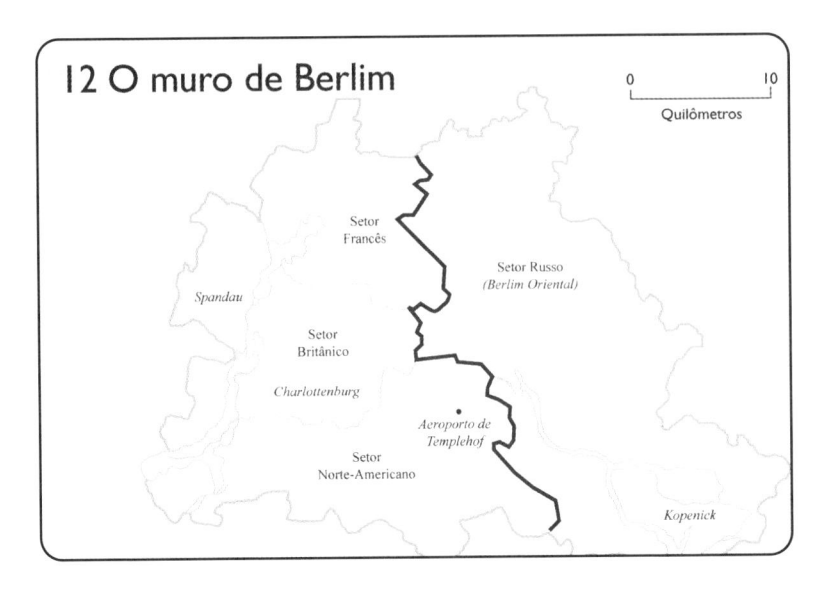

Mapa com setores: Setor Francês, Setor Russo (Berlim Oriental), Spandau, Setor Britânico, Charlottenburg, Aeroporto de Templehof, Setor Norte-Americano, Kopenick. Escala: 0–10 Quilômetros.

bloco comunista diminuía por causa das discórdias internas. Além disso, com o desaparecimento da censura oficial, as notícias sobre os protestos em um país comunista viajavam rapidamente para outros, o que estimulava mais atos corajosos de dissidência.

Os gritos de protesto ouvidos em Moscou, durante o feriado de 7 de novembro de 1989, ecoaram na Alemanha Oriental. Lá, o conselho de ministros, com seus 42 membros, decidiu renunciar, em uma atitude desconhecida no mundo comunista. Mais importante do que isso: eleições livres foram prometidas ao povo. Até então, a Alemanha Oriental, embora tivesse a denominação oficial de República Democrática Alemã, era tão democrática quanto uma prisão política.

Continuava a ser crime deixar o país sem um visto, mas várias pessoas achavam mais sensato fugir em vez de obedientemente formar fila em frente aos escritórios públicos e pedir permissão. A violenta repressão chinesa durante os protestos na Praça da Paz Celestial, em Pequim, havia ocorrido apenas dois meses antes e muitos europeus do leste temiam que tanques e metralhadoras pudessem repentinamente surgir nas ruas de suas cidades e esmagar a silenciosa revolução contra o comunismo. O fluxo de pessoas virou uma torrente.

Em 8 de novembro de 1989, o governo da Alemanha Oriental cedeu, anunciando que o povo estava livre para sair do país, embora logo fossem instituídas regras a esse respeito. Na manhã seguinte, às 9 horas, escutou-se uma escavadeira abrindo um buraco no muro que por muito tempo havia impedido que os alemães do leste entrassem na Alemanha Ocidental.

Supôs-se, inicialmente, que a Alemanha Oriental livre seria uma nação independente, com um governo democrático. Um pouco antes do Natal de 1989, os chefes de estado das duas Alemanhas realizaram encontros formais em Dresden, onde discutiram o futuro de seus países. Então, em um comício público nas imediações das ruínas da Igreja de Nossa Senhora, Helmut Khol, o chanceler da Alemanha Ocidental, declarou em clima de exaltação: "Queridos amigos, no próximo ano vocês terão eleições livres." Naquela noite, ele ofereceu a esperança da união para aproximadamente 80 milhões de alemães: "E também me permitam dizer – neste lugar de tão rica tradição – que meu objetivo é promover, assim que o momento histórico permitir, a união de nossa nação." As duas Alemanhas finalmente se uniram em 3 de outubro de 1990, tendo o apoio de todos os grandes países que haviam insistido, no fim da Segunda Guerra Mundial, que a Alemanha jamais deveria voltar a ser um só país.

A força absoluta dos eventos de 1989 e 1990 no Leste Europeu foi desconcertante. Todos os governos comunistas estavam derrotados ou haviam sido forçados, para se proteger, a renunciar ao passado. Os movimentos nacionalistas reivindicavam independência. Lituânia, Letônia e Estônia separaram-se da União Soviética. A indefinida federação conhecida como Iugoslávia dividiu-se em nações independentes.

A União Soviética, extinguindo-se por conta das pressões nacionalistas, deixou de existir em 1991. Seu lugar foi tomado pela Rússia, então independente, e por uma longa lista de novas repúblicas, incluindo Ucrânia, Cazaquistão e Geórgia. Mikhail Gorbachev, que desempenhara um papel importante ao dar início a esses incríveis acontecimentos, não estava mais no controle. No final de 1991, não era líder de nenhuma nação. O colapso da União Soviética e da Rússia czarista tinham muito em comum – os esforços tardios pela reforma foram vistos como sinal de fraqueza e anulados.

A CHINA SE ESFORÇA PARA AVANÇAR

Durante a ascensão do comunismo como força global, a China trilhou um caminho próprio. Seus líderes comunistas desconfiavam da tentativa soviética de dominá-los e as ideologias dos dois países acabaram por separar-se. Por volta de 1960, a divisão era nítida. Um dos sinais disso foi o rápido recuo da Albânia, que deixou a tutela de Moscou para se acomodar sob a proteção da distante Pequim. Outro foi a relutância da União Soviética em ajudar a China a produzir armas nucleares.

> A União Soviética deixou de existir em 1991. Seu lugar foi tomado pela Rússia e por uma longa lista de novas repúblicas.

Durante seus primeiros anos no poder, Mao Tsé-tung conduziu experiências e cunhou slogans. Embora, durante seu governo, a incidência de doenças infecciosas e o analfabetismo tenham diminuído, em termos de política econômica, seu Grande Salto à Frente foi um salto para trás. A agricultura fracassou e estima-se que o período de fome entre 1959 e 1961 tenha matado em torno de 30 milhões de pessoas. Mao fez cair a motivação de um povo tradicionalmente conhecido pelo vigor e pela resistência.

Uma viagem de trem pela China durante o verão em meados da década de 1960 revelava cenas que pareciam saídas do Velho Testamento: centenas de homens e mulheres movendo um moinho para aumentar o nível da água usada na irrigação; multidões de trabalhadores em currais ao lado de celeiros, com debulhadores de madeira, tirando os grãos dos talos das plantas; pessoas semeando o solo manualmente;

uma velha senhora gastando todo um dia de trabalho em função de apenas três gansos; e camelos carregando fardos, guiados por um condutor a pé.

Para dar um ar mais jovem ao país, Mao, em 1966, colocou em prática a turbulenta Revolução Cultural. Começando pelo prefeito de Pequim, houve uma série de deposições de autoridades comunistas. Dezenas de milhares de camaradas e companheiros que passaram dos limites foram denunciados. Em reuniões públicas, aqueles que eram considerados traidores ou que apresentavam desvios ideológicos, quer relacionados a teorias econômicas ou ao gosto pela música ocidental, eram julgados apressadamente e enviados ao interior do país, onde passavam a limpar chiqueiros e esgotos – se não fossem presos ou executados. Grupos de jovens, chamados de guardas vermelhos, chegavam às grandes cidades, emprestando entusiasmo e frescor à arte da perseguição. Durante algum tempo, um dos mais populares livros do mundo foi o *Livro Vermelho*, onde estavam compilados os pensamentos de Mao Tsé-tung.

Tais pensamentos viravam a China de cabeça para baixo. As saídas do país ficaram praticamente trancadas durante um ou dois anos. Era difícil avistar um estrangeiro ou um turista em Pequim, Xangai ou Guangzhou (Cantão), onde os corredores dos novos hotéis em estilo moscovita encontravam-se em absoluto silêncio. As relações com a União Soviética estavam deterioradas a tal ponto que os 7 mil quilômetros de fronteira entre os dois países se tornaram linha de atrito. Em 1972, os russos organizaram e dispuseram 46 divisões de soldados ao longo da fronteira com a China – mais do que haviam colocado no Leste Europeu.

Em 1976, depois da morte de Mao, os líderes se engalfinharam em outra disputa pelo poder. A Gangue dos Quatro desaparecera e um novo governante atípico surgiu: Deng Xiaoping, um homem idoso que fez o possível para modernizar fazendas, fábricas, forças de defesa e todas as atividades em que novas tecnologias pudessem ser empregadas. Deng tentou restaurar a ética do trabalho, respeitada pelos chineses fora do país, mas não dentro dele. Reduziu a taxa de crescimento populacional ao determinar que cada família deveria ter apenas um filho – o que nem sempre era obedecido em áreas rurais. A maioria dos camponeses decidiu que, se podiam ter apenas uma criança, então que fosse um menino.

Surgia um pouco de liberdade aqui e ali na vida econômica, mas não na política – o programa comunista ditava o rumo de tudo. Deng perdeu um pouco de prestígio no exterior quando suas forças armadas esmagaram uma pequena revolta ocorrida na Praça da Paz Celestial em 4 de junho de 1989. Se um fato semelhante tivesse acontecido com Mao vinte anos antes, daria no máximo uma notinha na mídia ocidental. Mas em 1989 Pequim estava cheia de turistas e câmeras por toda parte, e as notícias corriam mundo afora.

Atrair indústrias e capital estrangeiros é tarefa difícil para uma economia em crise. A China conseguiu ambos com facilidade, por conta dos milhões de chineses que viviam no exterior – distribuíam-se por todo o leste da Ásia, com exceção do Japão e das duas Coreias. A partir da década de 1980, esses trabalhadores reinvestiram no país de origem muito de seu empreendedorismo e de suas riquezas.

Ao fim do longo período de quarentena intelectual da China, Deng tratou de reparar os elos com a Europa Ocidental, a União Soviética, os Estados Unidos, a Índia e – um pouco menos – o Japão. Ele até mesmo convenceu Margaret Thatcher a renunciar a Hong Kong, colônia britânica desde 1842. Em 1997, ano da morte de Deng, o retrato da rainha Elizabeth II deixou de ser reproduzido nos selos postais de Hong Kong.

Algumas das velhas estruturas da China continuavam intactas. O regime era autoritário e duro no trato com os críticos. Oprimia o Tibete e por vezes ameaçava a república democrática de Taiwan, mas era pouco criticado pela maioria das nações democráticas, que desejavam aproveitar-se das oportunidades econômicas que disso surgiam. Certamente, a China conseguiu grandes feitos durante os últimos cinquenta anos, mas a Índia alcançou muitos outros, em todos os campos, inclusive na questão das liberdades individuais.

Em 2001, a única nação do mundo que continuava firmemente comunista era a Coreia do Norte, embora não fosse um bom exemplo. A população, malnutrida e atentamente vigiada pelo governo, quase não tinha contato com o mundo exterior. O país mais parecia uma gigantesca gaiola.

UM FALSO ALVORECER

A série de eventos ocorridos na União Soviética, no Leste Europeu e na China durante o final da década de 1980 e o início da de 1990 não tem paralelo na história moderna. Ao longo do último milênio, em uma época de relativa paz, nenhum outro grande império fora dissolvido tão rápida e inesperadamente quanto a União Soviética. Nenhum prolongado período de tensão, nos últimos séculos, acabara de modo tão imprevisto quanto aquele vivido pela China.

Do colapso do comunismo surgiu um raio de otimismo. Durante o século 20, apenas um evento anterior – o fim da Primeira Guerra Mundial – tinha dado origem a expectativas tão promissoras. E, mesmo assim, a paz surgida em 1918 levou alegria a apenas uma parte do mundo. Teve pouco impacto na China, no Japão, na maior parte da África e na América do Sul. O fim daquele conflito foi seguido por discordâncias amargas na Conferência de Paz de Paris. A extinção da Guerra Fria, ao contrário, praticamente inundou o mundo de esperanças.

No início da década de 1990, surgiu a crença de que o mundo havia mudado para sempre. Acreditava-se piamente que a democracia e o individualismo político e econômico haviam obtido um triunfo permanente. O livre-comércio global era considerado iminente e acabaria definitivamente com as barreiras. Tratava-se de uma conclusão surpreendente, já que a história não registra um só triunfo perpétuo.

Nessa década plena de otimismo, a internet lançou sua teia sobre o mundo, aumentando a atmosfera de esperança. Pessoas que viviam afastadas passaram a comunicar-se com enorme facilidade. Mas tal otimismo era prematuro. Nos tempos modernos, cada grande avanço técnico em comunicações parecia inicialmente ser um impulso para o entendimento humano. Uma sensação parecida, como um novo alvorecer, havia surgido com o telégrafo internacional, as estradas de ferro e, mais tarde, as comunicações sem fio. Ninguém imaginava que a internet poderia servir também aos terroristas.

O LENTO MILAGRE NA EUROPA

O poder conquistado pelo comunismo russo deveu-se, em boa parte, às guerras mundiais. Outro poderoso movimento político nasceu desses conflitos: o sonho de uma Europa unida. Por volta da década de 1920, tal conceito florescia nas mentes de alguns estadistas que possuíam algo em comum. Conhecedores dos desastres da Primeira Guerra Mundial e dos ódios que continuavam a fazer parte da vida das nações, eles desejavam uma paz mais generosa.

Após a Segunda Guerra Mundial, os efeitos destrutivos do longo período de discórdia tiveram de ser encarados como jamais haviam sido. A Europa estava dividida, talvez para sempre, por uma cortina de ferro. A desunião também era um incentivo para ações concretas na Europa Ocidental, ameaçada pela União Soviética.

Winston Churchill, após a derrota nas eleições gerais de 1945, estava pronto para se concentrar em problemas maiores. Em 1946, em Zurique, pediu a criação de "uma espécie de Estados Unidos da Europa". Vinte meses mais tarde, em Haia, presidiu o Congresso da Europa, ao qual compareceram centenas dos mais poderosos e influentes personagens políticos, todos residentes a oeste da cortina de ferro. Outros líderes se mostravam entusiasmados, incluindo o francês (e produtor de conhaque) Jean Monnet, que havia sido chefe administrativo durante o início da Liga das Nações; Robert Schuman, outro francês; Paul-Henri Spaak, da Bélgica; e Alcide de Gasperi, da Itália. Era significativo que três deles viessem de regiões fronteiriças em estado de litígio: da Bélgica, duas vezes invadida pela Alemanha, por razões estratégicas; de Lorraine, onde a França e a Alemanha haviam combatido; e do sul do Tirol, onde italianos e austríacos se enfrentaram. Os quatro políticos tinham a esperança de que as relações econômicas europeias fossem estreitadas. Schuman até mesmo desejava a criação de um exército único na Europa.

Em 1951, existiam três instituições pan-europeias de maior relevância. A mais importante era a Organização do Tratado do Atlântico Norte, OTAN, aliança para defesa mútua formada por Estados Unidos, Canadá e nove países da Europa Ocidental. Havia também o Conselho da Europa e a associação econômica que, quatro décadas mais tarde, se tornaria a União Europeia. Essa iniciativa reunia as importantes indústrias de carvão e aço de três poderosas economias – França, Alemanha e Itália –, além das menores Bélgica, Holanda e Luxemburgo. O mercado comum, que logo incluiria todas as commodities, tornou-se uma zona de livre-comércio de grande vigor, devido em boa parte à Alemanha Ocidental.

Em 1973, Grã-Bretanha, Irlanda e Dinamarca se juntaram ao mercado comum europeu, aumentando para nove o número de membros. Na década seguinte, com a entrada de três países mais pobres – Grécia, Portugal e Espanha –, mais da metade das nações a oeste da cortina de ferro pertencia ao grupo conhecido então como Comunidade Econômica Europeia. O poderoso bloco de comércio possuía uma população e um mercado interno maiores do que os dos Estados Unidos. Sua principal característica era uma política de agricultura que, ao subsidiar os produtores locais, acumulava em território europeu incríveis estoques de excedentes de manteiga, grãos e vinho, eliminando, assim, a necessidade de importação.

No final do século, o plano elaborado após a guerra para proteger e melhorar as minas de carvão e usinas siderúrgicas havia se tornado, em virtude de decisões e acordos corajosos, uma união política e econômica muito mais ampla. Em sua unidade, parecia menor do que a de outras federações antigas, uma vez que não tinha exército nem uma política externa comum. Embora não se tratasse dos "Estados Unidos da Europa" que Churchill havia imaginado, funcionava com uma espécie de meia federação de metade da Europa. Dispunha de um mercado comum, de tribunais próprios, de uma atuante estrutura de dirigentes em Bruxelas e de um parlamento eleito que se reunia desde 1979 na cidade francesa de Estrasburgo. No final do século, estava quase tudo pronto para que a comunidade tivesse uma moeda própria, que entraria em circulação no lugar da lira, do franco, do marco alemão e de outras moedas nacionais. Em 2004, foram admitidos novos membros, vindos do Leste Europeu, onde o comunismo havia sido desmantelado. De fato, uma das razões para o colapso comunista na Europa Oriental havia sido a prosperidade e a liberdade da parte unificada do continente, do outro lado da cortina de ferro.

A Europa se encontrava mais unida do que havia sido por séculos. Entretanto, pagava o preço de sua antiga desunião: a perda da liderança do mundo.

CAPÍTULO 25
CIDADES, ESPORTES E LÍNGUAS

Não se sabia ao certo qual era a população mundial em 1900. Além disso, não se considerava o mundo como um todo: cada um se preocupava somente com a própria nação ou o próprio império. Ocasionalmente, discutia-se a superpopulação, mas ela era encarada como um problema que dizia respeito apenas ao país em questão, fosse a Grã-Bretanha ou a Índia.

A despeito dos efeitos causados pelas guerras e doenças infecciosas, a população cresceu ao longo de praticamente todo o século. Por volta de 1927, o número de habitantes do planeta chegou a 2 bilhões, mas tal marca não chamou muita atenção. A população começou a aumentar em ritmo cada vez mais veloz depois da Segunda Guerra Mundial. O nível de crescimento mais acentuado aconteceu na década de 1960, quando a exploração do espaço sideral criava grandes expectativas: cogitava-se até mesmo a possibilidade de que, algum dia, uma fração da abundante população do mundo pudesse estabelecer-se em outro planeta. O número total de pessoas chegou a 3 bilhões em 1960, saltando para 4 bilhões em 1974. A expressão *explosão demográfica* passou a ser ampla e nervosamente empregada. Em menos de cinquenta anos, o contingente populacional havia dobrado. Em 1927, registrara-se um aumento igual, mas que, comparativamente, havia demorado um século para se completar.

As tendências de aumento populacional receberam comentários expressivos de sir Alec Cairncross. Nascido na Escócia no início do século

20, filho do ferrageiro de uma aldeia, ele lembrava, já maduro, que, na época de sua infância, uma em cada dez crianças escocesas morria antes de completar 1 ano de idade – e tal marca era um recorde invejável, bastante superior à de muitos outros países. As melhorias nas condições de saúde no mundo foram de tal ordem que, perto do fim da vida de Cairncross, até a China e a Índia ostentavam uma taxa de mortalidade infantil muito mais baixa que a da Escócia de sua infância.

Em muitas regiões do planeta, especialmente as mais pobres, a taxa de natalidade permaneceu alta, mas em quase todo os lugares a taxa de mortalidade diminuiu. Milhões de vidas (mais de jovens que de idosos) passaram a ser salvas graças às pesquisas médicas realizadas ao longo do século, ao aumento do número de médicos e enfermeiros no Terceiro Mundo e ao aprendizado das mães sobre questões de higiene. Desastres ainda ocorriam. Algumas velhas doenças, como a varíola, foram controladas, mas os mesmos resultados não foram obtidos para novas doenças, como a aids. O número de óbitos em decorrência desse mal na África do Sul, em Botswana e nos países vizinhos era alarmante. Entretanto, no ano 2000, tal enfermidade já não era a principal causa de mortes. As vidas perdidas anualmente por conta de doenças cardíacas, câncer e subnutrição excediam, e muito, as perdas causadas pela aids.

A fome continuou a ser algo comum. Uma série de crises de falta de alimentos custou milhões de vidas: na China, por volta de 1960; alguns anos mais tarde, durante a guerra civil na Nigéria e em Biafra; e no período de seca em Sahul, no início da década de 1980. Durante o século 20, crises que resultavam em fome eram causadas, talvez mais do que nos séculos anteriores, por uma combinação de fatores climáticos e políticos. Entretanto, eram provavelmente menos problemáticas do que as da primeira metade do século, uma vez que o socorro em forma de alimentos, quando enviado de outro país, chegava de forma rápida e barata. Além disso, muito mais comida era produzida em todo o mundo no ano 2000 do que se previra um século antes e boa parte desse excedente vinha da Índia e da China.

AS CIDADES SOBERANAS

O século 20 foi um período de cidades colossais. Em 1900, comparativamente, a grande maioria dos povos vivia em contato com a terra, em vilarejos cujas principais atividades eram a pesca, a mineração, o trabalho com madeira, o cultivo do solo ou a criação de animais, em planícies ou montanhas. A maior parte das pessoas jamais havia visto uma grande cidade – ou qualquer cidade. Quando a mecanização das fazendas e das atividades de mineração indicou que seu trabalho não era mais necessário, muitas dessas pessoas saíram das aldeias e foram para os centros urbanos. Perto do fim do século, quase metade da população mundial vivia em cidades.

A cidade gigante de 1900 era Londres, coração do maior império do mundo e seu centro financeiro. Os turistas, em sua maioria, pensavam estar no núcleo da civilização: observavam o tráfego de apressados veículos puxados por belos cavalos em Piccadilly Circus nas manhãs enevoadas, examinavam os regimentos de soldados ingleses marchando pelas ruas pavimentadas com madeira, ouviam as batidas do Big Ben ou o carrilhão antes da cerimônia matutina da igreja de São Clemente e assistiam à apresentação de Melba e Caruso no teatro de Covent Garden. Um jornalista do Hemisfério Sul que, de cima da galeria da Catedral de São Paulo, avistou apenas telhados de casas ficou fascinado: "Não há nada que se compare a isto."

> O SÉCULO 20 FOI UM PERÍODO DE CIDADES COLOSSAIS.

Londres foi ultrapassada durante a década de 1920 por Nova York, que se tornou tanto o centro financeiro do mundo quanto a cidade mais populosa. Era quase como uma nova Londres, mas sem a imponência, a longa história e o prestígio de ser uma capital federal. Ainda assim, reluzia aos olhos dos – poucos – europeus perspicazes que a visitavam. Eles ficavam deslumbrados com as estações de trem arrumadas e limpas, os grandes hotéis e as lojas de departamentos, os carros modernos, mesmo nas ruas mais afastadas, e, sobretudo, os graciosos arranha-céus, cuja altura, variedade e grandiosidade não encontravam similar na Europa.

O arquiteto parisiense Charles Jeanneret, que chamava a si mesmo de Le Corbusier, fez, em 1935, sua primeira visita a Nova York. Quando o navio em que viajava atracou no porto nas imediações de Manhattan, ele pôde ver a tão aguardada "cidade mística do novo mundo". Para surpresa dele, os arranha-céus pareciam catedrais brancas: "Eles se lançam em direção ao céu, chegando aos 1.000 pés de altura, e são um acontecimento arquitetônico completamente novo e prodigioso – com apenas um golpe, a Europa foi ultrapassada." Na década de 1950, Nova York passou a ocupar o segundo lugar mundial em termos de população, permanecendo nessa posição durante um longo período. Em 2001, ano da impressionante derrubada do World Trade Center, a cidade havia caído para o quarto lugar.

Nova York cedeu a Tóquio a posição de maior núcleo urbano do mundo. Quando a cidade japonesa recebeu esse título, não era sede de um império nem um centro mundial de finanças. Sua ascensão foi memorável. Tóquio havia sobrevivido a uma série de reveses, entre eles o terremoto de 1923 e os pesados bombardeios de 1944 e 1945. No fim da guerra, sua população estava reduzida praticamente à metade dos 7,5 milhões existentes antes do conflito. A restauração que se seguiu foi extraordinária. Altos arranha-céus eram perigosos demais em uma zona de atividade sísmica e os terrenos para a expansão horizontal eram escassos. Assim, surgiu a impressionante habilidade de apertar as pessoas de modo agradável em pequenos espaços. Foi a primeira cidade a chegar aos 20 milhões de habitantes.

As cidades ocidentais mais inovadoras e influentes já não eram as gigantescas. Ao longo do último terço do século, talvez a zona urbana mais dinâmica tenha sido uma pequena região que misturava campo com cidade, ao sul da Baía de São Francisco. Em 1965, o lugar era ocupado principalmente por pomares, que produziam damasco e ameixa seca, garantindo mais lucros do que as empresas eletrônicas que então surgiam. Chamado posteriormente de Vale do Silício, tinha ligação com as avançadas indústrias de equipamentos de defesa militar e com a Stanford University, o que representou uma vantagem. Em 1994, logo após a criação da rede mundial de computadores, dois estudantes de Stanford inventaram, em seu tempo livre, um mecanismo de busca chamado Yahoo. No final do século, as companhias de capital aberto do vale tinham um valor muito mais alto no mercado de ações do que o total das empresas de entretenimento de Hollywood somadas à indústria automobilística de Detroit.

Nos últimos trinta anos do século, metrópoles começaram a surgir no Terceiro Mundo. Com crescimento acelerado, Cidade do México e São Paulo ultrapassaram Nova York, embora não tenham tirado de Tóquio o título de líder. No ano 2000, das dez maiores cidades do mundo, quatro estavam na Índia, sendo Mumbai e Calcutá as maiores. Seis dessas dez cidades ficavam na Ásia; duas, nos Estados Unidos; e duas, na América Latina. Curiosamente, a cidade que se esperava ver chegar rapidamente ao primeiro ou segundo lugar da lista no novo século era Daca, em Bangladesh, uma metrópole tropical situada em zona sob contínua ameaça de enchentes.

A Europa havia perdido a importância que tivera por tanto tempo. Sua queda no ranking de grandes metrópoles foi dramática. No final do século, não havia nenhuma cidade do Velho Mundo entre as 15 maiores do planeta. Embora Paris, Moscou e Londres formassem uma importante trindade, eram menores do que certas cidades asiáticas (como Jacarta e Deli) e africanas.

Em 1901, quando Londres não conhecia rivais, Lagos era um porto sonolento na África Ocidental. Situada em um cinturão de elevados índices de chuvas perto da linha do Equador, a cidade se desenvolveu de um modo que não poderia ter sido previsto por nenhum oficial britânico. Sua população ultrapassou a marca de 1 milhão em 1960, quando se tornou a capital da nova nação independente da Nigéria. Após outras duas décadas de crescimento, o número de habitantes se aproximou dos 5 milhões. A capital foi transferida para outra cidade, mas Lagos não parou de aumentar. No início do novo século, com uma população total de 19 milhões, rivalizava com Cairo no posto de maior cidade da África.

Esses centros africanos lembravam as cidades europeias do século anterior. Sem água potável e com esgotos a céu aberto, tinham alta taxa de mortalidade infantil. Mas as populações não paravam de se multiplicar.

O crescimento das cidades do Terceiro Mundo contrastava com a imutabilidade dos costumes no campo. Na década de 1990, talvez um em cada quatro trabalhadores de todo o mundo fizesse o mesmo que seus ancestrais vinham fazendo, geração após geração. As sementes que lançavam ao solo eram um pouco maiores, mas as tarefas continuavam as mesmas: pôr a canga nos animais, lavrar a terra, plantar as sementes manualmente e, mais tarde, efetuar a colheita também manualmente. O bem-estar da Índia e da China ainda dependia, ao menos em parte, de tais deveres domésticos.

As mensagens das grandes religiões mundiais haviam sido manifestadas inicialmente em uma época em que todos se ocupavam desse tipo de trabalho. Assim como o cristianismo ligava a figura de Deus à de um pastor – "O Senhor é meu pastor" –, os siques, nos templos hindus, entoavam versos do século 16 que diziam que Deus, com Suas mãos firmes e Seus desígnios inabaláveis, era também como um pastor:

Como um rebanho somos conduzidos
Pelo pastor, nosso mestre.

Quinze milhões de carroças – quase todas puxadas por um par de bois – levavam a maior parte dos grãos e da lenha produzida na Índia em meados dos anos 1990. Ainda que analistas de cidades modernas considerassem os animais de carga um retrocesso, na Índia eles representavam o progresso, pois possibilitavam um transporte mais eficiente do que aquele realizado por seres humanos.

O SURGIMENTO DOS IDIOMAS GLOBAIS

As línguas vivas foram influenciadas pela migração do campo para a cidade. Idiomas falados em determinadas regiões rurais e por apenas alguns milhares de pessoas, corriam perigo quando estas se mudavam para zonas urbanas. Tais línguas regionais também sofriam quando a cultura citadina – através dos novos meios de comunicação – chegava ao campo. Da mesma forma, estavam em risco se a invasão de algum idioma mais popular – o inglês ou o russo, por exemplo – oferecesse mais esperanças de emprego, melhor educação ou acesso a entretenimento.

Fora da Europa, centenas de línguas nativas, vivas e vigorosas em 1900, passaram a ser faladas por apenas alguns milhares de pessoas. Quando um idioma sofria tal decadência, a maioria dos falantes o usava somente em parte de seu cotidiano, muitas vezes sem explorar todos os seus recursos e suas complexidades, pois os ouvintes de tal língua, especialmente os jovens, não a conheciam por completo. Das mais de 6 mil línguas do mundo, a maioria tinha, relativamente, poucos falantes no final do século. Elas estavam sob ameaça, uma vez que o rádio, a televisão, os jornais e os livros davam preferência àquelas faladas pela maioria.

O iídiche possui hoje cerca de um terço dos falantes que tinha em 1900, quando era usado nas regiões central e leste da Europa. O íngrio e outros dois idiomas falados nas proximidades do Mar Báltico reuniam, em 1970, somente algumas poucas centenas de falantes cada um. A língua dálmata, usada no litoral leste do Mar Adriático, sumiu em 1898. O manx, que se falava na Ilha de Man, no Mar da Irlanda, foi extinto em 1974.

Na Austrália, vários idiomas se perderam. Um erudito estudou cinco línguas vivas de aborígines, da região tropical de Queensland, e revelou com tristeza, em 1992, que três estavam extintas, uma tinha apenas dez falantes e a última continuava viva apenas na mente de um falante solitário. Não eram línguas simples, que morreram por falta de flexibilidade e vocabulário. A maioria possuía uma gramática complexa e um impressionante léxico de cerca de 10 mil palavras. Entre as numerosas línguas em risco pelo mundo, a maioria não sobreviveu.

Em 1900, o francês era, por estreita margem, a língua preferida para discursos internacionais e a favorita da alta sociedade em uma dúzia de países, incluindo a Rússia. No currículo de escolas secundárias do mundo anglófono, competia com o latim como língua estrangeira mais popular. De acordo com a edição de 1920 da enciclopédia inglesa *Chambers's*, o francês era "a literatura mais uniformemente legível de todas". Raros eram os ramos do aprendizado e da cultura aos quais o francês não se aplicasse. "Na França, mais do que em qualquer outro país, a capacidade mental está acompanhada pela faculdade literária", dizia a enciclopédia. O idioma parecia andar de mãos dadas com o que havia de melhor da civilização. Mas não conseguiu competir com o inglês como língua do comércio – Londres e Nova York, em 1900, eram as capitais comerciais do mundo, e a libra esterlina, a princesa das moedas –, de modo que as pessoas de negócios da maioria dos países, da Suécia ao Japão, acabaram optando por aprender inglês.

> EM 1900, O FRANCÊS ERA A LÍNGUA FAVORITA DE POLÍTICOS, MAS NÃO CONSEGUIU COMPETIR COM O INGLÊS COMO LÍNGUA DO COMÉRCIO.

A derrota militar da França em 1940 foi um golpe na reputação do eloquente idioma francês, mas nas colônias nada se alterou. A ajuda econômica francesa à África estava em seu ponto mais generoso e os africanos não viam problema algum em dizer *merci* e usar o francês para escrever seus pedidos de subsídio. O avanço do comunismo foi outro choque na popularidade da língua francesa, que então perdeu para o russo o lugar de segunda favorita na China, na Mongólia e em países comunistas do Leste Europeu.

O inglês estava então muito à frente graças, em parte, à influência dos Estados Unidos. Também continuava a ser um idioma importante na Índia, por causa dos conflitos entre falantes do híndi e de outras línguas. Durante a década de 1940, ultrapassou o alemão como língua da ciência e da engenharia e, uma década mais tarde, tornou-se o idioma dos controladores do tráfego aéreo. No emergente mundo da cultura pop, Elvis Presley, os Beatles e a maior parte das estrelas cantavam em inglês. O que mais um idioma poderia querer?

No último terço do século, nenhum rival da língua inglesa ganhou terreno. A libertação do Leste Europeu e a desintegração da União Soviética puseram termo à possibilidade de o russo tornar-se uma potencial linguagem global. Nessa época, russo e francês possuíam, cada um, menos falantes nativos do que o espanhol, graças ao rápido crescimento populacional na América Latina. O chinês contava com mais de 1 bilhão de falantes e representou um importante facilitador do comércio na Ásia Oriental, mas foi o inglês que se tornou o idioma da internet. No ano 2000, a língua inglesa se transformara na mais influente de todos os tempos.

OS HERÓIS E O ESPORTE

A Inglaterra era o berço da maioria dos esportes de destaque mundial e os primeiros amadores ingleses apregoavam o culto à justiça. A disputa tinha de ser mais importante do que a vitória, por isso o espírito de competição sobrepunha-se ao placar final. Alguns dos mais conhecidos clubes ingleses de futebol da atualidade têm sua origem nas equipes das escolas dominicais, tendo sido formados de acordo com a ideologia do "cristianismo muscular". Esporte e jogo limpo eram quase sinônimos. Se os campeões de 1900 tivessem a chance de testemunhar grandes disputas esportivas um século mais tarde, ficariam um tanto desapontados pela enorme ênfase dada à vitória.

No início do século, eram poucos os jogos que reuniam multidões. Esportes populares, como corrida de cavalos, críquete, beisebol, futebol e boxe, dificilmente atraíam competidores e espectadores estrangeiros. Mesmo os torneios de tênis que aconteciam a cada verão em Wimbledon contavam quase exclusivamente com jogadores britânicos. Houve agitação quando May Sutton, uma norte-americana, apareceu: ela jogava com os antebraços desnudos, o que foi considerado indelicado e lhe rendeu o apelido de lavadeira.

Eventos esportivos internacionais tornaram-se mais frequentes nas duas décadas anteriores à Primeira Guerra Mundial. Os Jogos Olímpicos de Paris, em 1900, e de St. Louis, em 1904, careceram de excelência, uma vez que os melhores atletas do mundo não dispunham de condições financeiras para ir até os locais dos jogos ou, por serem profissionais, não tinham permissão de participar – as competições, renascidas em Atenas em 1896, eram apenas para amadores. O futebol, inventado na Grã-Bretanha e hoje em dia o esporte mais popular do mundo, tinha pouca pretensão de ter fama internacional. No críquete, os únicos times que competiam regularmente eram os da Austrália e os da Inglaterra. O remo individual e o boxe eram esportes internacionais – provavelmente, os remadores atraíam os maiores públicos do mundo –, mas poucos países competiam. A Volta da França aconteceu pela primeira vez em 1903, e a maioria dos ciclistas era francesa. A Copa Davis teve sua primeira competição em 1900, mas somente a equipe inglesa foi até Boston para disputá-la.

Poucos arriscariam dizer que os esportes se tornariam uma parte tão importante da indústria do entretenimento. Mais tarde, a energia elétrica e os estádios cobertos permitiram que os jogos fossem disputados também durante a noite; as partidas aos domingos, outrora tabu em países de língua inglesa, começaram a reunir grandes públicos. O rádio e a televisão aumentavam a audiência. Os benefícios que a mídia eletrônica poderia trazer para os esportes foram percebidos em New Jersey, em 1921, quando o boxeador Jack Dempsey, conhecido como "o Matador de Manassa", lutou contra o francês Georges Carpentier. Cerca de 80 mil pessoas pagaram caro para assistir ao combate e milhares o ouviram pelo rádio – uma novidade. É provável que o evento tenha sido o primeiro acontecimento esportivo a ser simultaneamente acompanhado por um público presente e por outro distante.

Os esportes aos poucos derrubavam barreiras de raça, sexo e classe. No começo, a maioria das modalidades era praticada apenas por homens; em 1900, nos Jogos Olímpicos de Paris, havia apenas duas práticas permitidas para mulheres – tênis em quadra de grama e golfe. Passaram-se quase trinta anos até que surgissem modalidades de atletismo e uma disputa de ginástica específicas para mulheres.

Os atletas do Terceiro Mundo – raramente vistos nos importantes eventos esportivos dos primeiros tempos – começaram a ganhar medalhas de ouro. Velocistas das ilhas caribenhas de Jamaica, Trinidad e Cuba conquistaram seis medalhas de ouro entre 1948 e 1984. As montanhas da África Oriental tiveram seus primeiros campeões olímpicos na década de 1960, quando os etíopes venceram a maratona três vezes seguidas e os quenianos triunfaram em outras provas de resistência.

As mais importantes autoridades do esporte tentavam manter as tradições e impedir que fossem corrompidas e contaminadas pela política internacional – mas até mesmo os Jogos Olímpicos obedeciam a ordens políticas. Alemães e russos foram proibidos de participar das Olimpíadas de 1920. Em 1936, Hitler se vingou em Berlim, transformando os jogos em um farol a iluminar o nacionalismo alemão. Na década de 1980, as Olimpíadas sucessivas de Moscou e Los Angeles foram desfiguradas pela política: na primeira, 60 países se recusaram a competir; na segunda, foram os russos que não compareceram.

Os esportes eram a vitrine de um mundo que se tornava cada vez menor. Representavam uma forma de rivalidade internacional que a maioria das pessoas apreciava. Mais do que a arte, a arquitetura e as ciências, eram o veículo preferido do nacionalismo. Curiosamente, a globalização, muitas vezes rejeitada em termos de comércio, foi facilmente aceita nos esportes. Contanto que os atletas pudessem vestir a camisa de seu país, não se importavam em praticar esportes estrangeiros. Os valores esportivos expressavam e intensificavam um nacionalismo impossível de ser derrotado.

O surgimento das grandes cidades, a crescente mania pelos esportes, a expansão das viagens internacionais, a disseminação do inglês como idioma global, o envio de comida para lugares atingidos pela fome e até mesmo o status de um par de calças jeans na linguagem universal da moda – tudo isso são capítulos na história do encolhimento do mundo.

CAPÍTULO 26
A LUA DO ISLÃ BRILHA OUTRA VEZ

A Lua, após décadas de escuridão, brilhava mais uma vez sobre países muçulmanos. Na década de 1960, nações que pouco tempo antes haviam se tornado independentes desfraldavam cada vez mais a bandeira na qual se via a Lua crescente e a sombra verde do Islã. Os primeiros triunfos aconteceram no Paquistão, lar da maioria dos muçulmanos indianos, e na república da Indonésia, onde se concentrava a maior população muçulmana do mundo. Nasser, no Egito, e Sukarno, na Indonésia, representavam a nova convicção que se fazia visível em alguns países islâmicos. Apenas vinte e cinco anos antes, quase todas os países islâmicos haviam estado sob o domínio da Europa cristã.

Pela primeira vez em quinhentos anos, as nações islâmicas ocupavam uma posição de barganha em regiões importantes. Tais nações jamais haviam sido exploradoras diligentes de minérios, mas, por acaso, os países que se haviam convertido ao islamismo mais de mil anos antes possuíam a maioria dos campos de petróleo conhecidos. Os ocidentais encontraram o petróleo e os islâmicos se regozijaram, ficando com grande parte dos rendimentos. O Oriente Médio, a África do Norte, a Nigéria e a Indonésia possuíam, ao todo, mais da metade das reservas mundiais de petróleo. Ao mesmo tempo, o rápido declínio no nível das reservas dos Estados Unidos, até então principal produtor do mundo, beneficiou ainda mais os países islâmicos. Outra mudança abarrotou os cofres muçulmanos: na década de 1960, o petróleo se tornava a principal fonte de energia, ultrapassando o carvão.

Em 1973, os principais produtores de petróleo, liderados pelos árabes, aumentaram vertiginosamente o preço do produto, além de impedirem que fosse levado para nações que apoiavam Israel. Com o petróleo atingindo preços recordes, o Oriente Médio foi inundado pelos lucros. Magnatas árabes se tornaram proprietários de algumas das mansões inglesas outrora habitadas por seus antigos dominadores. Muçulmanos começaram a fazer parte da lista das famílias mais ricas do mundo. O Islã se espalhara entre os países mais pobres do globo, mas, pela primeira vez, em séculos, também estava presente em alguns dos mais ricos.

DIVERGÊNCIAS ENTRE MUÇULMANOS E CRISTÃOS

As concepções do islamismo e do cristianismo haviam se modificado. Seus modos de pensar eram semelhantes em 1900. Nessa época, as nações cristãs zelavam pela instituição da família, eram mais atentas ao uso excessivo do álcool e consideravam o domingo um dia sagrado. Sua atitude em relação às mulheres era mais parecida com a atitude dos islâmicos do que é hoje. Os crimes mais graves eram vistos com mais severidade e frequentemente punidos com a morte. O domingo em Iowa tinha muito em comum com a sexta-feira no Cairo.

Nos cem anos que se seguiram, as nações cristãs se tornaram mais seculares. O modo de vida norte-americano fazia propaganda do álcool e das drogas, além de tolerar aventuras sexuais e a rebeldia dos jovens. Os muçulmanos mais devotos rejeitavam o espírito mercantilista, o consumismo e a moral frouxa que o Ocidente ostentava através da televisão, dos filmes de Hollywood e do estilo de vida das estrelas pop internacionais. O Islã deplorava as rápidas mudanças do Ocidente, e o Ocidente deplorava a lentidão das mudanças no Islã. O Ocidente lamentava a falta de liberdades pessoais do Islã, e o Islã lamentava o que o Ocidente havia feito com a própria liberdade.

Nas décadas seguintes, o Islã vicejou. Hábil em conservar seus fiéis, empenhava-se em atrair mais partidários. As crianças muçulmanas abraçavam a religião dos pais – e as famílias costumavam ser numerosas. Em 1893, os muçulmanos representavam cerca de 12% da população global; exatamente um século mais tarde, esse índice havia chegado aos 18%. Era a segunda religião em número de fiéis, maior que o número de hinduístas e budistas somados. Os cristãos ainda eram mais numerosos, com um terço da população do planeta, mas sua liderança estava sob ameaça.

A resistência do Islã em seus países tradicionais foi ajudada pelo êxito alcançado em outras terras. Os muçulmanos espalharam sua fé por meio de movimentos migratórios. Em 1900, os viajantes que visitavam as cidades em efervescência – Paris, Chicago, Buenos Aires ou Dunedin – encontravam sinagogas com facilidade, mas nenhuma mesquita. Nos Estados Unidos, os muçulmanos eram raros, mas, no final do século, sua população crescia mais rapidamente que a dos judeus. Ao mesmo tempo, em várias cidades inglesas, as mesquitas atraíam tantos fiéis quanto as igrejas cristãs. Em Paris, enquanto as igrejas católicas permaneciam em silêncio, as mesquitas estavam lotadas.

> AO LONGO DO SÉCULO, AS CONCEPÇÕES ISLÂMICAS E CRISTÃS SE AFASTARAM CADA VEZ MAIS UMAS DAS OUTRAS. O ISLÃ DEPLORAVA AS RÁPIDAS MUDANÇAS DO OCIDENTE, E O OCIDENTE, A LENTIDÃO DAS MUDANÇAS NO ISLÃ.

A grande maioria dos muçulmanos vivia de maneira virtuosa e convivia pacificamente com outros credos. Mas em algumas regiões do Islã o zelo religioso excessivo voltava-se para a militância política. No Irã, milhões de muçulmanos rejeitavam o próprio xá e esperavam sua queda. Seu ansioso oponente era Ruhollah Khomeini, o barbudo que ficou conhecido como aiatolá, palavra cujo significado é *sinal de Deus*. Khomeini fez todas as suas pregações em segurança – durante

13 Países islâmicos, 1956

Mais de 40% de muçulmanos

a década de 1960, no Iraque e, no final da década de 1970, na França. Depois da deposição do xá, em janeiro de 1979, e de sua ida para o exílio, o aiatolá retornou ao país, criando uma república teocrática na qual a pena de morte era largamente empregada em vários casos de dissidência política e religiosa, bem como de crimes comuns.

Com seu fervor e eloquência, ele reunia grandes multidões a céu aberto. Denunciou os Estados Unidos como "o grande satã". Reagindo ao estímulo de seu líder, fanáticos iranianos sequestraram 66 norte-americanos que viviam no país, mantendo quase todos como reféns por mais de um ano. Aproveitando os distúrbios, o vizinho Saddam Hussein, do Iraque, invadiu o Irã. Essa guerra entre as duas potências islâmicas, uma sunita e outra xiita, foi considerada uma das cinco mais mortais de todos os tempos.

FERVOR E PETRÓLEO NO DESERTO

Na Arábia, a família Saud era, havia muito tempo, a protetora do wahhabismo, um credo islâmico puritano. Quem revigorou a fortuna da família no século 20 foi o rei Ibn Saud, que na prática fundou a nova Arábia Saudita. Ele era um dos homens mais altos do reino, além de um guerreiro habilidoso. Andava de maneira lenta e digna e suas palavras prendiam a atenção. De acordo com uma interpretação liberal do Alcorão, mantinha quatro esposas, quatro concubinas favoritas e quatro "escravas prediletas". Havia um tipo de escravidão que persistia, com a concordância de Ibn, e um escravo chegou a tornar-se ministro da Fazenda durante seu reinado. A disciplina e o fervor religioso, de acordo com os preceitos do wahhabismo, também tinham a bênção do rei.

A Arábia Saudita, com sua grande extensão de areia em várias tonalidades, não teve valor econômico durante muito tempo. Após a descoberta de petróleo em 1938, a riqueza da nação aumentou, primeiro lentamente e depois com rapidez. O fato de o país possuir as maiores reservas mundiais do recurso fez crescerem as tentações humanas contra as quais o ramo wahhabi do Islã diligentemente alertava. Mesmo envelhecido, o rei tentou deter o fluxo de licenciosidade que vinha do Ocidente. Até 1951, o futebol esteve banido e os estrangeiros que moravam no país eram proibidos de comprar bebidas alcoólicas.

De todas as nações árabes, a Arábia Saudita era a única aliada tradicional de Washington. Os dois países trabalhavam harmoniosamente, um fornecendo o petróleo, e o outro, proteção militar. Os Estados Unidos produziam cada vez menos o petróleo que consumiam e dependiam cada vez mais da Arábia Saudita. Lá, os norte-americanos residentes tinham de seguir, pelo menos aparentemente, os preceitos puritanos do Islã. Na década de 1980, praticamente não havia judeus entre os norte-americanos que viviam no país; os banhos de piscina mistos eram proibidos nos hotéis; e os membros das forças armadas norte-americanas concordaram em não celebrar missas de Natal nas bases. Tais concessões não pareciam suficientes aos olhos dos muçulmanos mais fervorosos, sempre conscientes de que eram eles os guardiões dos locais sagrados em Meca e Medina. Alguns dos mais veementes desaprovavam até mesmo o próprio governo, vindo a patrocinar terríveis atos de terrorismo.

MAIS E MAIS TERRORISTAS

O terrorismo internacional aumentava e cada ação bem-sucedida parecia inspirar outra. Era a arma preferida dos que estavam em desvantagem militarmente. Os terroristas se aproveitavam da sensação de contentamento e segurança em países poderosos e prósperos, onde, às vezes, instituições liberais davam cobertura a suas ações. A mídia involuntariamente se tornou aliada dos terroristas ao dar-lhes a publicidade que pediam: sem propaganda maciça, o terror não consegue espalhar-se rapidamente.

No final da década de 1940, o terrorismo havia sido usado de modo dramático pelos extremistas judeus em sua luta pelo controle da Palestina. Duas décadas mais tarde, eram os extremistas palestinos que começavam a organizar ações terroristas. Em 22 de julho de 1968, em Roma, três palestinos armados subiram a bordo de um avião comercial israelense. No meio do trajeto para Telavive, ameaçaram explodir a aeronave. Cerca de 110 episódios parecidos aconteceram nos vinte anos seguintes, dos quais metade foi iniciada por palestinos, e um quarto, por iranianos e siques. Outra tática, a de esconder bombas nas bagagens dos passageiros, causou a queda de pelo menos 15 aviões.

Professores e pregadores muçulmanos militantes faziam o recrutamento dos terroristas. Na década de 1980, os escolhidos foram para o Afeganistão com a tarefa de ajudar na expulsão dos invasores soviéticos ateus. Quando a guerra do Afeganistão acabou, o ódio foi direcionado contra os norte-americanos: cristãos, apoiadores de Israel e disseminadores de uma cultura materialista que seduzia os jovens muçulmanos.

Um desses recrutas era Osama Bin Laden, cidadão da Arábia Saudita – até seu passaporte ser confiscado. Uma das 57 crianças de uma rica família saudita que se ocupava do próspero negócio da construção civil, ele se ressentia dos elos entre seu país e os Estados Unidos. Adversário religioso da família real, considerava seus membros insuficientemente austeros, portanto desqualificados para a tarefa de portar as chaves de Meca. Foi um membro ativo no combate contra as tropas soviéticas no Afeganistão. Residiu por cinco anos no Sudão, outra nação propagadora da fé islâmica, antes de retornar, em 1996, ao Afeganistão, então nas mãos do Talibã. Lá, ajudou no ensino de jovens muçulmanos, tanto nativos quanto estrangeiros, em questões religiosas e nas práticas terroristas. Bin Laden combinava audácia e inventividade. Suas unidades terroristas foram vitoriosas no final da década de 1990, matando 19 soldados norte--americanos na Arábia Saudita, bombardeando duas embaixadas dos Estados Unidos na África Oriental (causando 260 mortes) e matando marinheiros a bordo do navio de guerra USS Cole, próximo ao Iêmen.

NOVA YORK, 11 DE SETEMBRO

Na manhã de 11 de setembro de 2001, 19 passageiros incomuns se preparavam para embarcar em vários voos domésticos prestes a partir da costa leste dos Estados Unidos. Eram todos homens, e nenhum deles pareceria deslocado se estivesse no Oriente Médio. Quase todos tinham passagens de primeira classe ou de classe executiva, o que possivelmente os ajudaria quando fossem interrogados ou revistados por guardas e outros funcionários nos aeroportos de Boston, Washington e Newark. Um deles, ao ser abordado, quase não tinha noção do que lhe perguntavam, tão pequeno era seu conhecimento do inglês. Embora se comportasse de modo estranho e não possuísse as identificações adequadas, acabou obtendo permissão para juntar-se aos outros passageiros.

Os quatro aviões iriam voar até a Califórnia e por isso tinham o tanque cheio. O último decolou às 8h42, quase quarenta e cinco minutos depois do primeiro. Logo no início de cada voo, os 19 passageiros deixaram seus assentos e rapidamente começaram a fazer o que haviam planejado. Apunhalando ou golpeando qualquer membro da tripulação que tentasse impedi-los, invadiram as cabines dos aviões e aqueles que tinham experiência em pilotar tomaram os controles à força. Seus colegas mais fortes, com a ajuda de sprays de pimenta e outras substâncias irritantes, mantiveram os passageiros afastados da parte frontal do avião. Todas as ações, planejadas nos mínimos detalhes, foram executadas com inteligência e determinação.

Um dos aviões que tinha saído de Boston, ao aproximar-se do centro de Nova York, rumou na direção das torres gêmeas do World Trade Center e despedaçou os pavimentos superiores da torre norte, provocando um incêndio. Todos os que estavam a bordo morreram. O acontecimento foi tão surpreendente que as primeiras notícias foram confusas ou atenuadas. Na Flórida, o presidente George W. Bush estava prestes a fazer uma visita a uma escola de ensino fundamental, quando recebeu uma mensagem dizendo que o arranha-céu havia sido

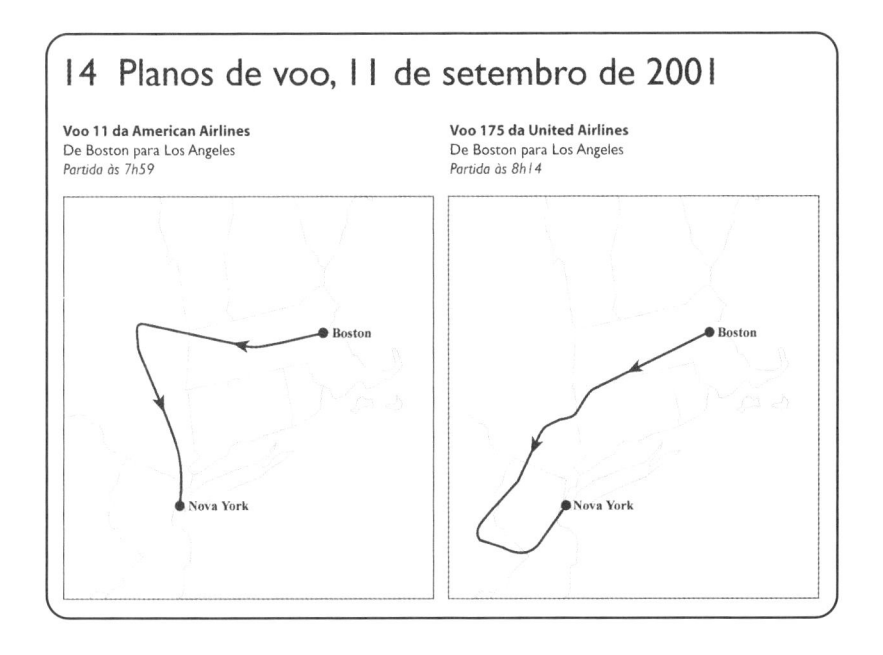

> **14 Planos de voo, 11 de setembro de 2001**
>
> **Voo 11 da American Airlines**
> De Boston para Los Angeles
> *Partida às 7h59*
>
> **Voo 175 da United Airlines**
> De Boston para Los Angeles
> *Partida às 8h14*

atingido. Essa primeira informação identificava equivocadamente o avião como um pequeno bimotor.

Em Nova York, as equipes jornalísticas fotografavam a torre de 110 andares em chamas, quando, às 9h03, filmaram um avião atingindo a segunda torre. Este também havia sido sequestrado logo após a partida de Boston. As notícias foram transmitidas ao presidente, que então se encontrava em uma sala de aula lendo histórias para as crianças. Ele rapidamente se pôs a caminho do aeroporto, onde um voo de emergência esperava para levá-lo a Washington. A capital também corria perigo – era alvo de um avião que havia decolado de lá e mudado de direção. Às 9h37, essa terceira aeronave, após sobrevoar os arredores da Casa Branca, colidiu contra o Pentágono.

Um quarto avião continuava a caminho de Washington, seguindo uma rota indireta. Seu alvo podia ser a Casa Branca ou o Capitólio. Um grupo de passageiros decidiu corajosamente invadir a cabine do piloto e tomar o controle, mas seu contra-ataque fez o piloto invasor perder o comando ou agir precipitadamente. O avião girou e mergulhou na direção de um campo desabitado na Pensilvânia.

Em menos de uma hora, três aviões haviam atingido edificações simbólicas em Washington e Nova York. O combustível agiu como explosivo e a destruição causada pelo fogo foi imensa. Na torre norte do World Trade Center, centenas de pessoas acima do 92º andar morreram instantaneamente e outras centenas ficaram encurraladas, pois tanto os elevadores quanto as escadas estavam bloqueados. O edifício ficou em chamas em vários andares e a fumaça negra subia vagarosamente. A torre sul, a segunda a ser atingida, desmoronou às 9h59, matando todos os civis e as equipes de resgate no interior do prédio, além de pessoas nas ruas. A torre norte, tomada cada vez mais pelas chamas, resistiu por mais meia hora e também desabou. Durante um longo período, a quantidade de baixas pôde ser apenas presumida, até que finalmente se chegou ao número de 2.973 mortes.

> O ASPECTO COMPLETAMENTE TEATRAL DO ATAQUE AO WORLD TRADE CENTER FEZ A CONQUISTA DA LUA PARECER UM ACONTECIMENTO QUASE SEM IMPORTÂNCIA.

Os 19 assassinos, que estavam entre os mortos, eram originários do Oriente Médio, principalmente da Arábia Saudita, antiga aliada dos Estados Unidos. Acreditavam ser servos do Islã. A nação que atacaram fora rotulada por seu líder como "a cabeça da serpente". Depois desse episódio, a serpente ficou mais agitada do que nunca.

Na história moderna, nenhuma grande nação havia sido atingida de modo tão devastador no próprio território durante um período de relativa paz. Os Estados Unidos nunca haviam perdido tantas vidas num ataque em solo norte-americano. O aspecto completamente teatral do episódio fez a conquista da Lua parecer um acontecimento quase sem importância. O fato de a investida contra a segunda torre ter sido vista ao vivo pela televisão em lugares tão distantes quanto a Suécia e a Nova Zelândia tornou o acontecimento ainda mais chocante e espantoso.

No mesmo ano, os militantes empreenderam outro ataque, contra um inimigo asiático inerte e envelhecido. Fora dos limites da pequena cidade de Bamiyan, a oeste de Cabul, a capital do Afeganistão, situava-se uma escarpa íngreme onde duas enormes estátuas haviam sido esculpidas, ao longo de muitos anos, em rocha maciça. Eram imagens de Buda, impressionantemente grandes – uma delas tinha a altura de um prédio de 15 andares. Situadas em uma velha rota comercial que cruzava a cordilheira de Hindukush e ligava a Índia à Ásia Central, as imagens serviam de conforto e inspiração, século após século, a uma interminável procissão de viajantes, muito tempo após a região ter sido ocupada pelos muçulmanos. Em 2001, membros do Talibã decidiram que as estátuas eram um sacrilégio, um insulto ao Islã, e destruíram suas faces e outras partes com canhões e foguetes.

No mesmo ano, os Budas gêmeos de uma estrada antiga e as torres gêmeas na capital financeira do mundo foram alvo da destruição empreendida pelas ações violentas daqueles que desejavam redenção. Mas só o que ofereciam, ao buscarem tal redenção, era ódio e violência.

CAPÍTULO 27
RETROSPECTO

O século 20 foi dividido em duas partes, com diferenças extraordinárias entre elas. Começou com um otimismo incomum, diminuído logo nas primeiras décadas. Aconteceram duas guerras mundiais e uma depressão econômica de magnitude sem igual. Nos países prósperos, o padrão de vida quase não aumentou ao longo de cinquenta anos. Nos países pobres, poucos sinais de melhora se fizeram notar.

A corajosa ideia da Liga das Nações, que deveria prevenir guerras internacionais, falhou. A democracia, que, entre 1900 e meados da década de 1920, havia se espalhado amplamente entre os povos europeus, não obteve o sucesso esperado. Ao contrário, possibilitou que Mussolini, Hitler e outros ditadores dessem seus primeiros passos rumo ao poder: eles praticamente receberam carta branca dos parlamentos eleitos. As mais importantes democracias, cujos cidadãos pouco se importavam com assuntos externos, falharam ao permitir que a Alemanha hitlerista se rearmasse. Em 1940, a França se tornou a primeira grande democracia a cair diante de um inimigo – um colapso inesperado.

Ainda havia razões para otimismo na primeira metade do século. A experiência comunista, profundamente encoberta pela censura russa, era vista por centenas de milhões de estrangeiros como emocionante ou assustadora. A União Soviética mostrou grande resistência na Segunda Guerra Mundial, sofrendo as mais pesadas perdas entre todas as nações e desempenhando um papel vital ao expulsar o exército alemão de volta para Berlim. Outro surto de otimismo foi provocado por diversas invenções: o avião, o carro fabricado em larga escala, o rádio, o cinema, a televisão e a geladeira. Esses foram os alicerces da sociedade de consumo que viria a florescer na segunda metade do século.

Algumas instituições avançaram, enquanto outras – incluindo a monarquia – retrocederam. A democracia foi muito mais bem--sucedida na segunda do que na primeira metade do século, já que não enfrentou tantas provações como acontecera nas décadas de 1920 e 1930. Em 1901, a democracia ainda era rara; somente poucas nações davam a todos os homens o direito de votar e nenhuma permitia que as mulheres votassem ou concorressem ao parlamento. Mesmo em 2001, a verdadeira democracia continuava a ser um corajoso experimento, apesar da história da antiga Atenas. Tal modo de governo requer um grande acúmulo de experiência, tanto por parte de políticos quanto de eleitores.

> O SÉCULO 20 FOI UM PERÍODO DIVIDIDO EM DUAS PARTES, COM DIFERENÇAS EXTRAORDINÁRIAS ENTRE ELAS.

O individualismo político e econômico, bem como o prestígio das democracias capitalistas recuaram muito durante a primeira metade do século, para mais tarde reaparecerem fortalecidos. O comunismo, por sua vez, encontrou o precipício. O movimento ecológico, pouco visível em 1950, tornou-se tremendamente influente meio século mais tarde. A noção de que o mundo diminuía e de que os povos de todos os continentes respiravam o mesmo ar se difundia. As comunicações cruzavam o globo como raios. Pela primeira vez na história, a maioria das pessoas, em vários países, vivia em cidades, e não na zona rural, trabalhando em outras atividades que não aquelas relacionadas ao campo ou às fábricas.

A Europa começou o século dominando e acabou em segundo lugar. Os vastos impérios ultramarinos cujos governos estavam na

Europa Ocidental foram extintos ou continuaram apenas em poucas ilhas distantes, mantidas como curiosidades ou ornamentos. Do desaparecimento desses impérios emergiram várias nações independentes, sobretudo na África e na Ásia, mas muitas delas não sabiam o que fazer com sua independência. No início do século, os Estados Unidos saíram cautelosamente de seu prolongado isolamento; no fim, prevaleciam como a única superpotência. A Ásia exercia pouca influência nos primeiros anos, mas, a partir da metade do século, sua crescente importância se fez notar em diversos grandes eventos – desde o bombardeio nuclear no Japão até a independência da Índia e a vitória do comunismo na China. Foi na Ásia Meridional que, pela primeira vez, mulheres foram eleitas para o cargo de primeiro-ministro.

A China e a Índia, dois gigantes em matéria de população, eram vistas cada vez mais como líderes mundiais em potencial, mas os tortuosos acontecimentos do século anterior ainda não haviam esclarecido uma questão crucial: uma grande população e um vasto território bastariam para que um país conseguisse exercer domínio global? A Grã-Bretanha havia sido um enorme império; por outro lado, a Alemanha e o Japão, com apenas uma fração da população do planeta, haviam derrotado ou desafiado os exércitos de alianças entre nações durante vários anos; e Israel, mesmo cercado, manteve todo o Oriente Médio em clima de apreensão.

Na segunda metade do século, foi realizada a exploração do espaço sideral, a aventura mais destemida desde que Cristóvão Colombo e Vasco da Gama atravessaram os oceanos cerca de quinhentos anos atrás. Nunca houvera semelhantes avanços na medicina. As pessoas viviam por mais tempo, com menos sofrimento e mais acesso a bens materiais. Saber ler e escrever era uma exceção em 1901; em 2001, a regra. Embora o planeta enfrentasse muitas carências, elas eram bem menores em relação ao início do século. As questões da superpopulação e da poluição passaram a ser encaradas e a identificação desses problemas sinalizava o surgimento de uma consciência inexistente em 1901.

A disposição predominante era permeada pela guerra e pelo medo da guerra. Na primeira metade do século, diversas vezes as nações tomaram a importante decisão de ir à guerra. Na segunda metade, tomaram a decisão – igualmente importante – de não ir.

Após o fim da Guerra da Coreia, em 1953, não houve outro conflito geral que envolvesse a maior parte das grandes potências. Embora disputas entre nações fossem travadas em quase todos os lugares depois de 1950 – havia mais nações do que nunca –, nenhum desses conflitos se assemelhou a uma guerra mundial. A primeira metade do século testemunhou duas grandes e imensamente destrutivas guerras. A segunda metade evitou-as, milagrosamente.

Especula-se que a invenção das mortíferas armas de 1945 e o temor de uma terrível vingança, caso fossem usadas, tenham sido os principais motivos da longa paz entre as grandes potências nucleares, mas não se pode ter certeza. A grande questão do século 21 é justamente saber se a paz atômica irá persistir e, comparados a tal questão, todos os outros problemas perdem a importância.

Em 3 de agosto de 1914, na eclosão da Primeira Guerra Mundial, o ministro das Relações Exteriores da Grã-Bretanha, sir Edward Grey, observou solenemente: "As luzes se apagam por toda a Europa, não devemos tornar a vê-las acesas enquanto vivermos." Mas, com o passar do tempo, as luzes voltaram a brilhar na Europa e em todo o mundo, mais poderosas do que nunca – ao mesmo tempo um prodígio e um perigo.

15 As grandes cidades do mundo, 2001

*Cidades com mais de 10 milhões de habitantes

Mapa das Américas

Região	Nome
Países	GROENLÂNDIA, CANADÁ, ESTADOS UNIDOS DA AMÉRICA, MÉXICO, CUBA, VENEZUELA, COLÔMBIA, PERU, BOLÍVIA, BRASIL, CHILE, ARGENTINA, NOVA ZELÂNDIA
Cidades	*Nova York, *Los Angeles, *Cidade do México, *Rio de Janeiro, *São Paulo, *Buenos Aires
Oceanos	OCEANO PACÍFICO NORTE, OCEANO PACÍFICO SUL, OCEANO ATLÂNTICO
Mares e baías	Mar de Beaufort, Baía de Baffin, Mar de Bering, Baía de Hudson, Mar do Labrador, Golfo do Alasca, Golfo do México, Mar do Caribe

Conheça também outros

▶ **QUEM PENSA ENRIQUECE**
Napoleon Hill
Todos querem ficar ricos, mas poucos conseguem. Afinal, qual é o segredo para se tornar um milionário? Nesta obra-prima de Napoleon Hill, você vai conhecer as características de grandes vencedores, como Henry Ford e Theodore Roosevelt, e aprender a usá-las a seu favor. Quem pensa enriquece – um livro que tem ajudado cada vez mais pessoas a se tornarem ricas e poderosas!

Descubra como:
• conseguir o que você deseja;
• usar a fórmula da autoconfiança;
• desenvolver os principais atributos para a liderança;
• enriquecer sua vida usando imaginação, planejamento e persistência!

EDITORA FUNDAMENTO

www.editorafundamento.com.br

livros da FUNDAMENTO

▶ **ADEUS, CHINA**
A vida de Li Cunxin poderia ter sido igual à de muitos camponeses da China, marcada pela pobreza e sem perspectivas. Mas, graças a um momento único e ao seu incrível talento para a dança, ele venceu. E contou, em Adeus, China, a sua história, feita de coragem, de amor de mãe e de anseio pela liberdade. Mais que uma biografia, este é o relato honesto de uma vida inspiradora. Em 1972, a rotina da escola de um vilarejo extremamente pobre foi alterada pela chegada dos "delegados culturais" de Mao-Tsé Tung, que buscavam crianças para estudar na academia de Madame Mao. Depois de receberem uma formação especial, os escolhidos se tornariam bailarinos. Mais que isso, guardiães da mensagem do líder do país, difundida por coreografias que misturavam comunismo com arte. A professora, após hesitar, sugeriu aos representantes da academia ? "que tal aquele?" Essas três palavras mudaram a vida do jovem para sempre. Ele partiu para a capital, Pequim, e de lá para um intercâmbio nos Estados Unidos. Ao longo dos anos, transformou-se num talentoso artista, que faria parte de grandes companhias do balé mundial e ficaria amigo do presidente do país-símbolo do capitalismo. Li Cunxin se tornaria o último bailarino de Mao, que superou todos os limites para ser uma estrela da dança.

EDITORA FUNDAMENTO

www.editorafundamento.com.br

BEST-SELLER INTERNACIONAL

GEOFFREY BLAINEY

UMA BREVE
HISTÓRIA DO MUNDO

2ª EDIÇÃO REVISTA E ATUALIZADA

FUNDAMENTO

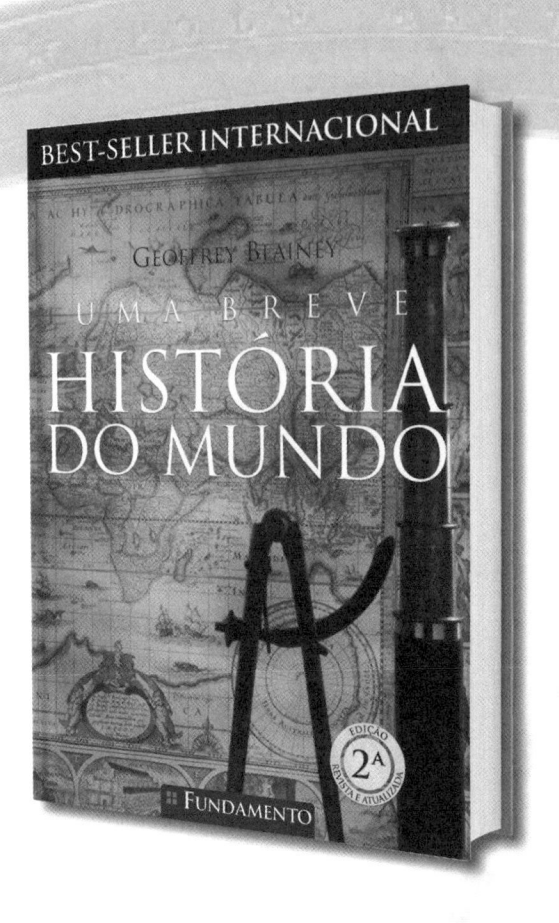

Você fará uma viagem inesquecível nas páginas deste livro.

Um dos livros mais vendidos no Brasil segundo as revistas ÉPOCA e VEJA.

EDITORA FUNDAMENTO

www.editorafundamento.com.br